PHILOLOGISCHE STUDIEN UND QUELLEN

Herausgegeben von

Wolfgang Binder · Hugo Moser · Wolfgang Stammler

HEFT 14

DAS FAUSTBUCH

nach der Wolfenbüttler Handschrift

Herausgegeben von

H. G. Haile

ERICH SCHMIDT VERLAG

Dem Lehrer

ERNST ALFRED PHILIPPSON

© Erich Schmidt Verlag, Berlin 1963
Gedruckt mit Unterstützung der Deutschen Forschungsgemeinschaft
Druck: Deutsche Zentraldruckerei AG, 1 Berlin 61, Dessauer Straße 6/7
Printed in Germany

Vorwort

Vor einigen Jahren unternahm ich eine Übertragung des Faustbuchs ins Englische, da mir aufgefallen war, daß seit der *Historie of the damnable life, and deserued death of Doctor Iohn Faustus* (1592) — deren Bearbeiter in viel höherem Maß Phantasie als Kenntnisse im Deutschen besaß — von diesem für die neuere Weltliteratur so wichtig gewordenen Werkchen keine englische Übersetzung erschienen ist. Bei einer Übersetzung (genau wie bei der Edition) will man nun den Absichten des Verfassers möglichst getreu folgen, und man findet bald heraus, wo etwa die Vorlage in diesem Punkte unzuverlässig ist. Beim Übersetzen gewann ich die Überzeugung, daß das Faustbuch e i n e n Verfasser gehabt hat, und daß ich immer wieder gegen seine Absichten verstieß: weil sich die ältesten erhaltenen Fassungen eben schon von dem Original beträchtlich entfernt haben.

Auf diese Tatsache hat allerdings ROBERT PETSCH bereits vor 50 Jahren hingewiesen. Daß er uns jenes Original nicht eingehender beschrieb, ist nach dem damaligen Stand der Faustbuchforschung durchaus verständlich, denn um die Jahrhundertwende hatte man zu viel Neues über die doch im Grunde disparaten Probleme der geschichtlichen, sagenhaften und fiktiven Faustfiguren entdeckt, um zu einer abschließenden Wertung des Materials zu gelangen. Die Arbeit, welche Petsch am Faustbuch leistete — allein in der Organisation der Quellen — ist erstaunlich. Grundlegend für alle Faustbuchstudien bleiben nach wie vor seine in dem Aufsatz über die Entstehung des Faustbuchs (GRM: 1911) und bei der Herausgabe des Spieß-Drucks dargelegten Anschauungen, welche ihrerseits ausgingen von ERICH SCHMIDTS richtunggebendem Aufsatz, Faust und das 16. Jahrhundert (Charakteristiken, 1886).

Trotz der prinzipiellen Richtigkeit von Petschs Ausführungen über die Vorgeschichte des Faustbuchs — oder vielmehr gerade weil er von seiner Hypothese so überzeugt war, daß er sie zur Theorie erheben wollte — wurde sein Faustbuch-Stammbaum übermäßig kompliziert. Indem er uns von ferne einen Ausblick auf das Urfaustbuch erlaubte, erschwerte er zugleich eine weitere Annäherung, und die Forschung wollte oder konnte sich über seinen glänzenden Beitrag nicht hinaus-

5

wagen. Wohl darum fehlt es 80 Jahre lang an einer zuverlässigen Ausgabe der ja gleich bei der Entdeckung als die „echtere" Faustbuchfassung anerkannten Wolfenbüttler Handschrift.

Es schien mir möglich, die Petsch-Hypothese, ohne ihre wesentliche Gültigkeit anzutasten, doch vereinfachen und brauchbar machen zu können (PMLA: 1960). Die schon in GEORG WITKOWSKIS Rezension der ersten Ausgabe der Wolfenbüttler Handschrift (Euphorion: 1898) behauptete These, daß diese die getreueste auf uns gekommene Wiedergabe des Faustbuchs sei, ließ sich tatsächlich in vielen Punkten unterbauen (ZfdPh: 1960). Der hier gebotene diplomatische Abdruck der Handschrift ist die letzte wissenschaftliche Konsequenz dieser Erkenntnis.

Wenn wir nicht einmal die Existenz eines Verfassers — im gewöhnlichen Sinne des Worts — beweisen können, so ist es freilich recht bedenklich, bei der Edition seinen Absichten gerecht werden zu wollen. Das habe ich aber trotzdem versucht. Die *Historia vnd Geschicht Doctor Johannis Faustj* ist nun einmal ein außerordentliches Buch — nicht nur wegen der Bedeutung, welche spätere Jahrhunderte ihm zugeschrieben haben, sondern schon wegen seiner eigentümlichen Stellung in seinem Jahrhundert: formal ähnelt es einem Roman eher als einem Volksbuch; es bietet auch nicht bloß leichte Unterhaltung, sondern befaßt sich mit den Kernproblemen des Zeitalters. Reichen unsere üblichen Hilfsmittel nicht hin, seine Entstehungsgeschichte zu erhellen, so wollen wir das Risiko eingehen, aus dem Werk selber die Methoden herzuleiten, welche für unseren Zweck geeignet sind: eine befriedigende Deutung des Faustbuchs und eine plausible Vorstellung von seinem Ursprung zu gewinnen.

Das ist natürlich kein objektives Verfahren, denn was unsrer Vernunft gemäß erscheint, braucht keineswegs immer dem Denken des 16. Jahrhunderts zu entsprechen. Dennoch verlangt diese eigenartige Schrift jeden möglichen Versuch einer Erklärung — selbst wenn er auch nicht zwingend ist —, denn sie ist in einer vernunftwidrigen Form auf uns gekommen. Da ihre Überlieferungsgeschichte nach dem ersten Druck zeigt, daß jeder Herausgeber (bis in die zweite Hälfte unseres Jahrhunderts) sie geändert und ergänzt hat, so müssen wir eine ähnliche Tätigkeit bei früheren, uns nicht erhaltenen Fassungen voraussetzen. Daß es wenigstens e i n e solche frühere Fassung gegeben hat, läßt sich textkritisch beweisen. Darüber hinaus bleibt es nach wie vor jedem

6

erlaubt, die eigene Deutung des Faustbuchs aus den erhaltenen Texten herauszulesen. Deshalb habe ich es als meine erste Aufgabe betrachtet, den Wolfenbüttler Text buchstabengetreu vorzulegen.

Der Herzog-August-Bibliothek, wo ich mich eingehend mit der Wolfenbüttler Handschrift beschäftigen durfte, und dem Herrn Direktor Erhart Kästner, der mir jede Hilfe und freundliche Auskunft erteilte, bin ich zu besonderem Dank verpflichtet. Das American Council of Learned Societies hat mich in den Jahren 1961/1962 großzügig persönlich unterstützt und damit den Abschluß dieser Arbeit ermöglicht.

H. G. Haile

Inhalt

Einleitung

Etwa in den siebziger Jahren des 16. Jahrhunderts verfaßte entweder ein begabter Romanschreiber oder ein exzerptenfroher Anekdotensammler die *Historia vnd Geschicht Doctor Johannis Faustj*. Eine Fassung seines Werks diente als Vorlage für die beiden ältesten Faustbücher, die auf uns gekommen sind. Das eine ist der Spieß-Druck von 1587[1]), wovon alle späteren Faustdrucke[2]) — einschließlich des Widmanschen[3]) — sich herleiten. Das wahrscheinlich ältere ist die sog. Wolfenbüttler Handschrift auf der Herzog-August-Bibliothek in Wolfenbüttel[4]). Mit der Bemerkung: „Ist von Widmans Leben *Fausti*, Hamburg 1599 in quarto, gänzlich verschieden", wurde sie ins Handschriftenregister von 1783 eingetragen. Eine frühere Erwähnung der Handschrift ließ sich nicht auffinden.

---

[1]) *Historia Von D. Johann Fausten* (Frankfurt). Neudruck von Robert Petsch, Das Volksbuch vom Doctor Faust (2. Aufl. 1911). Im Folgenden einfach: „Volksbuch".

[2]) Friedrich Zarncke, Bibliographie des Faust-Buches, in: Goetheschriften (Leipzig, 1897) S. 258—279. Auch Joseph Fritz, Zur Bibliographie des Faust-Buches: Euphorion 19 (1912) S. 334—337.

[3]) Georg Rudolff Widman, *Wahrhafflige Historia von ... D. Johannes Faustus* (Hamburg, 1599). Neudruck in Scheibles Kloster II (Stuttgart, 1847) S. 275—804. S. H. G. Haile, Widman's *Wahrhafflige Historia:* Its Relevance to the Faust Book: PMLA 75 (1960) S. 350—358.

[4]) Signatur: 92 Extravagantes, folio. Hans Henning, Das Faust-Buch von 1587: seine Entstehung, seine Quellen, seine Wirkung: WB 6 (1960) S. 26—57, betrachtet allerdings die Wolfenbüttler Hschr. (= W) als Vorlage für den Spieß-Druck (= H). Dabei übersieht er die Stellen, wo W offensichtliche Irrtümer enthält, welche bei H verständlich sind. Sie lassen sich nur durch die Annahme einer beiden Fassungen gemeinsamen Vorlage erklären. Unter solchen eindeutigen Trennfehlern sind: H 44: *in der andern Schüssel Oepffel vnd Birn, doch frembder vnd weiter Landsart* — W 45: *die Ander Schussel mit grienen Opffel vnnd Biren / Doctor Frembder vnnd Weitter Landsart;* H 54: *die gute Jungfrauw war mit Cupidinis Pfeilen durchschossen* — W 56: *Die guet jungkhfraw wardt mit jupitters pfeyl durchschossen;* H 57: *darmit er alle Weibsbilder sehen möchte* — W 59: *Damit Er alle weybsbilder schön macht.* In c. 26, wo auf weite Strecken Hartmann Schedels Weltchronik (1493) verwendet wird, ergeben sich viele Beispiele für die gegenseitige Unabhängig-

Als gegen Ende des 19. Jahrhunderts das Interesse an der Faustüberlieferung immer reger wurde, ließ der damalige Bibliothekar in Wolfenbüttel, GUSTAV MILCHSACK, die Handschrift als eine Art Anhang zu
seinen ausführlichen Quellenstudien und originellen Ideen über die
„Tendenz" des Faustromans abdrucken[5]). In seinen Augen war der
Inhalt der Wolfenbüttler Fausthandschrift — der sich mit der ursprünglichen Fassung des Faustbuchs praktisch decken sollte[6]) — besonders wichtig, aber seine Behandlung des Textes, die stillschweigend
geschah, brachte sogar in bezug auf den Wortlaut keine genaue Wiedergabe, sondern eher eine Verschmelzung des Spieß-Drucks und der
Handschrift (mit gelegentlichen Verbesserungen und Verschlechterun-
gen), ohne daß er jemals Rechenschaft darüber ablegte. Milchsacks Beschreibung der 1897 gedruckten Handschrift wurde erst 1922 (posthum)
veröffentlicht. Ich gebe sie hier wieder:

„Die Handschrift ist tadellos rein und in jeder Beziehung von
bester Erhaltung, nur sind die erste und letzte Seite stark vergilbt,

---

keit von W und H, da jede Fassung mehrere nicht in der anderen enthaltene
Abweichungen von der Quelle aufweist. Dieses Verhältnis läßt sich mit e i n e m
Satz gut veranschaulichen: Schedel (über Würzburg): *Dise löbliche statt hat drey
c h o r h e r r i s c h kirchen. on die bischoflichen thumkirchen. vnd die vier petl
örden. Auch sant Benedicten orden. zu sant Stephan. vnd cartheußer. teütsch
herren. vnd sant i o h a n s e n.* — W: *jnn diser Statt hat es vil Orden / als
Bettlorden / Benedictn / Steffan / Cartheuser / vnnd Teutschen Orden / Auch
Drey C h o r h e r r i s c h kirchen ohn die Bischoffliche Thuemb kirchen / Vier
Bettelorden.* — H: *Jn diser Statt hat es viel Orden, als Bettel Orden, Bene-
dictiner, Stephaner, Carthäuser, J o h a n s e r, vnnd Teutschen Orden. Jtem
es hat allda drey C a r t h ä u s e r i s c h e Kirchen, on die Bischoffliche Thumb-
kirchen, 4. Bettel Orden.* Schon WITKOWSKI machte in einer Rezension: Euphorion 5 (1898) S. 741—753, auf viele ähnliche Stellen aufmerksam, darunter auffallende Irrtümer, welche n i c h t bei Schedel zu finden waren, aber schon in
der gemeinsamen Vorlage sein mußten, um beispielsweise in H 26: *Meyland
in Italiam* — in W dagegen: *Meylandt doch Galliae zuestendig* zu ergeben.
An dieser Stelle spricht die Quelle von *Mailand in Gallie.* Wollte man in
diesem Fall etwa die den Irrtum (Italien für Gallien) enthaltende gemeinsame
Vorlage nicht annehmen, so müßte man sich doch H als Vorlage für W denken, um das Wörtchen *doch* erklären zu können. Für andere Stellen, wo H die
bessere Lesart bringt, s. die Fußnoten im vorliegenden Druck, etwa: S. 49
Anm. 7, 8; S. 82 Anm. 26; S. 88 Anm. 3; S. 122 Anm. 2; S. 125 Anm. 2, 3;
S. 127 Anm. 2.
[5]) ‚Historia vnd Geschicht Doctor Johannis Fausti' (Wolfenbüttel, 1892—97).
Im Folgenden einfach: „Historia".
[6]) Aber sogar Milchsack ist es nie eingefallen, diese Hschr. als Vorlage für den
Spieß-Druck zu erklären. — Er benutzt ja diesen für gelegentliche Verbesserungen der Hschr.

woraus geschlossen werden darf, daß sie lange Zeit ohne schützende Hülle, d. h. nicht eingebunden, war. ... das Papier-Format ist das gewöhnliche Folio 307 × 209 mm, mit dem Wasserzeichen: kleiner Schild mit darin stehendem Kreuz und daran hängendem gotischem p. Die Handschrift besteht aus neun Lagen jede zu zehn Blättern und einer zehnten Lage zu zwölf Blättern; die Foliierung, von der Hand des Schreibers, beginnt auf Bl. 11. Bl. 1a Titel, 1b leer, 2a—4b Register, 5a—10b leer, 11a—15a Vorred An den Leser, 15b leer, 16a—111b ORIGINALIS / Anfanng Leben vnd / Historj D: Faustj, Bl. 112 leer. Angefertigt hat die Handschrift ein Berufsschreiber in stets gleichmäßiger etwas altertümlicher, aber nicht schöner Schrift, nach 1572"[7]).

Milchsack berichtet nicht, daß auf dem ersten Blatt (= Titelblatt) unten links das Datum *Ao 1620* steht — nicht von der Hand des Schreibers und auch nicht von der Hand Herzog Augusts d. J. (des Gründers der Bibliothek, 1579—1666), vielleicht aber des herzoglichen Agenten Philippus Hainhofer.

Da Milchsack für die Hand des Faustbuchschreibers zwei weitere Beispiele kannte, welche ihn in den Jahren 1570—1590 tätig zeigen[8]), wußte er, daß das Datum 1620 zur Entstehungsgeschichte der Wolfenbüttler Handschrift nichts beitragen konnte. Es fällt aber auf, daß die anderen Schriften unseres Schreibers die A u g u s t ä e r -Signatur tragen und damit als Anschaffungen zu Lebzeiten Herzog Augusts anzusehen sind, während die Fausthandschrift mit ihrer E x t r a v a g a n - t e s -Signatur zu den Bänden gehört, welche erst nach seinem Tode katalogisiert wurden. Als Käufer der Fausthandschrift hat Milchsack wohl wegen dieser Signatur den 1647—1661 in Süddeutschland tätigen Agenten Johann Martin Hirt angenommen. In der Korrespondenz zwischen dem Herzog und Hirt (die fast vollständig erhalten ist) konnte ich keine Erwähnung der Fausthandschrift finden. Hirts Vorgänger war

---

[7]) ,Faustbuch und Faustsage' in: Gesammelte Aufsätze (Wolfenbüttel, 1922) Anm. 7 Spalten 144—145. Übrigens hat Milchsack bei seinem Abdruck der Hschr. die eigene, mit dem Titelblatt ansetzende Foliierung verwendet. Da ich dagegen die ersten 4 Blätter mit römischen Ziffern numeriert habe, um dann der Foliierung des Schreibers zu folgen, besteht zwischen seiner Ausgabe und dieser stets ein Foliierungsunterschied von 10 Blatt.

[8]) 17. 12 Aug. folio: eine *Cronica von der hochberuempten vnd des heiligen romischen Reichs Statt Nürmberg,* wo die Hand unseres Schreibers im Jahr 1570 aufhört; und 19. 22 Aug. folio, Bl. 188—204: zwei Pasquille, welche *Anno 1590* datiert sind.

Philipp Hainhofer, der 1613—1647 Einkäufe — hauptsächlich Kleidung, Uhren und Bücher — für Herzog August aus Nürnberg und Augsburg besorgte. Was Bücher anbelangt, lautete sein Auftrag in Augusts Worten:

Wegen allerhand tractätlein, wil ichs beym Alten nochmaln bewenden lassen, und durffet ihr mir nichtes, ausser rarität en und singularia, auch was ich begehren möchte, nuhr zuschicken. Insonderheit was Heidelbergae und Francofurti getrucket wird: Dan ich solches zu Hamburg bekommen kan: Was aber zu Augspurg, München und Ingolstadt, dan Welschland und Frankreich getrucket wird, soferne es auch frisch, und recht getrucket, auch was besonders, kan wol übersandt werden[9]).

Im Frühjahr 1620 war der Herzog sehr begierig, ein getreues Exemplar von T r i t h e m i u s' *Steganographia* zu erhalten. Das galt damals als magisches Buch; zwar gab es davon (wie auch vom Faustbuch behauptet wurde) mehrere Versionen, aber nur wenige Exemplare mit den vollständigen okkulten Enodationen. Deshalb bittet der Herzog um das Autographon:

Wan etwa bey Bayern, ein manuscriptum der steganographiae, und der clavis darzu, zu erlangen wehre, auf eine geringe Zeit zu gebrauchen, geschehe mir ein sondere wille und gefallen daranne: Die uhrsachen wolte ich künfftig eröfnen. Das Gedruckte Exemplar habe ich, ist aber sehr falsch, weyl mans vor disem nicht verstanden, gedrucket. Der Trithemius hat es Pfaltzgraf Philippo, dedicieret, daher mache ich mir die gedancken, es möchte beim hause Bayern, auch zu henden seyn: zu heydelberg, sols bey jetzigem Zustande, wol schwerlich zu erheben seyn[10]).

Von anderen Seiten erhält August viele *supposititia* [sic] *manuscripta*[11]), denn es finden sich nicht wenige, welche mit irgendeinem magischen Buch dem Herzog zu Wolfenbüttel einen sonderen Willen und Gefallen zu tun suchen. Endlich bekommt er von Hainhofer eine Handschrift: *Insonderheit würkliche satisfaction der rechten Steganographiae halber*[12]). Aber sie ist nicht echt: *Die Steganographia Trithemij*

---

9) 17. Juli 1619 (94 nova, Bl. 38).
10) 25. Feb. 1620 (Bl. 69).
11) 2. März 1620 (Bl. 71).
12) 31. März 1620 (Bl. 73)

ist nuhr eine beschreibung, etlicher modorum occulte scribenti [sic][13]).
In einem späten Brief erfahren wir, was der schon erwähnte jetzige
Zustand in Heidelberg war:

> *Von Heidelberg, kan ich dz authographum der Steganographiae*
> *nicht erlangen; sintemahl, der vorige Bibliothecarius, Franc: Junius*
> [1545—1602, Vater des Philologen] *selbiges mit andern magicis*
> *libris, auß unverstande dem Vulcano committiret*[14]).

Bei der Lektüre solcher Zeilen sind wir dankbar, daß unsere Handschrift jene Zeiten überlebte, und wir denken an die Möglichkeit, daß
eine von Herzog August im Jahre 1620 erhaltene und mit diesem
Datum vermerkte Fausthandschrift als etwas Besonderes, vielleicht Be-
denkliches, zu Lebzeiten des Herzogs in seiner Kammersammlung blieb,
bis eine jüngere Generation sie in der Bibliothek unterbrachte und unter
den Extravagantes katalogisieren ließ. Daß gerade das Jahr, in
dem die herzogliche Korrespondenz ein Verlangen zeigt nach Schriften
über die damals als okkulte Wissenschaft geltende Geheimschrift, auch
auf dem Titelblatt des berühmtesten „magischen" Buchs aus jenen Zeiten vermerkt wurde — das kann ja nur Zufall sein. Aber es wäre auch
bloß Zufall, wenn ein Nachfolger Augusts d. J. das Faustbuch für die
Bibliothek gekauft hätte. Der Nächste z. B., der um die Sammlung
besorgt war, der aufgeklärte Romanschreiber Anton Ulrich, der zusammen mit Leibniz die Bestände ordnete und bereicherte, hätte kein Verständnis für solch abergläubisches Zeug aufzubringen vermocht.

Was Milchsack als „altertümliche" Schriftart bezeichnete, dürfte als
typisch eher für das frühe als für das späte 16. Jahrhundert gelten. Sie
ist eine immer klare und deutliche deutsche Kursive mit wenig Ver-
schnörkelungen. Lateinische Buchstaben erscheinen ausschließlich in den
Fremdwörtern und in einzelnen Eigennamen. Große Schwabacher wird
im Titel und konsequent in den Kapitelüberschriften verwendet. Un-
deutlich ist lediglich der Unterschied zwischen großen und kleinen Buchstaben, da der Schreiber diesem Unterschied wenig Bedeutung zumißt.
Bei einzelnen Buchstaben verfügt er nach Belieben über zwei- oder
dreierlei Majuskeln und er neigt ohnehin dazu, die Anfangsbuchstaben
groß zu schreiben. *I/J* schreibt er vielleicht immer groß — sogar im
Wortinnern. Im vorliegenden Druck erscheint dieser Buchstabe aber

---

13) 22. April 1620 (Bl. 75).
14) 13. Mai 1620 (Bl. 77).

13

immer als Minuskel, wenn er nicht mit besonderer Verzierung (etwa am Satzanfang) oder mit einem Querbalken (was öfters der Fall ist) ausgestattet wird.

Bei *ä* und *ö* wird der Umlaut zwar manchmal nicht beachtet, aber regelmäßig durch den kleinen krummen Strich über dem Buchstaben angezeigt. Mit genau demselben Krummstrich sind *u* und *ü* immer versehen, d. h. *Tür* und *nur* sind grundsätzlich mit demselben Vokal geschrieben, wie ich es denn auch im Abdruck wiedergeben ließ. Ich durfte die Handschrift in dieser Hinsicht schon darum nicht verbessern, weil der Schreiber doch einzelne Wörter kennt, welche offensichtlich immer mit *ü* — d. h. mit zwei ganz deutlichen, ausschließlich bei *ü* verwendeten Punkten — geschrieben werden. Sehr häufig kommt das Wort *Sünde* (*sünden*) vor, ohne jede Ausnahme mit *ü* geschrieben. Dreimal erscheint *zünden* (34r, 58r, 76v); *Schütt* (25v, 51v — aber *entschutt,* 51r) und *Münster* (46r, 49r) je zweimal. Sie werden nie ohne die zwei Punkte geschrieben. Sonst findet sich ein *ü* im ganzen nur achtmal, und zwar in Wörtern, welche je einmal in der Handschrift vorkommen: *stürmen* (13r), *würde* (Hptwort, 20r), *günnet* (26v), *gedeücht* (33r — aber *daucht,* 44r u. ö, *bedaucht,* 78r), *gewüst* (55v — *gewist,* 92v), *wasserguss* (56r), *gebürt* (Ztwort, 56r), *beüdt* (80r). Das heißt, *ü* erscheint nur gelegentlich in der Schrift, und zwar am häufigsten bei einem Wort, (*Sünde*), das oft in der Kirchensprache benutzt wurde.

Ähnliches beobachten wir bei anderen Eigentümlichkeiten der Orthographie. Mhd. *ei* z. B. erscheint regelmäßig als *ai / ay* (weil dieser Berufsschreiber der Orthographie der kaiserlichen Kanzlei folgt). Obwohl aber Mephostophiles sehr oft ein *Gaist* heißt, tritt er nicht selten auch als *Geist* auf, denn für dieses Wort, wie für *Sünde,* stand dem Schreiber die mitteldeutsche Lutherbibel vor Augen. Deshalb schreibt er auch *Fleisch, Zeichen, Seligkeit* usw. Die Schrift und die Rechtschreibung stimmen also fast immer zu einer Sprachnorm, und zwar in erster Linie zu der durch Maximilians Kanzlei geregelten Norm, die im 16. Jahrhundert im Donaugebiet gegolten hat. Auf den Dialekt des Schreibers — oder gar des Verfassers — zu schließen, ist darum fast so problematisch wie bei der genormten Druckersprache des Spieß-Verlags.

Schon der Wortschatz unserer Handschrift, der solche Vokabeln enthält wie *Buhell, gehirn* (für *Geweih*), *gelffen, stechen* (für *bestechen*), *Omath* und *Traydt,* weist nach Süddeutschland, vielleicht mit *beüdt* und *nahend* (für *nahe*) nach Baiern. Häufiges *ö* statt *e* in Wörtern wie *bekhören, blöst, erschröckhung, höer, Röder, wöhlen* usw. wie auch die Behaltung des alten *ch* in *befilcht, befalch, geschicht, geschach, Höch, Schuech* usw. scheint auf ein Gebiet östlich der Lech-Wertach zu deuten. Eine eingehende sprachliche Untersuchung der beiden Faustbücher wäre wünschenswert und wird, was die Wolfenbüttler Handschrift anbelangt, hoffentlich durch diese Ausgabe erleichtert[15]). Bis dahin dürften wir den Schreiber vielleicht sogar in Franken suchen, da wir von ihm auch eine *Cronica von der hochberuempten vnd des heiligen romischen Reichs Statt Nürmberg* besitzen. Bei Fausts Weltreise in c. 26 wird mit e i n e r Ausnahme jede Stadt sehr sklavisch nach H a r t m a n n S c h e d e l s *Weltchronik* beschrieben. Diese Ausnahme ist Nürnberg, wofür eine unbekannte Quelle viele Einzelheiten gegeben hat. In dieser Stadt — woher die umfänglichste Sammlung von Faustgeschichten außer dem Faustbuch selber stammt: die von C h r i s t o p h R o ß h i r t — war die Fausttradition bekanntlich rege.

Das Alter der Handschrift läßt sich auch nicht genau bestimmen. Wir wissen, daß sie erst nach 1572 entstand, weil die Bartholomäusnacht prophezeit wird[16]). Daß der Schreiber bis 1590 tätig war, beweist das von ihm aufgeschriebene Pasquill: *Die* [sic] *von Bern Jennff vnd Schweitzer belangt,* aber den terminus ad quem bildet eigentlich das Erscheinen eines Drucks im Herbst des Jahres 1587. Da dieser schnell und weit verbreitet und in kurzen Abständen immer neu aufgelegt wurde, hätte wohl keiner nach 1587 eine Handschrift bestellt — und die Handschrift weiß nichts von dem Druck, sondern behauptet, daß die Historia *nit jnn den Teutschen Truckh oder schreiben* gebracht worden sei. Der tadellose Zustand der Handschrift läßt aber vermuten, daß sie nicht lange vor 1587 angefertigt wurde, denn die leichtere Zugänglichkeit eines

---

[15]) HERBERT MÜLLER, Historia von Doctor Johannis Fausti: eine sprachliche Untersuchung (Rostocker Diss., 1923) möchte in der Wolfenbüttler Hschr. die bairische Abschrift einer schwäbischen Vorlage finden. Er beruft sich auf einige schwäbische Provinzialismen, die aber mit der Ausnahme eines doch sonst nirgends belegten Worts, *schlipferten,* nicht im Spieß-Verlag verdolmetscht wurden, obwohl der Frankfurter Druck bestrebt ist, das ungewöhnliche Wort zu ersetzen oder zu erläutern. Was Spieß übersetzte, wie alemannisch *Valtter* (99r) oder *groe* (36v) ist Müller entgangen (Milchsack hat *Valtter* mit *Gepöltter* übersetzt). Da die Hschr. den Versuch einer getreuen Wiedergabe macht — sogar wenn die Vorlage nicht ganz verstanden wurde — wird Müllers These zwar glaubwürdig, aber der Beweis muß noch gebracht werden.

[16]) Was natürlich nichts über das Alter des Faustbuchs besagt, da dieses in H nicht enthaltene Kapitel (70) wahrscheinlich gar nicht zum Grundbestand des Faustbuchs gehörte. S. Anh. VII.

Druckes scheint die beste Erklärung zu bieten für die Dichte des Streusandes, der noch 1961 auf allen Blättern der einmal hochgeschätzten Schreiberarbeit lag.

Die Wolfenbüttler Handschrift (= W) stellt den Versuch einer exakten Wiedergabe der Vorlage dar[17]. Der Spieß-Druck (= H) ist eine tendenziöse, meistens geschickte aber manchmal fehlerhafte Redaktion der nämlichen Vorlage. Bei H finden wir den Ton der Vorlage verflacht; gewisse Stellen gestrichen; andere gedeutet, erklärt oder erweitert; wenigstens ein (W 31), aber wahrscheinlich drei (W 31, 62, 70) Kapitel übersprungen, und die Kapitelanordnung in zwei Fällen geändert (W 59—60 = H 59, 58; und W 5 - 6 - 7 - 8 = H 5, 8, 6, 9 — wobei H als c. 7 einige Brant-Reime einschiebt). Die Plusstellen bei H (gegenüber W) hat ROBERT PETSCH in seinem Neudruck als Petit drucken lassen, wobei ersichtlich wird, daß es sich überwiegend um moralisch-lehrhafte Sentenzen handelt. Dazu werden einzelne Wörter und Wendungen auf Prediger-Art gedeutet oder durch vereinfachende Synonyma erläutert und Handlungen kurz kommentiert. In meinem Aufsatz: Die bedeutenderen Varianten in den beiden ältesten Texten des Volksbuchs vom Dr. Faustus[18]), wurden solche Lesarten verglichen und diejenigen Stellen ausführlich zitiert, wo W einzelne Zeilen oder ganze Kapitelanfänge und Schlüsse bewahrt, welche im Spieß-Verlag verloren gingen. Weil aus der Petsch-Ausgabe die Plusstellen bei H, in meinem Aufsatz dagegen die Plusstellen bei W verzeichnet werden, und weil letztere keine Schreiberzutaten, sondern organische Teile der Vorlage sind, sah ich keinen Grund, sie in dieser Ausgabe noch einmal hervorzuheben.

Es ist vielleicht möglich, daß W zwei Kapitel (62 und 70) interpoliert hat, aber doch recht unwahrscheinlich. H hatte guten Grund, das eine aus sittlichen Bedenken zu unterdrücken, das andere als überholt zu betrachten; und wir wissen ja, daß H zu solchen Eingriffen in den Text immer bereit war. W will im allgemeinen eine möglichst getreue Wiedergabe seiner Vorlage bieten, und auch die dunklen Stellen schreibt er in bester Absicht auf. Er macht nicht wenige Fehler, aber das sind keine gewollten Änderungen, sondern Lese-, Hör- und Schreibfehler, denn

---

[17] Wie schon GEORG WITKOWSKI in seiner Rezension der Milchsack'schen Ausgabe feststellen konnte: Euphorion 5 (1898) S. 741—53. Eingehender H. G. HAILE, Die bedeutenderen Varianten in den beiden ältesten Fassungen des Volksbuchs vom Doktor Faust: ZfdPh 79 (1960) S. 383—409.

[18] S. Anm. 17 oben.

ihm wurde die Historia diktiert[19]). Wenn wir uns also dort an H wenden, wo sich dieser Schreiber verhörte oder verschrieb, so bekommen wir ein ziemlich genaues Bild von der gemeinsamen Vorlage für H und W (= X). Ich habe jedesmal, wo nur die Möglichkeit einer besseren Lesart bei H vorlag, diese im Apparat angegeben. Grammatik, Interpunktion und Schreibfehler habe ich nirgends verbessert, aber auch hier wurde an dunklen Stellen H im Apparat zitiert. Auch interessante Vokabularunterschiede wurden gelegentlich vermerkt; aber eben weil H eine Redaktion der Vorlage vertritt, wäre eine erschöpfende Behandlung der Varianten zwischen der Handschrift und der in den Halleschen Neudrucken leicht zugänglichen Spieß-Version unseren Zwecken nicht angemessen.

Denn die selektive Behandlung und Benutzung der Varianten soll uns unter Bewahrung einer streng diplomatischen Wiedergabe von W auch mit einiger Sicherheit auf X zurückleiten. Der Abdruck von W erlaubt also, ein möglichst klares Bild von der frühesten Faustbuchfassung zu gewinnen, welche ohne jeden Zweifel nachgewiesen werden kann. Diese Fassung X hat es bestimmt gegeben, und zwar in der Form, die aus dem vorliegenden Druck ersichtlich ist. Es besteht sogar die Möglichkeit, daß X die allerfrüheste Fassung eines Faust b u c h s war — daß es vor X nur Faustanekdoten gegeben hat, welche X auf eine sehr ungeschickte Art und unter reichlichem Exzerpieren von Nachschlagewerken zusammenraffte. Über X hinaus haben wir nur Hypothesen, aber die gibt es seit fast einem Jahrhundert in Hülle und Fülle.

Die frühe Faustbuchforschung glaubte in H (also vor der „Entdeckung" von W) nur ein Sammelwerk zu besitzen, und WILHELM SCHERERS schönes Wort über den Sammler kann auch heute nicht völlig widerlegt werden:

„Er war kein Künstler, dieser unbekannte Verfasser. Er war vielmehr ein rechter Stümper, dem so ziemlich alle die Eigenschaften fehlten, die man vom bescheidensten Schriftsteller verlangen darf. Wie schlecht erzählt er! Wie schlecht hat er seinen Stoff disponiert!

---

[19]) S. oben, Anm. 4. Unter anderen Beispielen: H 1: *Wurtzeln, Wassern, Träncken, Recepten vnd Clistiern* — W 1: *Wurtzel vnd Tranckh / Recept / vnnd Christieren;* H 24: *in der Lufft herab* — W 24: *ein klufft herab;* H 25: *Vnd weil der Wind hinder sich schlägt* — W 25: *vnnd weil der Windt hinder sich steht;* H 44: *Morgenland* — W 45: *Morenlannsdt.* Zahlreiche weitere Beispiele ergeben sich aus dem Apparat zum Text.

Wie wenig Übersicht und Klarheit besitzt er! Wie thöricht prunkt er mit Citaten!

Er hat gewiß nichts Thatsächliches erfunden, höchstens zuweilen eine Geschichte von einem anderen Zauberer auf Faust übertragen; aber auch dies läßt sich nicht beweisen, niemand kann wissen, wie weit ihm die mündliche Tradition auch hierin vorgearbeitet hatte. Sein Material waren einzelne Anekdoten, die er sehr mangelhaft redigirte. Wir finden mehrfach Widersprüche und Doppelerzählungen, unterbrechende Einschaltungen, ungeschickte Überleitungen und fast nirgends eine größere einheitliche Conception"[20]).

Scherers These hat seit WILHELM MEYERS Entdeckung der N ü r n b e r - g e r F a u s t g e s c h i c h t e n [21]) immer mehr an Wahrscheinlichkeit verloren, denn mit diesen Geschichten bekam die Forschung treffliche Beispiele von der volkstümlichen Faustüberlieferung, wie sie unabhängig vom Faustbuch lebte. Zwar wurden die Nürnberger Geschichten wie auch ein Teil der E r f u r t e r Ü b e r l i e f e r u n g [22]) in irgendeiner Version vom Faustbuchverfasser verwendet — aber doch auch bewußt geändert und für seine Zwecke zurechtgeschnitten. Man entdeckte weiter, daß einzelne Faustgeschichten sogar zum erstenmal bei dem sogenannten Sammler auftauchten, um erst später dann in die volkstümliche Tradition aufzugehen[23]). ERICH SCHMIDT hatte schon früh mit seinem grundlegenden Aufsatz ‚Faust und das 16. Jahrhundert'[24]) Spuren einer ursprünglich einheitlich geformten, durch spätere Kontaminationen entstellten Überlieferung gefunden. Nun konnte ROBERT PETSCH behaupten, ein nicht unbegabter Faustbuchverfasser habe bekannte Motive geschickt zu Faustnovellen verwandelt und daraus ein einheitliches Werk geformt[25]). Es schien Petsch unglaublich, daß der Erzähler öfters gerade

---

[20]) ‚Das älteste Faust-Buch' (Berlin, 1884) S. XIII f.

[21]) München, 1895.

[22]) Das Verhältnis zwischen Faustsage und Faustbuch wurde hier schon früh von SIEGFRIED SZAMATÓLSKI sehr schön gezeigt: Faust in Erfurt: Euphorion 2 (1895) S. 39—57. S. aber auch HANS HENNING, Das Faust-Buch von 1587: S. 43.

[23]) So z. B die berühmte Helena-Episode.

[24]) ‚Charakteristiken' (2. Aufl. 1902) S. 1—35.

[25]) So die *Historj vom Kayser* Carolo Quinto (c. 34) und der darauffolgende Schwank *Von einem Hirschhorn* (c. 35); die Reise *auff die Furstlich Hochzeitt zu Munchen* (c. 38); das *Abentheur mit einem juden* (c. 39); die Obstverzauberung *an des Grafen von Anhalt hoff getriben* (c. 45); die Strafe des Bauern

das Motiv, welches er einmal künstlerisch ausgearbeitet hatte, später — manchmal sogar anschließend — in flacher volkstümlicher Form wiederholen sollte[26]. GUSTAV MILCHSACK hatte dieser Doppelstil zwar nicht gestört, aber gerade mit seiner Behauptung, W stelle einen Faust r o m a n dar, unterbaute er Petsch's These; denn sehr überzeugend wies er auf den lutherischen Grundton des ganzen Faustbuchs hin (sogar mit Paralleltexten aus Luthers Schriften), auf die konsequent durchgeführte Schilderung von Fausts Charakter — nicht des wandernden Astrologen und Tausendkünstlers aus der Volksüberlieferung, sondern des verbissenen Spekulierers, der hartnäckig nach den Mitteln sucht, seine Erlösung auf eigene Faust zu erzwingen[27].

Damit war die von Scherer bezeifelte „größere einheitliche Conception" nachgewiesen, denn vom ersten Kapitel bis zur oratio an die studiosos, in den Disputationen mit seinem Geist sowohl wie in der Auseinandersetzung mit dem Alten Mann (im Faustbuch, aber n i c h t in der Erfurter Überlieferung!) bleibt Faust dieselbe verzweifelte Seele, welche an Gott, Hölle und Sünde fest katholisch glauben muß, der aber der rechte Glaub fehlt, weil sie mit allen ihren spekulationibus nicht

---

durch eine Gesticulation *mit Vier Rödern* (c. 52); die *vier Zauberer. so einander die Köpff Abgehawen* (c. 53); *mererlay Garten gewechs am Christag* (c. 57); die Geschichte *Von einem gemachten Kriegshöer* (c. 58); u. a. m. Solche Geschichten zeichnen sich formal und sogar gehaltlich aus, indem sie sehr geschickt, oft reizend formuliert sind, sich immer um die Hauptfigur Faust und seinen gar nicht nur negativ geschilderten Charakter drehen, und zu einer meistens ironischen Pointe führen.

[26]) Auf den Judenbetrug (c. 39) folgt ein Roßtäuscherbetrug (c. 40); auf die schöne Anhalter Geschichte (c. 45) folgt das phantastische Stück, wo Faust ein Schloß verzaubert (c. 46). Das Motiv vom verzauberten Bauernpferd und Wagen wird nicht einmal (c. 52) verarbeitet, sondern erscheint in noch zwei kurzen Kapiteln (37 und 41). Das Motiv von den verzauberten, im Wasser wieder verschwindenden Pferden liegt dem so *gemachten Kriegshöer* (c. 58) zugrunde. Nicht nur wird diese Geschichte noch einmal eingeschoben (c. 36); dasselbe Motiv ergibt den Stoff zu zwei weiteren, volkstümlichen Geschichten (c. 40 und 44). Vgl. PETSCH's Einleitung zum Volksbuch S. XXXI—XXXVII und XLI—XLII, wie auch meine beiden Anhänge V und VI.

[27]) In seiner Einleitung zu der Historia S. CCCXXV—CCCXCIV. Es hat hier wohl keinen Zweck auf HANS HENNINGS Deutung von Faust als Übergangsfigur zwischen Feudalismus und Bürgertum einzugehen, denn das Faustbuch wußte nichts von einer aufgeklärten Geschichtsauffassung, welche die neuere Weltgeschichte als einen steten Fortschritt sieht: Faust als historische Gestalt: Jahrbuch der Goethe-Gesellschaft N. F. 21 (Weimar, 1959) S. 107—139.

begreift, wie die göttliche Gnade so groß sein könne, wie die eigenen schrecklichen Sünden. Die Situation des Menschen, der sich „hochmütig" auf die eigene Vernunft verläßt, ist das den ganzen Faustroman durchziehende und verbindende Moment, welches auch Petsch zwang, einen einzigen Verfasser für das Faustbuch vorauszusetzen.

GEORG WITKOWSKI hatte schon auf Stellen von W verwiesen, welche vor X eine noch frühere Stufe vermuten ließen. Diese Fassung nannte er L, weil die vielen lateinischen Brocken und undeutschen Wendungen besonders in W der Berufung in der Vorrede von W auf ein lateinisches Original Glauben verliehen[28]). Petsch, der auch an das lateinische Original glaubte, hat als erster bemerkt, daß die vielen Exzerpte aus deutschen Sammelwerken (größtenteils von Milchsack[29]) quellenmäßig herausgearbeitet) unmöglich in einem lateinischen Werk hätten stehen können. Die Aufschwellung von mehreren Kapiteln wie auch die Inkonsequenz an manchen Stellen, aber vor allem die vielen kurzen, in Stil und Ton verflachten und abgedroschenen, andere Episoden im Faustbuch wiederholenden oder zugleich widersprechenden Anekdoten durfte Petsch nun als Einschaltungen und Entstellungen durch die Hand des Übersetzers oder eines Bearbeiters erklären.

Anhand von W i d m a n s *Wahrhafftige Historia* wollte Petsch sogar beweisen können, daß es vor X frühere Fassungen gegeben haben müsse. Leider zwang der Beweis durch Widman nicht nur zu der Annahme von Witkowskis Urfassung L, sondern auch zur Einschaltung einer dritten Stufe: der ersten Übersetzung und Aufschwellung U. Von U sollte X dann ein Kürzung darstellen[30]). Petsch stützte seine ganze Theorie auf die Annahme, Widman habe für seine *Wahrhafftige Historia* nicht nur H, sondern auch U benutzt. Widman hat nun freilich sehr viel über den geschichtlichen Faustus gewußt; er besaß auch teilweise dieselben Kompendien, welche im Faustbuch — d. h. in X — durch Exzerpte vertreten sind. Es kann vielleicht zweckmäßig sein, Widmans reiches Quellenmaterial als U zu bezeichnen, aber dieses U braucht nicht mit einer frühen Fassung des Faustbuches identisch zu sein. Es spricht sogar sehr viel dagegen, daß Widman das Faustbuch in irgendeiner anderen Fassung als H kannte. Sonst wäre er nicht durch jede fehlerhafte Stelle in

28) Euphorion 5 (1898) S. 741—753.
29) Einleitung zu der Historia S. XXII—CCXVII.
30) Einleitung zum Volksbuch S. XI—XLV.

H — wir besitzen ja die Kontrolle W — irregeführt worden[31]). Aber damit wird leider der einzige Beweis für eine ältere Stufe vor X hinfällig.

Dennoch ist es seit den Arbeiten von Milchsack und Petsch auch unwahrscheinlich, daß X die erste Fassung — oder auch nur eine ziemlich getreue Wiedergabe des Originals — darstellen könnte. Denn in X finden wir ein so merkwürdiges Durcheinander von künstlerischem Können und geschmacklosem Sammeln, von bewußter Formung des ganzen Werks und unbesonnener Inkonsequenz in einzelnen Kapiteln, daß wir als Verfasser des Faustbuchs sowohl mit Milchsack einen Romanschreiber wie auch mit Scherer einen Sammler von Anekdoten und Exzerpten aus pseudowissenschaftlichen Schriften annehmen möchten[32]). Das heißt, X muß eine Vorlage gehabt haben, welche wir mit der älteren Forschung L nennen wollen — obwohl wir nicht wissen, ob sie lateinisch oder deutsch verfaßt wurde: die vielen Latinismen lassen sich ja ebensogut als Affektiertheiten wie als schlechte Übersetzung erklären[33]).

[31]) HAILE, Widman's *Wahrhafftige Historia*: S. 353.

[32]) HANS HENNING, Das Faust-Buch von 1587, nachdem er W mit X gleichgesetzt hat — s. oben, Anm. 4 — sieht zwar keinen weiteren Grund, sich um eine noch frühere Fassung zu kümmern, denn er findet „ohne Bedeutung ... die vielerorts festzustellende Unausgeglichenheit oder Widersprüchlichkeit" (S. 40), da solche Züge auch für die Volksbücher jener Zeit charakteristisch seien. Sonst ist Henning übrigens bereit, mit der jüngeren Forschung wesentliche Unterschiede zwischen dem Faustbuch und Volksbüchern zu finden: s. INGE GAERTNER, Volksbücher und Faustbücher. Eine Abgrenzung (Göttinger Diss., 1951).

[33]) FRIEDRICH SCHMIDT, Die Historia vom Doktor Faustus. Stufen und Wandlungen (Göttinger Diss., 1950), versucht sogar einige Stellen wieder ins Latein zu transferieren. Er gibt allerdings zu, daß man eine lateinische Urfassung nicht beweisen kann, benutzt aber trotzdem vermeintliche Latinismen als Kennzeichen für alte Bestandteile der Historia. Da Schmidt den Petsch-Stammbaum ziemlich kritiklos annimmt, um ihn dann weiter auszubauen, muß er die Widmann-Historia für unsere echteste Faustbuchfassung halten. Petsch's $L \Rightarrow U \Rightarrow X <^{\to W}_{\to H}$ ist bei ihm zu $L \Rightarrow U \Rightarrow Y \Rightarrow X <^{\to W}_{\to H}$ geworden, wobei Widman die Version Y gekannt haben soll. Schmidt bringt aber keine Beweise für X, Y und U, und vermag sie auch nicht auseinanderzuhalten. — Was ich hier X nenne, mag freilich mehr als e i n e Abschrift der Historia vertreten, aber es fehlt uns bisher an den Mitteln, sie einzeln zu erschließen. Ihre einfache Voraussetzung hat auch nichts zur Entstehungsgeschichte des Faustbuchs beigetragen.

Wir müssen uns dieses L als einen mehr oder weniger bewußt geformten Roman denken ohne die Interpolierungen, die in X hinzukamen. Stilistisch dürften die Schreiberzutaten in den meisten Fällen als solche ziemlich sicher zu erkennen sein. Ich wollte sie hier aber nicht etwa aus dem Text von W herausziehen, vor allem weil L immer noch eine reizvolle Hypothese bleibt, aber auch um das Textbild von W — bisher fehlt es ja an einer zuverlässigen Ausgabe — nicht zu zerstören. Dagegen schien es auch erforderlich, bei einer Neuausgabe eines Werks, welches wir in einem entstellten Text zu besitzen glauben, die Forschungsergebnisse eines Jahrhunderts über solche Entstellungen einmal übersichtlich vorzuführen. W ist sogar besonders dazu geeignet, eben weil es als die bessere Wiedergabe der unmittelbaren Vorlage gelten darf. Die nicht zum hypothetischen Grundbestand von L gehörigen Stellen wurden also als Petit gedruckt, und im Apparat wurde auf den Anhang verwiesen, wo Erwägungen zusammengezogen werden, welche die Echtheit des betreffenden Abschnitts in Frage stellen. In zwei Fällen, wo nämlich nicht nur Neues eingeschaltet, sondern auch Altes neugeordnet wurde, mußte der Text von W zweimal abgedruckt werden: einmal nach der Handschrift (Einschiebsel in Petit-Druck); dann in Kursivsatz, nach der hypothetischen Originalfolge.

Diese Ausgabe stellt damit den Versuch dar, nicht nur eine diplomatische Wiedergabe von W nebst einem möglichst anschaulichen Bild von X zu bringen, sondern auch unsere Kenntnisse über das Aussehen eines hypothetischen Originals L zu organisieren und zu verwerten. Mit den durch Petit-Druck ausgezeichneten Schlüssen über L bin ich selbstverständlich immer sparsam verfahren. Die Art dieses Abdrucks leitet ohnehin zu Mutmaßungen über den Ton von L. Denn werden die recht eindeutigen Zutaten einmal durch abweichende Typen ausgeschaltet, so scheint der Stil der Historia viel einheitlicher zu werden. Aus rein ästhetischen Erwägungen dann noch weitere Abschnitte als „unecht" zu erklären, schien mir ein nicht in den Rahmen dieser Arbeit gehörender Zirkelschluß zu sein.

Historia vnd

Geschicht *Doctor Johannis Faustj*
des Zauberers / Darjnn gantz
Aigentlich vnd warhafftig be-
schriben wirt. sein gantzes Leb-
en vnnd Endt / wie er sich dem
Teuffel auff ein benante Zeit
verobligiert. was sich darunder
mit jme verloffen / vnd wie er
auch endtlich darvff seinen ver-
dienten Lohn empfanngen: —

Es seind auch seltzame Offenbarungen darjnnen begriffen sich zu spieg-
len so zu Hochnottwendiger Christlicher warnung vnd Abmanen seer
nutzlich vnd dienstlich ist / das sich vor dergleichen   allerschedlichsten
befleckhungen wol zu huetten / Die Leuth zuuorderst dess verzweifelten
Ableibens sich genntzlichen zuenthalten vrsach haben sollen.

Sÿrach .j.

Die Forcht des Herren wehret der sündt / dan̄ wer ohn Forcht fehret
der gefehlt Gott nicht / vnnd seine Freyheit wirdt jn sturtzen. *Resi-
stite Diabolo et fugiet à vobis &*

[ii r] Register

23

Der dritte Thaill.

25

Vorred An den Leser

Gunstiger Lieber Freundt vnnd Brueder Dise Dolmetsch vom Doctor
Fausto / vnnd seinem Gottlosen Vorsatz / Hat mich bewegt auff deine
Vielfelttige Bitt auss dem Latein jnn das Teutsch zu Transferiern / wie
jch dann achte niemahls jnn Teutsche sprach kommen ist / was dann
solliches bewegt hat / das es nit jnn den Teutschen Truckh oder schreiben
gebracht worden / hat es ein sonnderliche *Causam* vnnd gelegenheit gehabt Einmahl / Damit nit Rohe vnnd Gottlose Leuth sich hier Jnn spieg-
len / vnnd zu ainer Laruen machen / vnnd jm das werckh nachthuen
wöllen / Dann man das boese eher fast / dann das guete / dann wo der
Teuffel den sollichen das Hertz sihet vnnd erhascht / darein verwickhelt
er sich / vnnd nimpt ain hannd fur ein Elen lanng / Da dann endtlich
volget / Das sich der Mensch wider das Erste vnnd Ander Gebott Gottes
vergreyfft / Abdritt vnd handelt / wie der Herr *Christus Math: 4.* Zum
Sathan selbst sagt / Es stehet geschribn̄ [1 v] Du solt Gott deinen Herren
allein anbetten / jme Diennen &

Zum Andern / haben sich vil gesellen vnderwunden sollichs dem Fausto
nach zuthon / wie dann bey den Studenten / vnnd nach bey vns jr vill
seind / die mit den *Coniurationibus* vmbgehn / seind Gauckhler / Teufels
Lockher / jäger vnnd Banner / die sollen endtlich wissen Das jnen letstlich der Teuffel belohnen wirdt wie dem Fausto.

Also auch meldet Caspar Goldtwurm von ainem Teuffelbanner / wellicher sich ermessen vnnd erbotten hat / alle Schlanngen auf ein Meyl
wegs lang jnn ein Grueb zusamen zubringen / vnnd Dieselbigen alle
ertödten / Welches Er auch zuwegen gebracht / vnnd ein Vnzeliche menge
der Schlangen zusamen kommen waren / zu letst Da kompt ein grosse
Alte Schlang / dieselbige wehret sich jnn die Grueben zukriechen / Der
Incantator stellet sich als liesse Er Sie also gehrn wehren / er ließ Sie
auch Frey hin vnd wider kriechen / letstlich Da er mit seinen *Incantationibus* forth will faren / Sie jnn Die Grueben zubeschweren / Da
springt die Alt Schlang an den *Incantatorem,* fast jn / wie mit ainer
Gurttel / fuert jn mit gewalt [2 r] mit sich jnn die Grueben vnder
die andern grewlichen Schlangen / vnnd bringt jne vmb.

Alexander .Vj. *Pestis Maxima,* Damit Er zum Pabst möcht werden /
Ergab Er sich dem Teuffel / der jme allezeit jnn Eines *Protonotarij*
gestalt erscheinen solt. Wie jne dann der Pabst *Alexander* Fraget Ob Er
Pabst wurde / Da Antwurt jme der Teuffel ja / Da fraget Er jne

weitter / wie lang er wurde Pabst sein / Antwurt der Teuffel / Aylff vnd Acht & Es ward aber nur Ailff jar vnnd Acht Monat.

Nach Aylff jaren ward Er kranckh / schickht seinen vertrawtn̄ Dienner einen hinauff jnn sein Gemach / Der solt jme ein Biechlin holen / welchs Voller Schwartzer kunst ward / zusehen ob Er gesundt werden mocht oder nit / Da der Dienner hinauf kam / Die Thur auf thett / fandt Er den Teuffel jnn des Pabsts Stuel sitzen / jnn Pabstlicher zier vnnd Pomp / Also das Er sehr erschrack / zeigt solchs dem Pabst an / Da muest Der knecht wider hinauf zusehen Ob er noch Da sey / Da fand er jn noch / Da fraget Der Teuffel den knecht was er da schaffen wolt Der Dienner sagt Er soll dem Pabst Ein Buechlin auf dem Tisch ligenndt Hollen / [2 v] Darauff spricht der Teuffel / was sagstu vom Pabst. *Ego sum Papa.* Als diss der Dienner dem Pabst ansaget / ist Er sehr erschrockhen / hat die Sach anfahen zu merckhen / wa hinauß es wölle / jnn dem kompt der Teuffel jn eines Postpottens gestalt / klopfft an der Thur an / er wirt eingelassen / kompt zum Pabst fur das betth zeigt jm an / die jar seind auß / Er sey jetzt sein / Er mueß mit jm daruon. Alsbaldt hat auch der Pabst / der *Vicarius Christj* vnnd Seule der Christenheit den Geyst aufgeben / mit dem Teufel jnns *Nobis* hauß gefahren /

Zum dritten. haben bey vnns die Studenten so wol *Magistrj* mechten genennt werden / wie jch bey ettlichen gesehen hab / noch solliche Stuckh vnnd Zauberey / Die Sie nennen die Nott stuckh / Das ist die Stuckh vnnd Kunst jnn der Nott / vnnd wa es sein möcht / hilff darJnn suechen / Diss alles ist nichts annders *Somnia* vnnd Lugen / Laruen / Damit Sie sich selbs betriegen / Als Da seind *Auguria* weissagungen auss dem Vogelgeschray *Chiromantia* Weyssagungen auss den Hennden & Vnd wie solche gesellen genennt mögen werden / [3 r] Die jetziger zeit ain sondern Ruem haben / Was seind es anderst jnn der Hayligen schrifft / dann schwartze kunst *Dardaniæ Artes Magia.* Das ist Teuffels werckh / Teuffels Sohn / Vatter vnnd Schwager / ja solliche / die wol wie .S. *Paulus* sagt Teufels Glider sein / wie ettliche sich selbs hoch geruempt haben / es seind Verborgne stuckh / kunstlich werckh / jtem man brauch hierjnn Gottes wort sein heylige wörter / was ist das anders dann Gott lugen straffen / wider das Erst vnnd Ander Gebott Gottes sündigen / Da sie doch teglich betten vnnd sprechen *et ne nos inducas in Tentationem,* Vber dz so ist jr Ruem noch mehr / Das Sie furgeben es habe solliche Teuffels werckh (diss jch nenne) oder falsch kunst nicht erst kurtzlich angefanngen / sonnder es sey jm anfanng vnd Alter gewest *Zoroastes* sagen Sie sey der Erst kunstler gewest / Wellicher der *Boctrianorum* König gewest ward ein *Astrologus*, Sie aber sagen nicht wie jm der Teuffel gelohnet habe / Welcher vom Teuffel jnn die Lufft vber sich gefiert worden / alda die Götter vnnd gestirn hat sehen wöllen / Darumb Er verbrandt worden von hymlischem Feur / Darumb jn die Poeten nachmalen *Zoroastra* nennten / Das ist ein Lebendig gestirn / wie [3 v] sollichs auch *Justinus lib: .j.* Meldet / Dieweil aber *Zoroastes* ein Heyd ward / wirt jm der Teuffel gewislich vil Articul wie auch dem Doctor Fausto furgehalten haben / Also das er der Teuffel jn geraytzt habe / Er were wirdig das Er vnder die Götter gezelt wurde / als ein *Bacchus, Pan, Ceres* & Am Andern so wirt er jme erzelt haben / Er muesse etwas News vnnd Vnerhörts aufbringen / das einen schein habe / Damit Sie jn fur ein Gott achten.

Zum Vierdten. So wirdt Er die Zauberey Die Leuth offenntlich haben sehen lassen / wie die Egyptischen Zauberer vor Dem *Pharaone* gethon haben / Mit disen Rennckhen wirdt der Teuffel den *Zoroastro* ein wachssene Nasen gemacht haben / Zum Vierdten hab jch auch gesehen schwartze kunst / Die jnn Lateinischer vnnd Griechischer sprach seindt verzeichnet gewesen / Aber alles das am meinsten vnnd kunstlichsten sein solle / Dises sein alles Chaldeische / Hebraische / vnnd Persische *Vocabula* gewesen / Auss disem jch schlieslich judiciern mueß / Das solliche kunst *in Persia* [4 r] vnnd *Chaldæa* ausgebraittet worden / wie auch das Wortlin jnn Latein *Chaldæo* Darumb genennt wirdt / Dieweil Dise Völckher jren Vrsprung hetten Von Dem Gottlosen *Cain,* also liessen Sie auch seine kinder ahn / Daher dann gewislich war / das *Zoroaster* die Zauberey *in Persia* gelernet hat / Wie solchs *Menippus in Luciano* meldet / Da Er spricht / Mir kam jnn den Synn Das jch hinzoge *In Babilon* vnnd sprach jrgendt einen Zauberer ahn / auss des *Zoroastrj* Schuelern vnnd Nachuolgere &

Auss *Persia* seind alle andere Nationen auch Damit beschmeist worden / wie die *Meder* nicht jnn einem schlechten Ruem gewest / als *Apuleo* vnnd *Zaratus* bey den Babiloniern / *Marmaridius* bey den Arabiern, *Hijpocus* bey den Assyriern /

Zum Funfften / vnnd Letsten / Soll sich ain jeder Christ Gottes Forcht befleissen / vnd solliche sünd vnnd Misbrauch nicht jnn sich einwurtzlen lassen / Da der Mensch nit allein felle / sonndern Leib vnnd Seel jnn Die Schanntz schlecht / Wie dann der Teuffel nit allein den Leib suecht / sun-

dern es ist jm [4v] nur vmb die Seel zuthuen / Soll sich Derhalben ein
jeder Christen Mensch dafur hiettn̄ / Gott vertrawen / sein vernunfft
nicht jns Teuffels weiß verfuern / noch sich damit befleckhen lassen /
sonnder ein jegclicher soll dem Teuffel nicht statt geben / Damit Er Gottes zorn nit heuff / vnnd die Regell Christj behalte. Was hilfft es den
Menschen Wann Er gleich die ganntz Welt hette / vnnd nem schaden an
seiner Seel / So hatt Gott solchs auch jnn der Hayligen Schrifft / schwer
ernstlich vnnd hefftig verbotten / Dess Er auch gewiß halten wirdt
Leuiticj cap: 19. Jr solt Euch nicht wenden zu den Warsagern / vnnd
forschet nit von den zaichendeuttern Am *.20. cap:* Wann sich ein Seel zu
den Zaichendeuttern / vnnd Warsagern wenden wirt / Das Sie jnen nach-
henget / So will jch mein Andlitz wider dieselb Seel setzen / vnnd will
Sie auss jrem Volckh rotten. *Cijprian:* j°. *de dupl: Martijrio & Magicis*
(inquit) artib.vtunt: tacite Christum abnegant, dum cum Dæmonib.
habunt foedus.

Wer sich der Zauberey befleyst.
Christ der gewiß kein glaubn̄ leyst / [5r]

Zu einer Warnung vnnd mich selbs zu excusiern / hab jch zu einer Vorred / vnnd Eingang nicht können vnderlassen auch solche *Memoration*
jns werckh zuuerrichten / vnd bin das jnn ganntzer zuuersicht Doctor
Faustj werckh vnnd that zu ainer kurtzweil Dir angenem sein werden /
welches warhafftig geschehen ist/ vnnd Dir noch lieber sein wirt / Dann
andere vnwarhafftige Geschicht / Nim also guetter Freundt vnnd Brueder
zu ainer kurtzweil fur ein Garten gesprech an / Gott sey mit dir alle
zeit Amen /

[6r] *ORIGINALIS*
Anfanng Leben vnd
Historj *D: Faustj*

Doctor *Faustus* ist eines Bawren Sohn gewesen zu Rod bey Weimar
vrburdig / Der zu Wittemberg ein grosse Freundtschafft gehabt / Dieweil
seine Eltern Gottselige vnnd Cristliche Leuth gewesen / ja sein Vetter
Der zu Wittemberg seshafft ein Burger wol vermugens gewest / jn Den
Doctor Faustum auferzogen / vnnd gehalten wie ain kindt / Dann Er
ohne Erben ward / Nam Er disen Faustum zu ainem kindt vnnd Erben
auf / Ließ jn jnn die Schuel geen *Theologiam* zu studiern / Er ist aber
von sollichem Gottseligen Furnemen abgedretten / Gottes wort misbraucht /

Derohalben wir solliche Eltern vnnd Freund die gern alles guetts / vnnd
das besst gesehen hetten (.wie solches alle Frombe Elttern gern sehen.)
ohne Tadel sein sollen lassen / Sie jnn die Historj nicht mischen / So
haben auch seine Eltern dises Gottlosen kinds Grewel nicht erlebt noch
gesehen / Dann einmahl gewiß / [6v] wie auch die Eltern dess Doctor
Faustj (wie menigclich zu Wittemberg bewust) sich ganntz hertzlich
erfreudt haben / Das jr Vetter jn als ein kind aufnam / vnnd darnach die
Eltern an jm spurten wie er ein treffenlichs *Ingenium* vnnd *Memoriam*
hette / auss sollichem gewislich gefolgt ist / das Dise Elttern grosse fur-
sorg fur jn gehabt haben / gleich wie *Job. cap: j.* fur seine kinder getra-
gen hatte / Damit Sie sich am herren nicht versündigten / Vnnd volgen[1])
das frombe Eltern daneben auch Gottlose vnnd Vngerathne kinder
haben. Die jch darumb erhole[2]) / Dieweil jr vil gewesen so disen Eltern
viel Schuldt vnnd Vnglimpff furwerffen / Die jch hiemit *excusiert* will
haben / Dann solche Larfen den Eltern nicht allein schmachhafft /
sonndern auch als were Faustus von seinen Eltern Darzue gezogen / da
sie ettlich Articul furgeben / So Sie haben jm allen Muetwill jnn der
jugent gestattet / vnnd jn nit fleissig zum studiern geraytzt &

Jtem Da die Freundt seinen geschwinden kopff gesehen / vnnd Er zu der
Theologia nit Viel Lust gehabt / darzue offenntlichen ein Sag gewest /

---

[1]) versündigten. Es folget
[2]) haben, wie am Cain, Gen. 4. An Ruben, Genes. 49. Am Absolon, 2. Reg. 15.
vnd 18. zusehen ist. Das jch darumb erzehle

Er gehe mit der Zauberey vmb / solt [7r] man solchs bey zeit gewert haben & solches alles seind *somnia* / Dann Sie hierjnnen nicht sollen verkleinert werden / Dieweil an jnen kein Schuld ist Fur Ains. *ad propositum.*

Als Doctor Faustus eines gantz glirnigen vnnd geschwinden kopfs zum studiern qualificiert vnnd genaigt ward / jst Er hernach in seinem *Examine* bey den *Rectoribus* so weitt kommen / das man jn jm *Magistrat* examiniert / vnnd neben jm auch Sechzehen *Magistros.* Denen ist Er jnn Frag / verhör / vnnd geschickhlicheit allen obgelegen / Also Das er seinen Theil genuegsam gestudiert hat / ward also ein Doctor *Theologiæ.* Daneben so hat Er auch ein thummen Vnsynnigen vnd hofferttigen kopff wie man jn dann allzeit den SPeculierer genannt / jst zu der boesten gesellschafft gerathen / hat die Haylig Schrift ein weil hinder die Thur / vnnd vnder Die Bannckh gestackht / Das wortt Gottes nit Lieb gehalten / sonnder hat Roch vnnd Gottloß jnn Fullerey / vnnd Vnzucht gelebt (.wie dann dise Historj hernach genuegsam zeugnus gibt.) Aber es ist ein War sprichtwort / Was zum Teuffel will / last sich nit aufhalten /

Zudem so fand Doctor Faustus seines gleichen / Die giengen Vmb [7v] mit Chaldeyischen / Persischen / Arabischen / vnnd Griechischen Wörtern *Figuris, characterib: Coniurationibus, Incantationibus* / Vnnd Dise erzelte stuckh waren Lautter *Dardaniæ Artes Nigromantiæ, Carmina veneficium, vaticinium, Incantatio,* vnnd wie solliche Buecher / Worter / vnnd Namen der beschwerung vnnd Zauberey genennt werden mögen /

Das gefiel Doctor Fausto wol speculiert vnnd studiert Tag vnnd Nacht darjnnen / Wolt sich hernach kein *Theologum* mehr nennen lassen / ward ein Weltmensch / Nennt sich ein Doctor *Medicinæ,* ward ein *Astrologus* vnnd *Mathematicus* / vnnd zum glimpffen ward Er ein Artzt / halff erstlichen vil Leuthen mit der Artzney durch Kreutter / Wurtzel vnd Trankh / Recept / vnnd Christieren[3]) / neben dem ward Er beredt / jnn der Heyligen schrift wol erfahren / wust Die Regell Christj gar wol (.Wer den willen des herren waist[4]) vnd thuet jn nicht / der wirt Doppelt geschlagen / jtem Du solt Gott deinen herren nit versuechen.) Aber Diss alles schlueg Er jn Wind / setzt sein Seel ein weil vf die Vberthur / Darumb bey jm kein entschuldigung soll[5]) / [8r]

---

3) Clistiern
4) weiß
5) entschuldigung seyn sol

32

Wie Faustus die Zauberey
erlangt vnd bekomen hat: —

Als nun wie vorgemelt dess Faustj Datum dahin stuend das jhenig zu
Lieben / das nicht zulieben war / Dem Trachtet Er tag vnnd Nacht
nach / Nam an sich Adlers flugell / wolt alle grundt am Hymmel vnnd
Erden erforschen / Dann sein furwitz frecheit vnd Leichtferttigkeit
stach vnnd raytzt jn also Das er vf ein zeit ettliche zauberische *Vocabula,*
figuras, characteres, vnnd *Coniurationes* damit er den Teuffell fur sich
möcht fordern jns werckh setzte vnnd Probierte / kam also jnn ein grossen Dickhen Wald / wie ettliche sunst auch melden / der bey Wittemberg
gelegen ist Der SPesser Wald genant / wie dann auch Doctor Faustus
hernach selbs bekannt hat / jnn disem Waldt gegen Abent jnn einem
Vierigen Wegscheidt macht Er mit einem staab ettliche Zirckhel herumb /
vnnd neben zwen Das die zwen oben stuenden vnnd jnn[1]) grossen
zirckhell hinein giengen / beschwuer also den Teuffel jnn der Nacht zwischen Neun vnnd zehen Vhr / Da Ließ sich Der Teuffel an / als wann er
nicht gern an Das zill vnnd Reyen kem / wie dann der Teuffel jm Waldt
einen sollichen *Tumult* anfieng / als [8v] wolt es alles zu grundt geen /
Dann er ließ ein sollichen Windt Daher gehn / Das sich die Paum biß
zur Erden bogen / Darnach ließ sich der Teuffel an / als wann der Waldt
Voller Teuffel wer / Die Ritten neben Dess Doctor Faustj zirckhel
daher / bald Darnach erschinen sie / als wanns nichts dann Lautter
Wagen weren / Darnach an Vier Eckhen jm Wald giengen zum zirckhel
zue / Als weren es Böltz vnnd stralen / Dann bald ein grosser Buchssenschuss darauff / Als solliches alles verganngen ist gleich darauff ein helle
erschinen / vnnd Mitten[2]) jm Waldt vil Lieblicher[3]) jnstrument / vnnd
Music gesanng gehört worden / auch geschahen ettliche Tentz / darauff
ettliche Turnier mit spiessen vnnd schwerten / Das also Doctor Fausto
die weil so lanng gewest / das Er vermeint auss dem zirckel zu laufen /
Letztlich fast Er wider ein Gottloß vnnd verwegt fornemen vnd verhart
auf seiner vorigen *Intention* Gott geb was darauß mecht volgen / huelte[4])
gleich wie zuuor an den Teuffel zubeschwern darauff der Teuffel jm

---

1) daß die zween, so oben stunden, in
2) sind
3) löblicher
4) hube

ein solchs plerr fur die Augen macht wie Volgt / Dann er[5]) ließ sich
sehen als wann oben[6]) dem zirckhel ein Greiff [9r] oder Drach schwebet
vnnd Fladert / Wann Dann Doctor Faustus sein beschwerung brauchte /
Da kirrete das Thier jämmerlich / bald darnach felt Drey oder Vier
Klaffter hoch ein Fewriger Stern gleich herab ward zu einer Fewrigen
kugell verwandelt / Darab Doctor Faustus auch hoch erschrackh / jedoch
Liebet jm sein Furnemen / Achtet es hoch das jm der Teuffel Vnderthenig
sein solte /

Doctor Faustus fast darauff einen Mueth beschwur Disen Stern zum
Ersten / Andern / vnnd Dritten Mahl / Darauff gienng von diser Kugell
auf ein Feurstram eins Manns hoch / Ließ sich wider hernider / vnnd
wurden Sechs Liechtlein darauf gesehen / einmahl sprang ein Liecht jnn
die höch / Dann das ander hernider biß sichs Endet[7]) / vnnd Formiert
jnn[8]) gestalt eines Feurigen Manns / Diser gieng vmb den Zirckhel
herumb ein ganntze halbe Viertl stundt / Vnd weret also dise ganntze
Geschicht biß Vmb Zwelff Vhr jnn die Nacht hinein / Bald darauff
endert sich der Teuffel vnnd Geist jnn gestalt eines grawen Monichs /
kam mit Fausto zue gesprech Fragt jn was Er begert vnnd sein Furnemen wer / Darauff ward Doctor Faustj beger Das er Morgens Vmb
die genannte stundt jm erscheinen solt / jnn [9v] seiner Wohnung vnnd
Behaussung / Dessen sich der Geist ein weil Wegert / Doctor Faustus
beschwuer jn aber bey seinem herren Das er jm sein begern solt erfullen /
darauf jm der Geist sollichs zuesagt vnnd Verwilliget.

---

5) Es
6) ob
7) biß sich enderte
8) ein

[3]
Volgt des Faustj *Disputation.*
mit dem Gaist gehalten*)

Doctor Faustus nachdem Er Morgens zu hauß kam / beschaidet Er den
Geist jnn seine Kammer / Als er dann auch erschin anzuhören was des
Doctor Faustj begern wer / vnnd ist solchs zuuerwundern hochlich / das

---

*) Vgl. Anh. I.

34

ein Geist wann Gott die hannd abzeucht den Menschen ein solliches geplerr kan machen / Doctor Faustus hueb sein Gaugkel spiel wider an / Beschwuer jn von Newem / legt dem Geist ettliche Articul fur / Nemlichen zum Ersten / Das Er jm soll Vnderthenig vnnd gehorsam sein jnn allem was Er bitte / frage / vnnd jm zuemuethe biß jnns Doctor Faustj Leben vnd Todt hinein.

Zum Andern / Daneben Soll er jn dessen was Er von jm forschen werde nichts verhalten.

Zum Dritten Auch das er jm jnn allen *Interrogatorijs* nichts [10r] vnwarhafftis wölle darthuen. Darauff jm der Gaist solchs abschlueg / weygert sich dessen / gab sein *Caution* vnnd vrsach / er habs keinen Volkomnen Gewalt / Dann Souerr ers von seinem herren / Der vber jn hersche erlanngen kan / Vnnd sprach Lieber Fauste Dein beger zue erfullen / stett nit jn meiner Chur noch gewalt / sonndern zu dem Hellischen Gott:

Antwurt Doctor Faustus darauff / Wie so / vnnd wie soll jch es verstehn / bistu nicht mechtig gnueg deins gewalts / Nein antwurt der Geist / Da spricht Doctor Faustus wider / Lieber sag mir solche vrsach. So solstu wissen Fauste / Das vnder vns ist gleich so wol ein Regiment vnnd herrschaft / wie auf Erden / Dann wir haben Vnnsere Regierer Regenten vnnd Dienner / wie jch auch ainer bin / Vnnd vnser Reich nennen wir die *Legion* / Dann ob wol der verstossne Teuffel *Lucifer* auss hoffart vnnd Vbermueth sich selbs jnn fall gebracht / hat er doch ein *Legion* vnnd Regiment der Teuffel aufgericht / Das[1] wir den Orientalischen Fursten Nennen / Dann sein Herrschafft hat er jm Aufganng / also auch ein Herrschafft *In Meridie Septentrione* vnnd *Occidente,* Vnd Dieweil nun *Lucifer* der gefallen Engell [10v] sein Herrschafft vnnd Furstenthumb vnder dem Hymmell hat / Muessen wir vns durch sein verenderung[2] zu den Menschen begeben vnnd Vnderthenig sein / sunst kan Der Mensch mit allem seinem gewalt vnd kunsten[3] den *Lucifer* nicht vnderthenig machen / Es sey dann das er einen Geyst send / wie jch gesanndt bin: zwar wir niemahlen Den Menschen offenbart haben / Das Recht Fundament vnnser Wohnung / Regierung / vnnd herrschafft / es waiß auch niemandt was sich findet nach absterben des verdampten

---

[1]) den

[2]) müssen wir vns verendern,

[3]) Künsten jhm

Menschen der es erfert vnnd jnnen wirt. Doctor Faustus entsetzt sich darab / vnnd sprach / jch will darumb nit verdampt sein Vmb deinet willen /

Antwort der Geist. Wilst dann schon nit / hats doch kein Bitt / hats dann kein Bitt / so muestu je mit / helt man dich auch / so weistu nit / Demnach⁴) muestu mit / Da hilfft kein bitt / Dein Freches⁵) hertz hat dirs verschertzt.

Demnach sagt Doctor Faustus hab Dir .S. Veltins grieß heb dich von Dannen / Darauff der Gayst entweichen wolt / Von stunden ahn bald Doctor Faustus eines andern zweiffelhaftigen Synnes ward / vnnd beschwuer jn Das er⁶) [auff] [11r] auff *Vesper* Zeit wider da solt erscheinen / vnnd anhören was Er jm weitters wurde Furtragen / Das jm der Gaist bewilliget / vnnd also verschwand Er von jm /

---

4) Dennoch
5) verzweiffelt
6) er jhm

[4]

Die Ander *Disputation* mit dem Geist.
So *Mephostophiles* genannt Wirdt: —

Abents oder vmb *Vesper* Zeit Vmb Vier Vhr erschin der Fliegenndt Gaist dem *Fausto* wider erbott sich jm jnn allem gehorsam / vnd Vnderthenig zusein / Dieweil jm von seinem Obersten gwalt gegeben / Vnnd sagt zum Fausto / *)

Antwurt bring jch¹) / vnd Antwurt Muestu mir geben / Doch will jch zuuor hören was dein beger sey / Dieweil Du mir aufferlegt hast auf dise zeit zuerscheinen / Doctor Faustus gab Antwurt begert von dem Gaist Das Er
.j. auch möcht die geschickhlicheit Form / vnnd gestalt eines Gaistes an sich haben vnd bekommen /

Zum Andern / Das er Der Gaist jm alles das thuen soll was Er begere / vnnd von jm haben wölle /

Zum Dritten / Das er jm Darneben geflissen / vnnd Vnderthenig sein wölle wie ein Dienner /

Zum Vierten / Das er sich allzeit so offt er jn fordert vnnd berueff jnn sein hauß sol finden [11v] lassen /

---

*) S. Anh. I.
1) Die Antwort bring ich dir

36

Zum Funfften / Das er in seinem hauß soll vnsichtbar Regiern / vnnd sich von niemand sonst soll sehen lassen / dann jn[2]) / es wer dann sein will vnnd geheiß /

Zum Sechsten vnnd Letsten / Das er jm so offt Er jn fordert erscheinen soll / jnn einer gestalt / wie es jme auferlegt werde /

Dise Puncten Hielt Doctor Faustus dem Geyst fur / Hierauff antwort der Gayst / Das er im jnn allem wolt wilfaren vnnd gehorsamen / So ferr Er jme dann ettliche Articul auch Wolt Laisten / Vnnd wo Er solchs thue / so soll sein beger nicht nott haben / Vnnd diss seind darunder ettliche dess Gaists begerte Articul gewesen.

Erstlichen Das Er versprech vnd schwere Das Er sein[3]) eigen wölle sein /

Zum Andern Das Er sollichs mit seinem Aignen bluet wöll bezeugen / vnnd zu einer becrefftigung sich damit verschreiben vnnd vnderschreiben / Zum Dritten / Das allen Glaubigen Menschen feind sein solle /

Zum Vierdten / wöll Er jme ettliche zeit vnnd zill geben / So dann solliche verloffen so Soll Er sein sein /

Zum Funftn̄ Das Er den Christlichen glauben wölle Verlaugnen /

[Erstlichen / wöll Er jme ettliche zeit vnnd zill geben / So dann solliche verloffen so Soll Er sein sein /

Zum Andern Das Er sollichs mit seinem Aignen bluet wöll bezeugen / vnnd zu einer becrefftigung sich damit verschreiben vnnd vnderschreiben /

Zum Dritten / Das Er den Christlichen glauben wölle Verlaugnen / allen Glaubigen Menschen feind sein]

Zum Sechsten / Das Er sich nit wölle verfuern lassen / So jn ettliche wolten bekhören /

Zum Sibenden / Da Er solche [12r] Puncten halten werd / so soll Er nach allem seinem Lust haben / was sein hertz fordern möcht /

Darauff du von stundan spuren (sprach der Gayst) Das du eines Gaistes gestalt vnnd weiß haben wirdest / Dem Doctor Fausto ward sein stoltz vnnd hochmueth gar vberstigen / vnnd macht jn so stoltz vnnd verwegen (.ob Er gleich sich ein weil besunne.) das Er seiner Seelen seligkeit nit betrachten wolte / sonnder schluegs dem boesen Gayst dar / Verhieß jm alle Articul zuhalten / vnnd denselben zugehorsamen /

---

2) als von jm
3) sein, deß Geistes,

Er meint Der Teuffel wer nit so schwartz wie man jn mahlet / noch
die Hell so hayß wie man Daruon saget /

[5]
Das Dritte *Colloquium Doctor Faustj* mit dem
Gaist vnd seiner gethonen *Promission:* —

Auff die *Promission.* So Doctor Faustus gethon / Fordert Er des andern
tags zu Morgen frue den Geyst / Dem Aufferlegt er / das so offt Er jn
fordert / er jm erscheinen solt jn gestalt vnnd Form eines Franciscaner
Monchs vnnd solcher klaidung / vnnd das er alweg so er erscheinen
wirdt / ein Glöckhlin soll haben / vnnd zuuor ettliche zeichen geben /
Damit Er [12v] khönn wissen am geleith / wann er Daher komme /
fragt jn den boesen Gaist auch darauff wie sein Nam hieß / darauff sagt
er *Mephostophiles.* Eben jnn sollicher stundt felt diser Gottlose Mensch
von seinem Gott vnnd Schöpffer ab / vnnd wirdt ein Glidt des Laidigen
Teuffels / Darzue jn dann sein Stoltz / Hochmueth vnnd vermessenheit
gebracht hat / Darauf auß verwegung vnnd Vermessenheit richtete Doctor Faustus dem bösen Geist auf seine jnstrument vnnd briefliche
Vrkundt / ward ein grewliches vnnd erschrockliches werckh / dises ist
hernach als Er vmb sein Leben kam / jnn seiner Behaussung befunden
worden / will auch melden zuer warnung allen Fromben Christen /
Das Sie dem Teuffel nit statt geben wöllen / Damit Sie nit an Leib
vnnd Seel verfuert werden mochten / Wie dann Doctor Faustus hernach
seinen Armen *Famulum* auch jnn difs¹) Teufels werckh verfuert vnnd
gebracht hat.

Als Dise baide vnnd boese Parthey sich miteinander vergloben / nimpt
Doctor Faustus ein spitziges Messer sticht jm ein Ader jnn der Lincken
hand auf / Da man warhafftig gesagt hat / Das jn solcher hand ein
gegrabne vnnd Bluettige schrifft gesehen worden O *Homo fuge* Das
ist [13r] Mensch fliehe von jm / vnnd thue Recht / Doctor Faustus Last
jm das Bluet herauß jnn ein Degell / setzt es auf ein warme kohlen /
vnnd schreibt wie bald hernach volgt.

---

¹) auch mit diesem

[6]

Doctoris Faustj Instrument.

vnnd sein Teuffelische vnd Gotlose Verschreibung: —*)

Am Dritten tag[1]) Erscheint Doctor Fausto sein Gaist oder[2]) *Famulus* erschin ganntz Frölich vnnd mit disem gestib[3]) vnnd geberden. Er gieng jm hauß vmb wie ein Fewriger Mann / Das also von jm giengen Lautter Fewrstramen / Darauf volget dann widervmb ein Mottern vnnd geplerr / als wann die Mönich sungen / vnnd wust doch niemand wz fur ein gesanng ward / Dem Doctor Fausto gefiel solchs Gaugkelspill sehr wol / Er wolt jn auch noch nicht jnn sein Losament fordern / biß er sehe was endtlichen darauß wolt werden / vnnd was es fur ein ausganng haben wurdt.

Bald hernach wurd ein gethummel gehört von SPiessen / Schwertern / vnnd andern jnstrumenten / Das jn dunckhte man wolt das hauß mit stürmen einnemen / baldt widerumb ward ein jagt gehört von hundern[4]) vnd jägern / Die hundt hetzten vnnd triben ein hiersch biß [13v] jnn Doctor Faustj stuben / Da ward Er von den hunden nidergelegt vnnd verschwandt Darauff erschin jns Doctor Faustj Stuben ein Lew vnnd Trach / Die stritten miteinander / Wie wol sich der Lew Dapffer werete / ward Er dannoch vnden gelegen vom Trachen verschlungen / Doctor Faustj *famulus* sagt Das Er einem Lindwurm gleich gesehn hab am Bauch gelb weiss vnnd schegget / Die Flugell / vnnd ober theill schwartz / der schwanz halß[5]) wie ein Schneckhen hauß krumlicht / Dauon die stuben erfult / Mehr wurden gesehen herein gehn ein schöner pfaw / vnd auch das weiblin / die zanckhten miteinander / wardt bald vertragen / Darauf sahe man ein zornigen Stier herein lauffen dem Doctor Fausto zue / der nicht ein wenig erschrackh / Aber wie er dem Doctor Fausto zue Renndt felt er vor jm nider vnnd verschwindt / Hierauff ward wider gesehen ein grosser Alter Aff der bott dem Fausto die handt sprang auff jn / Liebet jn / vnnd sprang die Stuben wider herauß / Bald geschicht das ein grosser Nebell jnn der Stuben wardt / Also das Doctor Faustus vor dem Nebell nichts sehen könndt So baldt aber der Nebel vergieng lagen vor jm zwen Seckh / Der ein ward Goldt Der ein wardt Silber / Letzlichen da erhueb [14r] sich ein Lieblich jnstrument von Einer Orgell / Dann die Positiff / Dann die Harpffen / Lautten / Geigen / Pusaunen / Schwegel /

---

*) S. Anh. II.
1) Im dritten Gespräch
2) vnd
3) diesen gestibus
4) Hunden
5) der halbe Schwantz

Krumbhörner⁶) / vnnd dergleichen / vnnd ein jedes mit Vier stymmen / Also Das Doctor Faustus nicht anders dacht / dann Er wer jm Hymmel / solliches weret ein gantze stund / Das also Doctor Faustus so halsstarrig ward Das Er jm furnam / Es hett noch niemahls jn gerewen / Vnnd ist hie zusehen wie der Teuffel so ein Sueß geplerr macht / Damit Doctor Faustus jnn seinem Vornemen nit möchte abgewendt werden / sonndern viel mehr Das er dasselbe noch fraidiger mocht jnns werckh setzen vnnd gedennckhen / Nun hab jch noch⁷) nie nichts boeß oder abscheulichs gesehen / sonndern nur⁸) Lust vnnd Freudt.

Darauff gieng *Mephostophiles* der Gaist zu dem Doctor Faustus⁹) jnn die stuben hinein / jnn gestalt vnnd Form eins Monichs / Doctor Faustus sprach zu jm / Du hast einen wunderbarlichen Anfanng¹⁰) mit deinen geberden vnnd Enderungen / Welches mir ein grosse Freud geben / Wo du dann so wirdest beharren / so sollestu Dich alles guetten zu Mir versehen /

Antwurt *Mephostophiles*. Das [14v] ist nichts / ich soll Dir jnn anderm Diennen / Das du krefftiger vnnd grossere Wurckhung / Enderung / Verkerung vnnd weiß an mir sehen wirst / Auch alles was Du von mir forderst.

Allein Das du mir Die *promission* verhaissung vnnd zuesagung deines verschreiben¹¹) Laistest. Doctor Faustus sagte Da hastu den brief *Mephostophiles* nam jn an / vnnd wolt Doch von Doctor Fausto haben Das Er ein Copej daruon neme / Das thette der Gottloß Faustus / vnnd das ward der jnnhalt dess Briefs.

---

⁶) Krumbhörner, Zwerchpfeiffen
⁷) doch
⁸) mehr
⁹) Fausto
¹⁰) Anfang gemacht,
¹¹) Verschreibens

[7]
Doctor Faustj Obligation.
JCH Johann Faustus Doctor

Bekenn mit meiner aignen hanndt offentlich vnd zu ainer bestettigung vnnd kraft diss briefs / Nachdem jch mich (wiewol zusagen die Gaben¹) so mir von Oben herab beschert vnnd gnedig mitgetheilt worden) sollich geschickhlicheit in meinem kopff nicht ain will

---

¹) Nach dem jch mir fürgenommen die *Elementa* zu speculieren, vnd aber auß den Gaaben,

genuegsam befindt²) / sonndern Lust habe dem weitter nach zu grunden / hab jch jnn das werckh gesetzt die *Elementa* zu speculiern / welches man von den Menschen nit kan bekommen / Darumb jch erfordert gegenwerttigen gesandtn̄ Gaist [15 r] der sich *Mephostophiles* nennet / ein Diener dess Hellischen Printzen *In Orient* (.Dem vbergeben ist³) Mich solliches zuberichten vnnd zulehren) Dagegen soll jch jm ein *promission* aines jnstruments vbergeben / Der sich Dagegen auch versprochen mir jnn allem vnderthenig vnnd gehorsam zu sein / jch mich aber gegen jm hinwider versprich / Das wann jch des so jch von jm beger genuegsam gesettiget bin / vnnd Vierundzwaintzig jar verlauffen / geendt vnnd kommen sein / er alsdann mit mir nach seiner Artte oder was weiß jm gefellig schalten / wallten / Regiern / vnnd fiern mag / mit allem was es sey / Leyb⁴) / guet / fleisch / bluet & Vnnd das jnn sein Ewigkait verknipft / versigelt / Vnnd ergib diss zu einer erstattigung mit meiner aignen hanndschrift vnnd mit meinem aignen Bluet jnn gewalt vnd krafft diss briefs / Meines Synns / kopffs / gedannckhen / bluets vnnd willen / Hierauff absag jch allen denen so da Leben / allem Hymlischen Höer / vnnd allen Menschen / vnd Das mueß sein / Dess zu becrefftigung vnnd Vrkhundt hab jch an statt eines Sigels mein aigen bluet aufgedruckht / vnnd es Damit bezeugt /

Doctor Faustus der erfahrne

der Elementen vnd Geistlichen Doctrin [15 v]

---

²) Geschicklikeit in meinem Kopff nicht befinde
³) von den Menschen nicht erlehrnen mag, So hab ich gegenwertigem gesandtem Geist, der sich *Mephostophiles* nennet, ein Diener des Hellischen Printzen in Orient, mich vntergeben, auch denselbigen
⁴) Leib, Seel

[8]

Von diennerschafft dess Geists
gegen Fausto: —

Als Doctor Faustus sollichen grewel Dem Geist mit seinem aignen Bluet vnnd handschrifft geleist ist gewislichen zuuermuetten Das Gott vnnd alles Hymlisch höer von jm gewichen. Doctor Faustus hat seines Frommen Vettern Behaussung jnnen / wie Er jms dann auch verschaffen

41

jm Testament / bey jm hat Er taglich ein jungen *Famulum* vnnd Schue-
ler / Ein verwegnen Leckher *Cristoff Wagner* genannt / Dem gefiel
das SPiel auch / wie jn dann sein Herr jmmer tröstet / Er wolte auss
jm ein hocherfahrnen vnnd geschickhten Mann machen / jm gefiel
solliche Melodej wol / wie dann die jugent jmmerdar mehr zum
boesen dann zum gueten genaigt ist / wie aber oben gesagt hat Doctor
Faustus niemandt jn seinem hauß Dann seinen *Famulum* vnnd Seinen
Geist *Mephostophilem* der jmmer vor jm wandelt jnn gestalt eines
Mönichs / Den Beschwuer er jnn sein Schreibstuben / welches Er jmmer-
dar verschlossen¹). Was dann sein Narung vnnd Profiandt belanngt /
Das hat Er Vberflussig / Dann sobald Er ein guetn̄ Wein [16 r] wolt
haben / Den bracht jm der Gaist jnn²) den Kellern wo er wolt (.wie
Er sich dann selbs einmahl hören lassen / er thue seinem herren dem
Churfursten / dem Hertzogen von Bayrn / vnnd dem Bischoff von
Saltzburg vil laides jnn jren keller³).) So hat Er täglich kochte speiß /
Dann Er konndt ein solche zauberische kunst / das so bald Er das
Fenster auf thett / vnnd nennet einen Vogel den Er gern Wolt / Der
flog jm jnn das Fenster hinein / Auch bracht sein Gaist jm von allen
Vmbligennden herrschafften Fursten vnnd Grafen höfen gekochte speiß
vnd alles gantz Furstlich. Das Tuech zu sein vnnd seines jungen
klaydung (.jn massen wie Er dann stattlich vnnd kostlich gienge.)
muest jm der Gaist bey Nacht zu Nurmberg / Augspurg oder Franckfurt /
ja wo jm eben jn Kramern stelen⁴) / so muesten sich auch die Gerber
vnnd Schuester leiden / Jnn Summa es was⁵) alles gestolne vbel entleh-
nete wahr / vnnd ward also ain gar feine Erbare aber Gottlose Behaussung vnnd Narung / wie dann Christus jm johanne den Teuffel einen
dieb vnnd Mörder nennet / wie ers dann auch ist / So hat jm der
Teuffel darneben versprochen er woll jm alle wochen funffundzwainzig
[16v] Cronnen geben / thuet ein jarlanng .1300. Cronnen / das ward
sein beste Narung⁶) /

---

¹) verschlossen hatte
²) auß
³) Kellern
⁴) oder Franckfurt einkauffen oder stehlen muste, dieweil die Krämer deß
Nachtes nicht pflegen im Kram zusitzen
⁵) war
⁶) sein Jars Bestallung

42

Von Doctor Faustj vorgehabtem verheuratn̄.

Doctor Faustus Lebt also jnn ainem Epicurischen vnnd Sewischen
Leben tag und Nacht / Glaubt nicht das ein Gott Hell vnd Teuffel wer /
Vermeint Leib vnnd Seel sterb miteinander / vnnd also stach jn sein
Aphrodisia tag vnnd nacht / das er begertte sich zu Eelichen vnnd zu
weiben / Nam jme fur sein Geist zuefragen / wellicher doch ein Feind
des Eelichen Stannds vnnd aller Geschöpff vnnd Ordnung Gottes ist /
jm Antwurt der Gaist / Was Er auss jme selbs machen wolte / jtem ob
Er nicht seiner *promissiō* gedennckh / Vnnd ob Er sein versprechen nicht
halten wölle / Da Er verhieß Gott vnnd allen Menschen feindt zu sein /
Darumb konn er jn keinen Eestanndt gerathen noch kommen / dan̄ Du
kanst (sprach der Teuffel nicht zweyen herren Diennen / Gott vnnd
Vnns / Dann der Eestanndt ist ein werckh des höchsten / wir aber seindt
dem zuwider / Dann was der Eebruch [17r] vnnd Vnzucht geburt oder
darauß kompt / Das kompt vnns alles zu guettem / Derhalben Fauste
soltu sehen[1]) / versprichstu dich zu Eelichen / so soltu gewislich von
vnns zu kleinen stuckl zerrissen werden / Lieber Fauste *judicier* selbs /
Was vnruhe widerwill / zorn vnnd Vneinigkeit auss dem Eestanndt
volgt / Doctor F: dacht jm nach hin vnnd wider / Doch D. Faustj
Mönich trib jn stettigs ab[2]) / Darauff Antwurt jm Faustus / Nun so
will jch mich Ehelichen es volg darauß[3]) was es wölle / jnn sollichem
Furnemen geht ein Sturm windt seinem hauß zue / als wolts alles zu
grundt gehn / es sprangen alle Thuren[4]) auss dem Angell / jn dem wurd
sein hauß voller lautter Brunst / gleich als ob es zue Lautter Aschen
verbrinnen wolt / Doctor Faustus gab das Versen gelt / Die stiegen
hinab / jn erwischt ein Mann Der wurf jn wider jnn die Stuben hinein
Das Er weder hännd noch fueß regen könndt / Vmb jn gieng allenthalben das Fewr auf als ob Er verbrennen wolt / Schry dem Gayst vmb
hilff zue / Er wolte nach allem seinem wunsch Rath vnnd thatt Leben /
jm erschin der Teuffel Leibhafftig so grewlich vnnd Vngestalt Das Er jn
nicht konndte Ansehen / sprach Nun sag an was Synns bistu. Doctor
Faustus Antwort [17v] jm kurtzlichen Er habe sein versprechen nit

---

1) Fauste, sehe dich für
2) stetigs davon ab
3) drauß gleich
4) Thüren auff

43

geleist / Er habe es nicht so weitt ausgerechnet / Er bitte vmb gnad / Der *Sathan* antwurt auch kurtzlich / so beharr darauff / wol guett / jch sag dirs beharr darauff. Darnach kam der Geist *Mephostophiles* zue jm / vnnd sagt zum Doctor Fausto / Wo Du hinfuro jnn deiner zue-sagung beharren wirdest / Syhe so will jch deinen wollust anderst belu-stigen / vnnd du nicht anders wunschen wirdest jnn deinen Tagen / Vnnd ist diss so du nit kanst keusch Leben / So wirdt jch dir ein weib alle tag vnnd nacht zu betth fuern / vnnd was du fur eins weibs jnn der Statt oder anderstwa ansichtig wirst / Die dir nach dem wollust gefellig / auch zuer Vnkeusch begern wirdest / jnn sollicher gestalt vnd Form soll Sie bey Dir Wohnen / Dem Doctor Fa: gieng solchs ein / also das sein hertz vor Freuden zittert / vnnd rewet jn was er anfengk-lich hat furnemen wöllen. Darab gerieth Doctor Faustus jnn ein solche *Libidinem* vnd Vnzucht / Das Er Tag vnnd Nacht trachtet nach gestalt schöner weyber jn solcher *egregia Forma* / das so er heutt mit dem Teuffel vnzucht trib / dess Morgens hett Er ein andere[5]) jm Synn / [18r]

---

5) einen andern

[10]
Question Doctoris Faustj mit seinem Geyst *Mephostophile:-*

Nach sollichem wie jetzt gemelt Doctor Faustus ein gar schöne Ee mit dem Teuffel Trib / Vbergibt jm sein Gaist bald ein gross Buech von Allerlay Zauberey vnd *Nigromantia.* Darjnn Er sich auch neben seiner Teufflischen Ee erlustigtte / welche *Dardanias artes* man hernach bey seinem *Famulo* vnnd Sohn *Cristoff Wagner* gefunden / bald sticht jn der Furwitz / Fordert seinen Geyst *Mephostophilem* mit dem wolt er ein Gesprech halten / sagt zum Gayst / Mein Dienner sag an was Geistes bistu?*) jm Antwurt der Geyst vnd sprach Mein herr Fauste jch bin ein Geyst / vnnd Ein fliegennder Geyst vnder dem Hymmel Regierenndt / wie ist aber dein herr *Lucifer* jnn fall kommen? Der Gaist sprach herr / Mein herr *Lucifer* ist ein schöner Engell gewest von Gott erschaffen / Er ward ein geschöpff der Seligkeit / so waiß jch souil von jm**) Das man sollicne Engell *Hierarchia* nennet vnd jrer waren Drey *Seraphin Cherubin* vnnd der *Thron-engell.*

---

*) S. Anh. IV.
**) Hier folgt ein Exzerpt aus H a r t m a n n S c h e d e l s *Weltchronik* (1493). S. Anh. III.

Der Erst Furstengell [18v] der Regiert das Ambt der Engell / erhelt / Regiert / oder Schutzt die Menschen / Der Ander vnnd Dritt[1]) Die Wöhren vnnd Steurn vnserer Teuffel Macht / vnnd seind also Furstenengel vnnd Krafftengel genannt / Man nennt Sie auch Engel grosser wunderwerckh / verkinder grosser ding / vnnd Engel der Sorgfelttigkeit Menschlicher wort[2]) / Also ward auch *Lucifer* der Schönen vnnd Ertzengell einer vnder jnen / vnnd *Raphael* genannt / die andern zwen *Gabriel* vnnd *Michael* vnnd also Hastu kurtzlich meinen bericht vernomen /

---

[1]) der ander die erhalten vnd regieren oder schützen die Menschen, der dritte,
[2]) Wart

[11]

Ein *Disputation* von der Hell vnd jrer SPelunckn̄.*)

Dem Doctor Fausto ward eben wie man sonst zusagen pflegt / Es traumbt jm von der Hell / darumb fragt Er seinen Gaist auch von der Substantz Orth vnnd erschaffung Der Hell / wie es[1]) geschaffen sey / Der Gaist bericht jn darauff sagend so bald mein herr jn fall kam / ward jm die Hell zu theil[2]) vnnd gleich zu sollicher stundt die da ist ein Finsternus / Da Er der *Lucifer* mit solcher Finsternus der Ketten also gebunden vnnd verstossen ist / das [19r] Er zum Gericht vbergeben / vnnd behaltten worden / Vnnd ist darjnnen nichts anderst Dann Nebell Fewr / vnnd von Schwebel stinckendt / Aber wir Teuffel können[3]) nicht wissen was gestalt vnnd weiß die Hell erschaffen / noch wie es[4]) von Gott gegrundet vnnd erbawt sey / Dann sie hat weder Endt noch grundt / vnd ist diss mein kurtze berichtung.

---

*) S. Anh. IV.
[1]) es darmit
[2]) Helle bereit, die da ist ein Finsternuß
[3]) können auch
[4]) sie

[12]

Ein *Disputation.* von dem Regiment der
Teuffel vnnd jrem Principal /*)

Der Gaist muest dem Fausto auch berichtung thuen von der Teuffel Wohnung vnnd Regiment vnnd Regierung[1]). Jm Respondiert der Gaist vnnd sagt / Mein herr Fauste Die Hell mit jrer weitterung[2]) ist vnnser aller Wohnung

---

*) S. Anh. III.
[1]) Macht
[2]) Hell vnd derselben Refier

45

vnnd Behaussung / Die Dann so gross Die Welt begriffen ist / Vber Der Hell vnnd Welt biß vnder den Hymmel hat es zehen Regiment vnnd Furstenthumb der Teuffel (.neben V,ier Regimenten vnd Königreichen / Welchs die Obersten vnnder Vnns vnnd die gewalttigsten vnder zehen Regimenten.) vnnd seind nemlichen Die Ersten / *Lacus Mortis.*

Zum Andern / [19v] *Stagnum Ignis.*
Zum Dritten / *Terra tenebrosa.*
Zum Vierdten[3]) / *Terra obliuionis.*
Zum Funfften[4] / *Tartarus.*
Zum Sechsten / *Gehenna.*
Zum Sibenden / *Herebus.*
Zum Achten / *Barathrum.*
Zum Neundten /*Stijx.*

Zum Zehennden / *Asteronata[5]).* jnn dem Regieren die Teuffel *Phlegeton* genannt. Dise Vier Regiment vnder jnen seind Königcliche Regierung / Als *Lucifer in Oriente: Beelzebub in Septentrione: Belial in Meridie.* vnnd *Astaroth in Occidente.* Vnnd Dise Regierung wirt werñ biß jnn das Gericht Gottes / vnnd also habt jr[6]) meine erzelung von vnserm Regiment.

---

3) 5

4) 4

5) *Acheron*

6) hastu

[13]

Ein *Disputation.* jnn was gestalt die Verstossnen Engel gewesen:-

Doctor Faustus nam jm wider ein gesprech fur mit seinem Gayst Er solt jm sagen jnn was gestalt sein herr jm Hymmel geziert / vnnd dar Jnnen gewohnt*) / Sein Gaist batt jn diss mahl Drey tag aufzug / Am Dritten tag gab jm der Gayst Dise Antwurt / Mein herr *Lucifer* (.der[1]) Also genannt wirdet / Von wegen Das Er auss [20r] dem Hellen Liecht des Hymmels verstossen.) ward jm Hymmel ein Engel Gottes / vnnd *Cherubin[2]).* Er alle werckh vnnd geschopf Gottes jm Hymmel gesehen hat / Er ward jnn sollicher Zier / vnnd jnn einer sollichen gestalt / *Pompp.* *Authoriteth.* würde vnd Wohnung / das Er ein gleichnus vnd geschöpf vor Gott ward / Viler Volkomner weisheit vnnd Zier / ja ward jnn sollicher volkommenheit / das er ein zier vnnd schein wardt vber alle

---

*) S. Anh. IV.

1) der jetzunder

2) wegen der Verstossung auß dem hellen Liecht deß Himmels, der zuvor auch ein Engel Gottes vnnd Cherubin war

46

sunst andere Geschöpff / Vber Gold vnnd Edelgestein / Dann Er ward
von Gott also erleucht vnnd geziert / Das Er vbertraf der Sonnen
Glantz vnnd Stern Gold vnnd Edelgestain / Dann bald jn Gott erschieff / Setzt Er jn auf den Berg Gottes / vnnd jnn ein Ampt eines
Furstenthumbs / Er wardt Volkommen jnn allen seinen Wegen / Aber
so bald Er jnn Vbermueth / vnnd zu Der Hoffart stig / vnnd vber
Orient Steygen wolt / ward Er verdilgt vnnd verworffen auss der
Wohnung vnnd sitz des Hymels jnn ein Fewrstain / Der Ewig nicht
verlischt / sondern quelt jn jmmerdar / Er wardt geziert mit der Cron
aller Hymlischn Pomp / vnnd Dieweil Er also wider Gott also [20v]
Trutzlich gesessen / jst Gott auch gesessen auff sein Richterstuel / Vnnd
jn zur Hell / Da Er nimmermehr hocher steygen kan / vervrthailt vnnd
judiciert.

Doctor Faustus als Er dem Gaist von Disen Dingen hat zugehört /
speculiert Er darvff mancherlay *opiniones* vnnd grundt / gieng auch
also darauff stillschweigendt vom Geist / Als Er nun jnn seiner Kammer ward / legt Er sich aufs bett / hebt an bitterlich zu waynnen vnnd
Seunfftzgen vnnd jnn seinem hertzen zuschreyen / Dann Er betracht auf
dise erzellung dess Geists / wie der Teuffel vnnd verstossen Engell vor
Gott so herrlich geziert ward / Vnd wann Er nicht wider Gott gewesen
auss Trutz vnnd Hochmueth / wie Er hett ein Ewigs Hymlischs wesen
vnnd wohnung gehabt / Da Er jetzt von Gott Ewig verstossen sey /
vnnd sprach. O Wehe Mir jmmer wehe / Also wirt es Mir auch vnnd
nichts ertreglicher ergehn / Dann jch bin auch ein Geschöpf Gottes /
vnnd mein Vbermueth fleisch vnnd Bluet hat mich gesetzt jn ein verdamlicheit [an] [21r] an Leib vnnd Seel / vnnd jch mit meiner vernunfft vnnd Synn mich geraytzt / Das jch als ein Geschöpff Gottes von
jme gewichen bin / vnnd mich den Teuffell verfueren lassen / das jch
mich mit Leib vnnd Seel an jn verknipfft habe / Darumb kan jch kein
genad mehr hoffen / sonndern wirdt Ewig wie *Lucifer* jnn die Ewige
verdamnus vnnd wehe verstossen werden muessen / Ach wee jmmer
wehe was zeich jch mich selbs / vnnd was mach jch auß mir selbs O.
Das jch nie geborn wer worden & Dise Clag fiert Doctor Faustus /
Er wolt aber nie kein glauben noch hoffnung schöpffen / das Er durch
Poenitenz mecht zuer gnad Gottes gebracht werden / dan wann Er
gedacht hette /
Nun streicht mir jetzt der Teuffel ein solche farb an / Das jch mueß jetz
jnn Hymmel sehen / Syhe so will jch widerumb keren / vnd Gott vmb

gnad vnnd verzeyhung Anrueffen / Dann nimmer thuen ist ein grosse
Bueß / So hett Er sich wol jnn die Kirchen verfuegt / Der Haylig Lehr
geuolgt / vnnd also dem Teuffel ein widerstandt gethon / Vnnd ob wol
Er dem Teuffel hie schon den Leyb hat lassen muessen / So [21v] wer
dannocht die Seel erhalten werden³) / Aber Er ward jnn allen seinen
opinionibus vnnd mainungen zweifelhafftig / vnglaubig vnnd Clainer⁴)
hoffnung /

³) worden
⁴) keiner

[14]

Ein *Disputation* von Gewaldt des Teuffels.

Doctor Faustus nachdem jm sein Vnmueth ein wenig vergieng / Fragt Er sein
Mephostophilem von Regierung / Thatt¹ / Gewalt / Angriff / Versuechungen
vnnd Tyrranney dess Teuffels / vnnd wie Er solliches anfenngclichs getriben
hette*) / Darauff jm der Gayst saget / Dise *Disputatio* vnnd Frag so
jch dir erclären soll / wirdt Dich etwas mein herr Fauste zu Vnmueth
vnd nachdenndkhen treiben / zue dem so solstu solliches von mir nicht
begert haben / Dann es trifft vnnser Hayligkeit²) an / Wiewol jch nit
hinuber kan /

Also soltu wissen**) / Das baldt der verstossne Engel jnn fahl kam /
vnnd Erstlich von erschaffung dess Menschen jm gunstig vnnd holdt
ward / bald aber sich das blatt herumb khert / vnd Also Gott vnnd den
Menschen Feindt wirde / Vnderstuend Er sich allerlay Tyrranney [22r]
NBene:- am Menschen zu jeben / wie dann noch zu³) tag augenscheinlich / Da
ainer zu todt Fellt / Ainer⁴) erhenndkht Sich / Ertrenckt sich / ersticht
sich / oder⁵) wirdt erstochen / Verzweifelt / vnnd dergleichen / wie
neben auch zusehen ist /

Das der Erste Mensch vor Gott so volkommenlich erschaffen ward /
Missgunt jm solchs der Teuffel / setzt an Sie⁶) / vnnd bracht also

¹) Raht
*) S. Anh. IV.
²) Heimligkeit
**) Hier folgt die Anlehnung an J a c o b u s d e T h e r a m o, *Belial* (1508).
S. Anh. III.
³) alle
⁴) ein ander
⁵) sich selbs, der Dritte
⁶) jn

48

Adam vnnd *Eua* mit allen jren nachkommen jnn sündt vnd Vngnade Gottes.

Diss seind lieber Fauste Angriff vnnd Tyrranney Dess Sathanns / Also thett er auch mit *Cain.* Also bracht er zu wegen / Das jn das jsraelitische Volckh Anbettet / Opfferte Den Göttern / vnnd pflegten Vnkheuschaitten mit den Heydnischen Weybern / So haben wir auch ein Gayst der den *Saul* gejebt hat / vnd jnn die Vnsynnigkeit gebracht / Vil geraizt das er sich selber getödt hat /

Noch ain Gayst ist bey vnns *Asmodæus* Der Mann[7]) jnn Vnkheuscheit getödt / auch Der Gayst *Thagon.* der .30. Mo Menschen jnn Fahl bracht das Sie getödt vnnd erschlagen worden / vnnd werdt die Arch Gottes gefangen / wie auch *Belial* der dem *Dauid* sein herz raytzt. Das Er das Volckh begundt zu zehlen / [22v] daruber .60. Mo Menschen sturben / So thett auch vnnser Gaist ainer dem Konig *Salomon.* ein sollichen raytz / das er die Abgötterey Anbatth / Vnnd seind also vnzelich Vnser Gayster / das Sie den Menschen beykommen / vnnd jnn fahl raytzen vnnd bringen /

Also theylen wir vnns noch jnn alle Welt / versuechen allerlay NB: Lyst vnnd Schalckheit / werffen die Leuth ab vom Glauben / vnnd raytzen Sie zu den sünden vnnd boesem vfs besst wir können vnnd mögen vns sterckn̄ seind wir wider jesum Der thatten[8]) jm Die seinen biß jnn todt / vnnd besitzen auch die hertzen der Königen vnnd Fursten der Welt wider *Jesus*[9]) Lehr / auch seine Lehrer vnnd zuehörer / Vnnd diss Kanstu herr *Fauste* bey dir abnemen.

Doctor Faustus Antwurt vnnd sprach / So hast Du mich auch besessen / Lieber Sag mir die Warheit / Der Gaist antwurt ja warumb nicht / Dann alsbaldt wir dein hertz besahen mit was gedanndkhen Du Vmbgiengest / vnnd niemands sonst zu solchem Deinem Furnemen vnnd werckh kondtest brauchen oder haben / dann den Teuffel / Syhe [23r] so machten wir deine gedanndkhen / vnnd nachforschen noch frecher vnnd keckher / auch so begirlich / Das du tag vnnd nacht nicht Ruhe hettest / sonnder all dein Dichten vnnd trachten dahin stuende / wie du die Zauberey zuwegen bringen möchtest /

Auch Da du vnns beschwurest machten wir dich so fhrech vnnd verwegen / Das du dich ehe den Teuffel hin hettest fueren lassen / Als Das

---

7) der hat sieben Mann
8) Jhesum, durchächten
9) Jesu

du von deinem furnemen werest abgestanden / Hernach begerten[10]) wir dich noch mehr biß wir dir jns Hertz pflanntzen / Das du von deinem Furnemen nicht mochtest abstehn / Wie du Ainen Gaist möchtest haben / Der Dir Vnnderthenig sey / Letztlichen brachten wir dich dahin / Das du dich endtlich mit Leib vnnd Seel vnns ergabest / Das kanstu alles bey Dir herr Fauste selbs abnemen / Es ist war (sagt Doctor Faustus) nun kan jch jm nimer thuen / jch hab mich selbs gefanngen / Hett jch Gottselige gedannckhen gehabt / mich mit dem gebett zu Gott gehalten / vnnd den Teufl nicht also sehr einwurtzlen lassen / So wer mir solch vbel an Leib vnnd Seel nicht begegnet / Ey was hab jch gethon & Antwort Der Gaist / Do sihe Du zue / Also gieng Doctor Faustus trawrig von jm / [23v]

---

10) behertzigten

[15]

Ein *Disputatio* von der Hell *Gehenna* genannt wie Sie erschaffen vnnd gestaltet auch von der Pein darJnnen.

Doctor Faustus hett wol jmmerdar ein Rew jm hertzen / vnnd ain bedennckhen was Er sich doch gezigen hett an seiner Seligkeitt das Er sich also dem Teuffel vmb das zeittlich ergeben / Aber sein Rew ward *Cains* vnnd *Judas* Rew vnnd Bueß Da wol ein Rew jm hertzen ward / Aber Er verzaget an Den Genaden Gottes / vnnd ward jm ein Vnmuglichs Das Er zur Huldt Gottes könndt kommen / gleich wie *Cain* der also verzweyffelt / Das Er sagte seine Sündt weren grösser / dan̄ jm verzigen möcht werden / desgleichen Mit *Judas* &

Dem Doctor Fausto wardt auch also / Er sahe wol gehn Hymmel / Aber Er könndt nichts ersehen / jm Traumet wie man spricht von dem Teuffel oder von der Hell / Das ist Er dachte was Er gethon vnnd vermaint jmmer durch oft vnnd Viel *Disputationes* fragen vnnd gesprech mit Dem Geist wolt Er so weitt kommen / das Er einmahl mochte zuer besserung Rew vnnd Abstinentz gelanngen /

Hierauff nimpt [24r] Doctor Faustus jm fur ain gesprech vnnd *Colloquium* mit dem Gaist (.Dann jm wider von der Hell getraumet hett*).) zuhalten fragt Derwegen Erstlich den Gaist / was Die Hell / Zum Andern / wie die Hell erschaffen vnnd geschaffen were / Zum Dritten /

---

*) S. Anh. IV.

Was fur Wehe vnnd Clag der Verdampten jnn der Hell sey / Zum
Vierdten / Ob Der verdampte wider zur Huldt Gottes konndte kommen / vnnd erlöst mechte werdn̄ Von der Hell /

Der Gaist gab jm auf kein frag noch Articul Antwurt / Sondern sprach
Herr Fausste belanngendt Dein Furhaben vnnd *Disputation* Von der
Hell vnnd jrer wurckhung / Dir solliches zuerclern̄ / mein was machstu
auss Dir selbs / vnnd wan̄ Du gleich jnn Hymmel steygen könndtest /
So wolt jch dich jnn die Hell herab stossen / Dann Du bist mein / vnnd
kerest auch jnn den Weg / Darumb Das du vil von der Hell wilst
fragen / Lieber lass es anstehn / vnnd frag ein anders / Dann traw mir
erzehl jch dirs so wirt es dich jnn ein solliche Rew / Vnmueth nachdenndkhen / vnnd Kymmernus bringen / Das du gewöhlt hettest Du
nie Die Frag jnns werckh hettest furgenomen / vnnd ist noch mein
Sententz vnd mainung Du liessests bleiben /

Doctor Faustus [24v] Antwurt vnnd Sagt / So will jchs wissen oder
will nicht Leben / Du muest mirs sagen / Wolan sprach der Gaist / jch
sag Dirs es bringt mir wenig kummer / Du fragst Was die Hell sey /

[16]
Die Hell diser Nam.*)

Hat manicherlay Figuren vnnd Bedeuttung / Dann ain mahl wirdt die Hell
genannt Hell vnnd Durstig / darjnn der Mensch zu keiner erquickhung vnnd
Labung kommen kan / So sagt man auch recht / Das die Hell ein thall genannt
wirdt / das nit weitt von jerusalem ligt / Dann die Hell hat ein solche Weitte
des Thals / das es raichet zu dem *Jerusalem* Das ist dem Thron des Hymmels /
Da die jnnwoner dess Hymmelischen jerusalems / weit von einander ligen[1]) /

Also das die verdampt̄n jm Wuest dess Thals jmmer wonen muessen / vnnd
die hoche der Statt jerusalem nicht erraichen können /

So wirdt die Hell auch ein platz genannt Da der Platz dess Thals so weitt
ist / Das die verdampten Da wonen muessen[2]) / wie die Schelmen bain / Da
sonnst nach gelegenheit die Schelmen bain nirgennds besser hin zu thuen
seyen / Dann jnn ein Loch des [25r] Thals zu ainem sondern platz Da man

---

*) Hier folgt ein Exzerpt aus D a s y p o d i u s , *Dictionarium* (1535—1536).
S. Anh. III.

1) daß es Jerusalem, das ist, dem Thron deß Himmels, darinnen die Ein-
wohner deß Himmlischen Jerusalems seyn vnd wohnen, weit entgegen ligt
2) daß die Verdampten, so da wohnen müssen, kein Ende daran ersehen
mögen. So ist die Helle auch genannt die brennende Hell

'Den Vnflath hinfuren soll. Die hell ist auch genannt Die Brinnige Hell /
Das alles Angehn vnnd Brinnen mueß / was dahin kompt / gleich wie ein
Stain jnn ainem Fewrigen Offen / Ob wol der Stain von Fewer glueent
wirdt / So verbrindt oder Verzert er sich dannocht nicht / vnnd wirdt nur
hortter darvon / Also die Seel des verdampten sein wirt / Das Sie jmmerdar
brindt / vnnd wirdt Sie Doch das Fewr nit verzern könnden / Sunder nun[3])
mehr Pein fuhllen /

So hayst die Hell ein Ewige Pein / die weder anfang / hoffnung / noch endt
hat / Sie haist auch ein Finsternus / Dann Sie von Gott also erschaffen ist /
Das Sie so dunckhel ist / Das weder schein noch glantz Da ist / Sonnder ist
ein Finsternus eins Thurns / Da man weder die Herrlicheit Gottes / Als das
Liecht Sohn oder Mohn sehen kan / Vnd wann Dann der verdampte Mensch
ein Hellung hoffen könndt / nur wie bey Euch Die Dickhe Finster nacht /
So hett man doch ein hoffnung eines scheins / Die Hell hat auch Ein Clufft
Chasma genannt / gleich eines Erdbidems / Da er Anstosse[4]) gibt er ein solliche
cluft vnnd Dickhe / Das vnergrundtlichen ist / [25v] Da schütt sich das
Erdterich von ein ander vnnd spurt man auss sollicher Tieffe des Cluffts /
Als ob winde Darjnnen weren / Also ist die Helle auch / da es ein[5]) Aus-
gang hat. jetz weitt dann Eng / Dann widerumb weitt / vnnd so fort an &

Die Hell wirt auch genannt *Petra* ain felß / vnnd der ist auch ettlicher weiß
gattaniert / Als ain *saxum, scopus, rupes,* vnnd *Cautes,* Also ist er / dann
es die Hell also gefestigt / Das weder Erden noch Stein vmb sich hat / wie
ein Felß / Sonnder wie Gott den Hymmel befestigt / Also hat Er auch ein
grundt Der Hell gesetzt. ganntz Hört[6]) wie ein Felß Hoch spitzig vnnd
Raw / Sie wirdt auch *Carcer* genannt / Da der verdampte Ewig[7]) sein wirt /
Also ist Sie auch *damnatio* genannt / Da die Seel jnn die Hell als jnn ein
gefengkhnus verurtheilt / vnnd verdambt wirdt / Dahin die straff verworffen
vnnd ausgesprochen wirdt / Als wie ein offenntlich Gericht Vber ein Vbel-
thetter vnnd schuldigen / So heist Sie auch *pernities* oder *Exitium* ein Verderbnus Das die Seel solchen schaden ahn sich hat / Dann ain Ewiger schad
vnnd Verderbnus ist / Also auch *Confutatio, Damnatio,* [26r] *Condemnatio,*
vnnd dergleichen ein verwerffung der Seel / darein sich der Mensch selbs
wirft jnn ein sollliche Cluft / gleich wie einer der auf ein Felsen oder Hoche
geet / Da Er herab sicht / so schwindelt jm / Es geet aber der Mensch der
verzweiffelt ist nicht dahin das er die gegne besehen möcht / vnnd je hocher
er aufsteiget vnnd begert sich herab zusturtzen Ye Tieffer er herab fallen
mueß / Also seind die Verdambte Seelen auch / die jnn die Hell geworffen

---

3) nur
4) da er denn anstösset,
5) es ebenmässigen
6) hart
7) ewig Gefangen

werden / Ye mehr eins dann das ander sündigt / je hocher es von der Höch / Das ist von Gott jm grundt Dann das ander fallen mueß / Endtlich Das die Seel also ists⁸) / Das es vnmöglich mit was weiß sie ausspeculiern / vnnd zubegreiffen ist / Wie Gott sein Zorn also gelegt hat jnn ein solchen Orth / Da Gottes zorn sein gebew vnnd erschaffung ist / Also Das Sie vil Namen vnnd Wortter Hatt / Als ein Schandt Wohnung / ein Schlundt / Rachen / Tieffe / vnnd Vnderscheidt der Hell / Dann die Seelen der Verdambten muessen nicht allein jnn Wehe vnnd Clag dess Ewigen Fewers Sitzen / sonder auch schandt Hon vnnd spott tragen gegen Gott / vnnd seinen Seligen / Das Sie jnn wohnung des schlunds vnnd Rachen sein muessen / Dann die Hell ist ein solcher [26v] Schlundt vnnd Rachen / Der nit zu ersettigen ist / sundern günnet jmmer noch mehr nach der⁹) Seelen die nicht verdambt sein solln̄ / Das Sie auch verfuert vnnd verdampt werden möchten.
Also muestu es Doctor Fauste verstehn /

Dieweil es hast haben wöllen / vnnd merckh Das die Hell ist ein Seel¹⁰) dess todts / ein hitz des Fewrs / ein Finsternus Der Erdt / ein Vergessung der Erdt / nimmer¹¹) von Gott gedacht / Sie hatt Martter vnnd Wehe vnnd Ewig vnerloschlichs Fewr / Ein wohnung aller Hellischen Drachen / Wurm / vnnd Vnzifer Ein Wohnung der Verstossnen Teuffels¹²) / ein gestanndckh von Schwebell / Wasser vnnd Bech / vnnd aller hitzigen Metall &*) Vnnd Diss sey mein Erster vnnd Anderer bericht / oder erzellung Die Du von mir hast haben wöllen /

.1.
.2.
.3.

Zum Dritten / So battestu¹³) mich vnnd wolst von mir haben / Dir ein bericht zuthon / Was fur Wee vnnd Clag die verdampten jnn der Hell haben werden / Da soltu etwann [27r] mein herr Fauste Die schrifft ansehen / dann es mir verborgen ist / Aber wie die Hell jämmerlich anzusehen / vnnd qualificiert ist / So ist es ein Vntregliche vnnd schwere Pein / Vnnd weil jch Dir das Erst erzelt hab / So will jch Dir nach dem Hellischen SPeculiern auch solchs bericht thuen. Es¹⁴) den ver-

---

⁸) Endtlich ist die Helle also beschaffen
⁹) mehr auff die
¹⁰) Helle
¹¹) Vergessung alles Guten, der Enden nimmermehr
¹²) Teuffel
*) Eine Verdeutschung der lateinischen Namen in c. 12. S. Anh. III und IV.
¹³) so bannest du
¹⁴) Es wirdt

dambten wie jch oben erzelt hab mit allen Vmbstenden vnnd Aus-
legungen begegnen / Dann es ist war wie jch sprich[15]).

Die Hell der Frawn Bauch / Vnnd Die Erdt wirdt nicht stan[16]) / Also
wirdt kein aufhören noch endt nimmermehr Da sein / Darauff werden
Sie zetter[17]) vnnd wee klagen Vber jre sündt vnnd bosheit / Vber den
verdampten / vnnd Hellischen Grewell dess gestanndkhs / Verhindernus /
schwachheit / dann wirdt erst jr Rueffen schreyen / vnnd Wee klagen
zu Gott sein / mit Wee / Zittern / Zagen / gelffen / schreyen mit schmertzen / Truebsall / mit heulen vnnd Wainen / Dann solten Sie nicht Wehe
schreyen / Zittern vnnd Zagen / Da Sie Zwitracht haben / Das alle
Creaturen / vnnd alle geschöpff werden wider Sie sein / vnnd fur die
Eer der Heyligen / werden Sie Ewige schmach tragen muessen / vnnd
Wirdt auch ein wehe vnnd Zittern grosser sein / dañ das ander /
Dann die sünd seind Vngleich / Also [27v] auch die straff vnnd Pein /
Wir Geyster werden gefreyet werden / Dann wir auch hoffen Selig
zu werden / Aber die*) verdambten werden Clagen vber die Vnleiden-
liche kelt / Vber das vnausloschlich Fewer / Vber die vntregliche
Finsternus / gestanndkh[18]) / vber die gesicht der Teuffel / vber die
verzweifflung alles guetten / Sie werden Clagen mit weinenden Augen /
knittschen der Zähn / Gestanndkh der Nasen / jammern der Stymm /
erschreckhung der Ohren / Zittern der hendt vnnd Fuessen / Sie werden vor grossem schmerzen jre Zungen fressen / Sie werden jnen den
Todten wunschen / vnnd gern sterben wollen / Sie mögen aber nicht /
Dann der Todt wirdt vor jnen fliehen /   Dann jr straff vnnd Pein
wirt Letstlich[19]) grösser vnnd merer /

Also mein Herr Fauste Hastu die Dritte Frag / So mit der Ersten vnnd
Andern Vber ein stimbt /

.4. Zum Vierdten / wilstu von mir haben ein Frag Die zu Gott stett /
Ob Gott die Verdampten zur Huldt annem[20]) oder nit / Aber wie

---

15) ich dir versprich
16) werden nimmer satt
17) Zittern
*) Hier folgt eine Anlehnung an D i o n y s i u s v a n L e e u v e n , Cordiale
(1497). S. Anh. III.
18) Gestanck, vber die ewige Ruten
19) täglich
20) Verdampten wider zu Gnaden auffnemme

54

dem gleich wie jch gemeldet / vnnd auf andere deine fragen bericht
gethan / Auch weitter Antwortte / souil jch die Hell vnnd jr Substantz
ansehe / vnnd wie es von Gottes Zorn erschaffen ist / wie auch ettlich
Fundamenta [28r] grunden können[21]) / Vnnd sey dir Hierauf ein
sollicher bericht (wiewol es Lieber herr Fauste deiner *promission* vnnd
gelubd stracks zu wider sein wirdt /

Du fragst Letstlich / Ob die verdampten jnn der Hell wider zur Huldt
vnnd genaden Gottes kommen können / Da Antwurt jch Nain / Dann
alle die so jnn der Hell seind / vnnd Gott verstossen hat / Die muessen
darjnnen jnn Gottes Zorn vnnd Vngnad brynnen / Ewig darjnn bleiben vnnd Verharren / Da nimmer kein hoffnung zu glauben ist /

Ja wann Sie zur gnaden Gottes kommen konndten / wie wir Geister /
Die wir alle stundt hoffen / vnd warten / Sie wurden sich frewen /
vnnd nach sollicher zeit seunfftzgen /

Aber So wenig Die Teuffel jnn der Hell khönnen vber jren Vnfall
vnnd verstossung hoffen zuer gnaden Gottes zue kommen / So wenig
könnens die verdampten auch / Dann so wenig sie nicht zu hoffen
haben jnn der Finsternus der Hell / ein Liecht oder helle zusehen: jnn
grosser Brunst vnnd hitz oder qual dess Fewers / ein Labung oder
Trunckh eins wassers / jnn jrer Kält ein Wärme / So wenig können sie
auch sonnst etwas zuewegen bringen / Dann darjnnen wirdt weder
bitten / gebett / [28v] Anrueffen noch Seunfftzgen erhört werden / jr
gewissen wirdt jnen[22]) jmmer vnder Die Augen schlagen / Als ein
Kayser / Kunig / Furst / Graf oder sunsten Regenten werden klagen / NB:
wann Sie nur nit Tyrranisiert hetten / vnnd Sie jnn allem Muetwillen /
vnnd wollust gelebet[23]) / So wolten Sie zur Huldt Gottes kommen:
Ein Reicher Mann wann er nur nicht geeytzt hett / Ein hofferttiger /
wann er nur nicht bracht getriben / Ein Eebrecher vnnd Bueler / wann
er nur nicht Vnzucht / Ehebruch vnnd Vnkeuscheit getriben: Ein Wein-
sauffer vnd Fresser / Ein SPiler vnnd GottsLesterer / Ein Mainaidiger /
Ein Dieb / Strassenrauber / Morder / vnnd dergleichen[24]) / Wann jch

---

[21]) Aber dem sey nun wie jhm wölle, so wil ich auff deine Frage bericht zu
thun, zuuor die Helle vnd jr Substantz ansehen, vnd wie sie von Gottes Zorn
erschaffen ist, was melden, vnd sehen, ob wir auch etliche Fundamenta gründen kûndten

[22]) wirdt jnen jr Gewissen auffwachen, vnd

[23]) Tyrannisiert hetten, vnd hie im Leben nit allen Mutwillen getrieben

[24]) dergleichen, wird gedencken

nur nicht mein Bauch mit Vppigkeit / wollust / vnnd Vberfluss dess Tranckhs / vnnd der SPeiß vberfullet / wann jch nicht felschlich gespilt vnnd jnn meinem hertzen Gott gelestert / wann jch nur nicht freuentlich vnnd Muetwillig wider Gott mit allem fluechen gethon / wann jch nur nicht Mainaidig gewest / gestollen / geplindert / getödt / oder geraubt hetten[25]) / So wolt jch doch etwan gnad [29r] hoffen / Aber meine sündt sein zu gross / vnnd nicht zuuergeben / Darumb jch Dise Hellische straff leiden mueß /

Also kan jch verdambter abnemen / Das jch keiner genad zu gewartten hab.

Darumb solstu mehr mein herr Fauste wissen / Das der verdambte Mensch oder die Seel nimer zu keiner genaden kommen kan / So wenig man den Verdambten zil vnnd zeit machen können / Das Sie etwann erlöst werden mechten von sollicher qual /

Vnd wan Sie nur ein sollicher hoffnung haben möchten / Das Sie jmmer ein tag nach dem andern am Vffer des Möers / das Moer wolten ausschutten biß es druckhen wirt / So wer ein Erlösung da / oder wann ein Sand hauf so groß wer biß an Hymmel / vnnd ein Vogel nach dem andern jar keme / vnnd trueg ains nach dem Andern hinweckh / So wer auch ein hoffnung Da / Aber Gott wirdt jr nimmer gedennckhen / Dann Sie werden jnn der Hell ligen wie die Todten Boeckh oder Bein / Der todt / vnnd jr gewissen wirt Sie Nagen / jr hart zuuersicht vnnd vertrawen zu Gott so Sie erst haben werden wirt nit gehört werden / auch nimermehr gedacht / vnnd sihe [29v] wann sich die Verdambte Seel schon[26]) köndt verdeckhen / vnnd jnn die Hell sich verbergen biß Gottes zorn sich wolt legen / vnd hettest solliche hoffnung Das du mechtest erlediget werden / beharrestu auch jnn dem zill Der hoffnung / Das Gott an dich wurd gedencken / So ist darnach kein erlosung da /

Jtem wann alle berg zusamen sollen fallen / vnnd eines fahls zu seinem Orth vom andern[27]) wurden versetzt / vnnd biß alle stein jnn dem Moer ertrunckhnet werden / Vnnd biß alle Regen tropfen Die Erden hinweckh flössen / vnnd biß ein Elephant oder Camell jnn ein Nadel Ohr eingehet / vnnd alle Regen tropffen könndten gezelt werden /

---

25) hette

26) wenn du dich schon

27) Berge zusammen vber einen hauffen fielen, vnd von einem ort zum andern

dannocht ist solliche hoffnung verlohren / Also hastu kurtzlich mein
herr Fauste den Vierdtn̄ vnnd Letsten bericht / vnnd solst wissen
fragestu mich ein ander mahl mehr von sollichen Dingen / Soltu kein
gehör von mir haben / Dann jch bin dir solliches nit schuldig / Darumb
lass mich nun mehr mit sollichen fragen vnnd *Disputationibus* zu friden.
Doctor Faustus gieng abermahlen vom Gaist ganz Melancholisch verwirrt vnnd zweifflheftig jetzt Dacht er dahin / jetzt Dorthin / Vnnd
[30r] tracht dem[28]) tag vnnd nacht nach / es hett aber bey jm kein
bestanndt / Dieweil jm wie obgemelt Der Teuffel das hertz verstockht
vnd Verblendt / zue dem wann Er schon allein ward vnnd dem Göttlichen wort nachtrachtet / Da schmuckht sich dann der Teuffel jnn
gestalt einer schönen frawen zue jm / halset jn / vnnd trib mit jm alle
Vnzucht / Also das er dess Göttlichen Worts bald vergaß vnnd jnn
Windt schlueg /

---

28) trachtete diesen dingen

[*] [18r] Question Doctoris Faustj *mit seinem Geyst* Mephostophile:-

*Nach sollichem wie jetzt gemelt Doctor Faustus ein gar schöne Ee mit dem
Teuffel Trib / Vbergibt jm sein Gaist bald ein gross Buech von Allerlay
Zauberey vnd* Nigromantia. *Darjnn Er sich auch neben seiner Teufflischen Ee
erlustigtte / welche* Dardanias artes *man hernach bey seinem* Famulo *vnnd
Sohn* Cristoff Wagner *gefunden / bald sticht jn der Furwitz / Fordert seinen
Geyst* Mephostophilem *mit dem wolt er ein Gesprech halten / sagt zum
Gayst / Mein Dienner sag an was Geistes bistu?* [21v] *Darauff jm der Gayst
saget / Dise* Disputatio *vnnd Frag so jch dir erclären soll / wirdt Dich etwas
mein herr Fauste zu Vnmueth vnd nachdennckhen treiben / zue dem so solstu
solliches von mir nicht begert haben / Dann es trifft vnnser Hayligkeit an /
Wiewol jch nit hinuber kan /*

*Also soltu wissen / Das baldt der verstossne Engel jnn fahl kam / vnnd
Erstlich von erschaffung dess Menschen jm gunstig vnnd holdt ward / bald
aber sich das blatt herumb khert / vnd Also Gott vnnd den Menschen Feindt
wirde / Vnderstuend Er sich allerlay Tyranney* [22r] *am Menschen zu
jeben / wie dann noch zu tag augenscheinlich / Da ainer zu todt Fellt / Ainer
erhenncktht Sich / Ertrenckt sich / ersticht sich / oder wirdt erstochen / Verzweifelt / vnnd dergleichen / wie neben auch zusehen ist /*

*Das der Erste Mensch vor Gott so volkommenlich erschaffen ward / Missgunt
jm solchs der Teuffel / setzt an Sie / vnnd bracht also* Adam *vnnd* Eua *mit
allen jren nachkommen jnn sündt vnd Vngnade Gottes.*

---

*) Folgender Rekonstruktionsversuch wird begründet in Anh. IV.

Diss seind lieber Fauste Angriff vnnd Tyrranney Dess Sathanns / Also thett er auch mit Cain. *Also bracht er zu wegen / Das jn das jsraelitische Volckh Anbettet / Opfferte Den Göttern / vnnd pflegten Vnkheuschaitten mit den Heydnischen Weybern / So haben wir auch ein Gayst der den* Saul *gejebt hat / vnd jnn die Vnsynnigkeit gebracht / Vil geraizt das er sich selber getödt hat /*

Noch ain Gayst ist bey vnns Asmodæus *Der sieben Mann jnn Vnkheuscheit getödt / auch Der Gayst* Thagon. *der .30. Mo Menschen jnn Fahl bracht das Sie getödt vnnd erschlagen worden / vnnd werdt die Arch Gottes gefangen / wie auch* Belial *der dem* Dauid *sein herz raytzt. Das Er das Volckh begundt zu zehlen /* [22v] *daruber .60. Mo Menschen sturben / So thett auch vnnser Gaist ainer dem Konig* Salomon. *ein sollichen raytz / das er die Abgötterey Anbatth / Vnnd seind also vnzelich Vnser Gayster / das Sie den Menschen beykommen / vnnd jnn fahl raytzen vnnd bringen /*

Also theylen wir vnns noch jnn alle Welt / versuechen allerlay Lyst vnnd Schalckheit / werffen die Leuth ab vom Glauben / vnnd raytzen Sie zu den sünden vnnd boesem vfs besst wir können vnnd mögen vns sterckñ seind wir wider jesum durchächten jm Die seinen biß jnn todt / vnnd besitzen auch die hertzen der Königen vnnd Fursten der Welt wider Jesu *Lehr / auch seine Lehrer vnnd zuehörer / Vnnd diss Kanstu herr* Fauste *bey dir abnemen.*

Doctor Faustus Antwurt vnnd sprach / So hast Du mich auch besessen / Lieber Sag mir die Warheit / Der Gaist antwurt ja warumb nicht / Dann alsbaldt wir dein hertz besahen mit was gedannckhen Du Vmbgiengest / vnnd niemands sonst zu solchem Deinem Furnemen vnnd werckh kondtest brauchen oder haben / dann den Teuffel / Syhe [23r] *so machten wir deine gedannckhen / vnnd nachforschen noch frecher vnnd keckher / auch so begirlich / Das du tag vnnd nacht nicht Ruhe hettest / sonnder all dein Dichten vnnd trachten dahin stuende / wie du die Zauberey zuwegen bringen möchtest /*

Auch Da du vnns beschwurest machten wir dich so fhrech vnnd verwegen / Das du dich ehe den Teuffel hin hettest fueren lassen / Als Das du von deinem furnemen werest abgestanden / Hernach behertzigten wir dich noch mehr biß wir dir jns Hertz pflanntzen / Das du von deinem Furnemen nicht mochtest abstehn / Wie du Ainen Gaist möchtest haben / Der Dir Vnnderthenig sey / Letztlichen brachten wir dich dahin / Das du dich endtlich mit Leib vnnd Seel vnns ergabest / Das kanstu alles bey Dir herr Fauste selbs abnemen / Es ist war (sagt Doctor Faustus) nun kan jch jm nim̃er thuen / jch hab mich selbs gefanngen / Hett jch Gottselige gedannckhen gehabt / mich mit dem gebett zu Gott gehalten / vnnd den Teufl nicht also sehr einwurtzlen lassen / So wer mir solch vbel an Leib vnnd Seel nicht begegnet / Ey was hab jch gethon & Antwort Der Gaist / Do sihe Du zue /

Also gieng Doctor Faustus trawrig von jm /

[19v] *Ein* Disputation. *jnn was gestalt die Verstossnen Engel gewesen:-*

Doctor Faustus nam jm wider ein gesprech fur mit seinem Gayst [18r] *wie ist aber dein herr* Lucifer *jnn fall kommen?* [19v] *Sein gaist hatt jn diss mahl Drey tag aufzug / Am Dritten tag gab jm der Gayst Dise Antwurt / Mein herr* Lucifer *(.der Also genannt wirdet / Von wegen Das Er auss* [20r] *dem Hellen Liecht des Hymmels verstossen.) ward jm Hymmel ein Engel Gottes / vnnd* Cherubin. *Er alle werckh vnnd geschopf Gottes jm Hymmel gesehen hat / Er ward jnn sollicher Zier / vnnd jnn einer sollichen gestalt /* Pompp. Authoriteth. *würde vnd Wohnung / das Er ein gleichnus vnd geschöpf vor Gott ward / Viler Volkomner weisheit vnnd Zier / ja ward jnn sollicher volkommenheit / das er ein zier vnnd schein wardt vber alle sunst andere Geschöpff / Vber Gold vnnd Edelgestein / Dann Er ward von Gott also erleucht vnnd geziert / Das Er vbertraf der Sonnen Glantz vnnd Stern Gold vnnd Edelgestain / Dann bald jn Gott erschieff / Setzt Er jn auf den Berg Gottes / vnnd jnn ein Ampt eines Furstenthumbs / Er wardt Volkommen jnn allen seinen Wegen / Aber so bald Er jnn Vbermueth / vnnd zu Der Hoffart stig / vnnd vber* Orient *Steygen wolt / ward Er verdilgt vnnd verworffen auss der Wohnung vnnd sitz des Hym̄els jnn ein Fewrstain / Der Ewig nicht verlischt / sondern quelt jn jmmerdar / Er wardt geziert mit der Cron aller Hymlischn̄ Pomp / vnnd Dieweil Er also wider Gott also* [20v] *Trutzlich gesessen / jst Gott auch gesessen auff sein Richterstuel / Vnnd jn zur Hell / Da Er nimmermehr hocher steygen kan / vervrthailt vnnd judiciert.*

Doctor Faustus als Er dem Gaist von Disen Dingen hat zugehört / speculiert Er darvff mancherlay opiniones *vnnd grundt / gieng auch also darauff stillschweigendt vom Geist / Als Er nun jnn seiner Kammer ward / legt Er sich aufs bett / hebt an bitterlich zu waynnen vnnd Seunfflzgen vnnd jnn seinem hertzen zuschreyen / Dann Er betracht auf dise erzellung dess Geists / wie der Teuffel vnnd verstossen Engell vor Gott so herrlich geziert ward / Vnd wann Er nicht wider Gott gewesen auss Trutz vnnd Hochmueth / wie Er hett ein Ewigs Hymlischs wesen vnnd wohnung gehabt / Da Er jetzt von Gott Ewig verstossen sey / vnnd sprach. O Wehe Mir jmmer wehe / Also wirt es Mir auch vnnd nichts ertreglicher ergehn / Dann jch bin auch ein Geschöpf Gottes / vnnd mein Vbermueth fleisch vnnd Bluet hat mich gesetzt jn ein verdamlicheit [an]* [21r] *an Leib vnnd Seel / vnnd jch mit meiner vernunfft vnnd Synn mich geraytzt / Das jch als ein Geschöpff Gottes von jme gewichen bin / vnnd mich den Teuffell verfueren lassen / das jch mich mit Leib vnnd Seel an jn verknipfft habe / Darumb kan jch kein genad mehr hoffen / sonndern wirdt Ewig wie* Lucifer *jnn die Ewige verdamnus vnnd wehe verstossen werden muessen / Ach wee jmmer wehe was zeich jch mich selbs / vnnd was mach jch auß mir selbs O. Das jch nie geborn wer worden & Dise Clag fiert Doctor Faustus / Er wolt aber nie kein glauben noch hoffnung schöpffen /*

59

das Er durch poenitenz *mecht zuer gnad Gottes gebracht werden / dañ wann
Er gedacht hette /*

*Nun streicht mir jetzt der Teuffel ein solche farb an / Das jch mueß jetz jnn
Hymmel sehen / Syhe so will jch widerumb keren / vnd Gott vmb gnad vnnd
verzeyhung Anrueffen / Dann nimmer thuen ist ein grosse Bueß / So hett Er
sich wol jnn die Kirchen verfuegt / Der Haylig Lehr geuolgt / vnnd also
dem Teuffel ein widerstandt gethon / Vnnd ob wol Er dem Teuffel hie schon
den Leyb hat lassen muessen / So* [21v] *wer dannocht die Seel erhalten
worden / Aber Er ward jnn allen seinen* opinionibus *vnnd mainungen zwei-
felhafflig / vnglaubig vnnd Clainer hoffnung /*

[23v] *Ein* Disputatio *von der Hell* Gehenna *genannt
wie Sie erschaffen vnnd gestaltet
auch von der Pein darJnnen.*

*Doctor Faustus hett wol jmmerdar ein Rew jm hertzen / vnnd ain bedenckhen
was Er sich doch gezigen hett an seiner Seligkeitt das Er sich also dem Teuffel
vmb das zeittlich ergeben / Aber sein Rew ward* Cains *vnnd* Judas *Rew vnnd
Bueß Da wol ein Rew jm hertzen ward / Aber Er verzaget an Den Genaden
Gottes / vnnd ward jm ein Vnmuglichs Das Er zur Huldt Gottes könndt
kommen / gleich wie* Cain *der also verzweyffelt / Das Er sagte seine Sündt
weren grösser / dañ jm verzigen möcht werden / desgleichen Mit* Judas &

*Dem Doctor Fausto wardt auch also / Er sahe wol gehn Hymmel / Aber Er
könndt nichts ersehen / jm Traumet wie man spricht von dem Teuffel oder
von der Hell / Das ist Er dachte was Er gethon vnnd vermaint jmmer durch
oft vnnd Viel* Disputationes *fragen vnnd gesprech mit Dem Geist wolt Er so
weitt kommen / das Er einmahl mochte zuer besserung Rew vnnd Abstinentz
gelanngen /*

Hierauff nimpt [24r] *Doctor Faustus jm fur ain gesprech vnnd* Colloquium
*mit dem Gaist zuhalten fragt Derwegen Erstlich den Gaist / was Die Hell /
Zum Andern / wie die Hell erschaffen vnnd geschaffen were / Zum Dritten /
Was fur Wehe vnnd Clag der Verdampten jnn der Hell sey / Zum Vierdten /
Ob Der verdampte wider zur Huldt Gottes konndte kommen / vnnd erlöst
mechte werdñ Von der Hell /*

*Der Gaist gab jm auf kein frag noch Articul Antwurt / Sondern sprach Herr
Fausste belanngendt Dein Furhaben vnnd* Disputation *Von der Hell vnnd
jrer wurckhung / Dir solliches zuerclerñ / mein was machstu auss Dir selbs /
vnnd wañ Du gleich jnn Hymmel steygen könndtest / So wolt jch dich jnn
die Hell herab stossen / Dann Du bist mein / vnnd kerest auch jnn den Weg /
Darumb Das du vil von der Hell wilst fragen / Lieber lass es anstehn / vnnd*

frag ein anders / Dann traw mir erzehl jch dirs so wirt es dich jnn ein solliche Rew / Vnmueth nachdennckhen / vnnd Kymmernus bringen / Das du gewöhlt hettest Du nie Die Frag jnns werckh hettest furgenomen / vnnd ist noch mein Sententz vnd mainung Du liessests bleiben /

Doctor Faustus [24v] *Antwurt vnnd Sagt / So will jchs wissen oder will nicht Leben / Du muest mirs sagen / Wolan sprach der Gaist / jch sag Dirs es bringt mir wenig kummer / Du fragst Was die Hell sey / [26r] die Seel also ists / Das es vnmöglich mit was weiß sie ausspeculiern / vnnd zubegreiffen ist / Wie Gott sein Zorn also gelegt hat jnn ein solchen Orth / Da Gottes zorn sein gebew vnnd erschaffung ist / Also Das Sie vil Namen vnnd Wortter Hatt / Als ein Schandt Wohnung / ein Schlundt / Rachen / Tieffe / vnnd Vnderscheidt der Hell / Dann die Seelen der Verdambten muessen nicht allein jnn Wehe vnnd Clag dess Ewigen Fewers Sitzen / sonder auch schandt Hon vnnd spott tragen gegen Gott / vnnd seinen Seligen / Das Sie jnn Wohnung des schlunds vnnd Rachen sein muessen / Dann die Hell ist ein solcher [26v] Schlundt vnnd Rachen / Der nit zu ersettigen ist / sundern günnet jmmer noch mehr auff die Seelen die nicht verdambt sein solln / Das Sie auch verfuert vnnd verdampt werden möchten. Also muestu es Doctor Fauste verstehn / [18v] so bald mein herr jnn fall kam / ward jm die Hell zu theil vnnd gleich zu sollicher stundt die da ist ein Finsternus / Da Er der* Lucifer *mit solcher Finsternus der Ketten also gebunden vnnd verstossen ist / das [19r] Er zum Gericht vbergeben / vnnd behaltten worden / Vnnd ist darjnnen nichts anderst Dann Nebell Fewr / vnnd von Schwebel stinckendt / Aber wir Teuffel können auch nicht wissen was gestalt vnnd weiß die Hell erschaffen / noch wie es von Gott gegrundet vnnd erbawt sey / Dann sie hat weder Endt noch grundt / [26v] Vnnd Diss sey mein Erster und Anderer bericht / oder erzellung Die Du von mir hast haben wöllen / Zum Dritten / So battestu mich vnnd wolst von mir haben / Dir ein bericht zuthon / Was fur Wee vnnd Clag die verdampten jnn der Hell haben werden / Da soltu etwann — usw. wie auf Blatt 27r oben]*

[17]

Ein andere Frag so Doctor Faustus
mit dem Geist gepflegt hat:-*)

Doctor Faustus beruefft seinen Geyst wider vnnd begert von jm eine Frag / Dess soll er gewern auf diss mahl Dem Gaist war solchs gar zu wider / jedoch wolt er jm Diss mahl gehorchen / vnnd wie er vor gesagt / So hab Er jm diss ganntz vnnd gar abgeschlagen / jedoch kom er wider / Aber diss mahls wie gemelt soll er gewert werden / vnnd sonst nit mehr / Nun was begerestu von mir? sprach Er zum Fausto /

---

*) S. Anh. IV.

Jch will sagt Faustus ein Frag Von Dir / [30v] Vnnd ist diss Wann Du jnn meiner statt werest / Vnnd werest von Gott also ein Mensch erschaffen / Was Du thon woltest / Das du Gott vnnd dem[1]) Menschen gefellig werest?

Daruber Lächelt der Gaist / vnnd gab dise Antwurt / Mein herr Fauste / So jch als ein Mensch erschaffen were[2]) / wolt jch mich biegen gegen Gott /

NB: Dieweil jch ein Menschlichen Athem hette wolt mich befleissn̄ Das jch Gott nit beweget zue Zorn / wolt sein Lehr / Gesatz vnnd gepott halten / souil jch könndte / jn Anreuffen / Loben / Eern vnnd Breyssen / Damit jch Gott so gefellig vnd angenem wer / das jch wuste / Das jch nach meinem absterben hette die Ewige Freudt Glorj vnnd Seligkeit[3]). Doctor Faustus Antwurt / vnnd sagt / So hab jch aber solchs nit gethon / ja freylich sagt der Gayst hastu es nit gethon / sonnder den[4]) Schöpffer der Dich erschaffen hat / Der Dir sprach / Red / gesicht vnnd gehör geben / Das du seinen willen soltest verstehn vnnd thuen / Der dich hat Selig machen wöllen / den hastu verlaugnet / Dein Gaab dess verstands misbraucht / bist also Gott vnnd allen Menschen feindt worden / [vnnd] [31r] vnnd[5]) hast da niemandt die Schuldt zugeben / Dann deinem stoltzen frechen Muettwillen / vnnd dein best Cleinat vnnd zier der Forcht vnnd zueflucht zue Gott also verloren. ja diss ist Laider war sagt Doctor Faustus. Woltestu aber mein *Mephostophiles* Das Du ein Mensch an meiner statt werest / ja seufftzgendt sprach der Geist / vnnd wird Hierjnn nicht vil Disputiern mit dir / Dann ob jch schon gegen Gott also gesündigt / So wolt jch mich doch widerumb erholen jnn Gottes genaden / Dem Antwurt Faustus vnnd sagt / So wer es noch frue gnueg mit Mir wann jch mich besserte / ja Sagt der Gayst / wann Du auch mit deinen groben sünden zuer genaden Gottes kommen kondest / Aber es ist nun zue spat vnnd ruehet Gottes Zorn vber dich / Lass mich mit friden sagt Doctor Faustus zum Gayst / so lass sprach der Gaist hinfuro mich auch vnbemueht mit Deinen Fragen / [31v]

---

[1]) den
[2]) were, wie du
[3]) Herrligkeit
[4]) deinen
[5]) darvmb

Volgen nun zum Andern Thail
Doctor Faustj Historj Abentheur
vnnd sunst andere Fragen:-

Doctor Faustus als Er von Gottseligen Sachen zufragen vom Geyst kein Antwurtt mehr bekommen mocht / muest ers auch ein guet werckh sein Lassen.

Demnach nimpt jm Doctor Faustus fur Calender zumachen / ward ein guetter vnnd furnemer derselbigen zeit *Astronomus* vnnd *Astrologus.* ja ward also gelehrt vnnd erfahrn vom Geist jnn der Stern Kunst vnnd Practickh schreiben (.wie dann menigclichen wol bewust.) Das alles was er gericht / vnnd geschriben hat vnder allen *Mathematicis* Das Lob dauon bracht / so stuenden auch seine *Practica* vber ein / Die schickht Er grossen Fursten vnnd herren / Richtet seine Practickhen also / Das was er vom Geyst zuekunfftig das geschehen solt / wuste / Das schrib Er vnnd geschach also / Daher Lobte man seine *Almanach* vnd Calender fur andern / Dann er setzet nichts jm Calennder es ward jm dann also / Als wann Er wolt setzen Nebell / Windt / schnee / Feucht & [32r] Das ward alles gewiß / vnnd waren seine Calennder nicht wie ettlicher Vnerfahrner *Astrologorum.* Die wol wissen / Das jm Winter Kalt vnnd gefroren ist / Vnnd jnn dem Sommer warm / Donner vnd Vngewitter gibt.

Desgleichen stelt Er seine Practickhen / wie obengemelt / dermassen das Er auch was zuekunfftig geschehen solt / drein setzte / zeit vnnd stundt nennet / Also auch ein jede Herrschafft besonnder warnete / Die jetzt mit Thewrung / Die Ander mit krieg / Dan sterbn / vnnd also forth ahn /

Ein *Disputatio.* oder Frag von der Kunst
Astronomia oder *Astrologia:-*

Als nun Doctor Faustus seine *Practica* vnd Calennder zwey jar gericht vnnd gemacht hett / Fragt Er seinen Geyst / was es fur ein gelegenheit habe mit der *Astronomia* oder *Astrologia,* wie die *Mathematicj* zuestellen pflegen / Dem Antwurt der Geist / Vnnd sprach Mein herr Fauste / Es hat ein sollich *Judicium* Das alle Stern sehen vnnd Hymel-

sehunger[1]) nichts sunderlichs gewiß Practicieren mogen / dann es seind
Verborgen Werckh [32v] Gottes Die so[2]) die Menschen nicht recht
grunden können wie wir Geister / Die wir jm Luft vnder dem Hymmel
schweben / vnnd Die verhennckhnus Gottes sehen vnnd abnemmen
können / So seind wir Alte Erfarne Geister jnn dess Hymmels Lauf /
jch könndt dir auch Herr Fauste Practica vnnd Calender zuschreiben /
oder von der *Natiuitet* zue erforschen / ein Ewige aufzeichnus beschreiben ein jar vmb das Ander / wie du dann gesehen hast Das jch Dir
niemahls gelogen hab / es ist wol war / Das die vor Alten zeitten / So
Funff / Sechs hundert jar erraicht haben / sollidhe kunst grundtlich
erfahren vnnd ergriffen haben / Dann durch souil verloffne jar / wirdt
das grossjar erfult / solchs zuerlernen / vnnd den Nachkumlingen mit
zuthaillen / sunst alle junge vnnd Vnerfahrne *Astrologi* machen jre
Practic nach guettem Wohn vnd dunckhen.

[1]) alle Sternseher vnnd Himmelgucker
[2]) GOTtes, welche

[20]
Vom Wintter vnd Sommer*)

Es daucht den Faustum ein Seltzames sein / Das Gott jnn diser Welt /
Sommer vnnd Winter erschaffen hett / nimpt jm derhalben Fur den
Geyst zufragen Waher der Sommer [33r] vnnd Winter jren Vrsprung
Haben / Antwort der Gayst gar kurtz darauff Mein herr Fauste kanstu
solchs als ein *phijsicus* nicht selbs sehen / vnnd abnemen nach der Son-
nen / So soltu wissen Das von Dem Mohn ahn biß an das gestirn am
Hymmel alles Fewrig ist / Dagegen ist die Erd kalth vnnd erfrorn /
Dann Ye Tieffer die Sonn scheindt / Ye heisser Sie ist / Das ist der
Vrsprung des Sommers / stett die Sonn Hoch / So ist es kalt / vnnd
bringt mit sich den Winter.

*) Vom E l u c i d a r i u s (1572) abhängig. S. Anh. III.

[21]
Von dess Himmels Lauf Zier vnd Vrsprung.*)

Doctor Faustus dorfft den Geyst von Göttlichen Hymlischen dingen nit mehr
fragen / das thett jm Wee / vnnd gedacht jm Tag vnnd Nacht nach / vnnd

*) Über dieses aus S c h e d e l s *Weltchronik* zusammengesetztes Kapitel und
sein Verhältnis zu c. 22 s. Anh. III.

damit Er von Göttlicher Creatur vnnd erschaffung besser gelegenheit hett
dem ein farb anzustreichen / vnd mit glimpff herumb zukommen / fragt Er
nicht wie Zuuor mehr von der freudt der seligen vnnd den Engeln / vnnd
von dem Wee der Hell / dann Er wust das Er vom Geist hinfuro kein
Audients mehr wurd erlangen / Muest also fragen was jn gedeücht das Er
[33v] erlanngen möcht / nimpt jm derhalben fur den Geist zuefragen vnder
einem glimpf / Als ob es zu der *Astronomia* oder *Astrologia* den *phÿsicis*
dienstlich sey / vnnd Nöttig zu wissñ / Nemlich von dess Hymmels Lauf
zierdt vnd Vrsprung / Das solt Er jn berichten / Hierauff antwurt der Gaist /
Mein herr Fauste / Der Gott der dich erschaffen Hat / Der Hat auch die   *NBene:-*
Welt erschaffen / vnnd alle *Elementa* vnder dem Hymmel / Dann Gott
macht anfenngclich den Hymmel auss dem Mittel des Wassers / vnnd theilt
die wasser vom Wasser / vnnd hieß das Firmament den Hymmel / So ist
der Hymmel kuglicht oder Scheublich vnnd beweglich / Auch ist der Hymmel
der vom Wasser erschaffen / vnnd zusamen gefuegt ist / so befestiget wie
der Christall / vnnd sicht auch oben jm Hymmel also / Darjnn ist angehefft
das gestirn / vnd durch solche Runde dess Hymmels wirdt die Welt jnn
Vier theill getheilt / Der Aufganng / Niderganng / Mittag vnd Mitternacht /
vnnd wirdt der Hymmel so schnell vmbgeweltzt / Das die Welt zerbrech /
wo es die Planeten mit jrem gegen Lauf nit verhinderten / So ist der Hymmel mit Fewr auch erschaffen / Das wa nicht mit der kelte [34r] dess
wassers Die Wolckhen vmbgeben weren / Das dz Fewr oder Hytz die vndern
Elementa anzündet / So seind jnnerhalb des Firmaments / Da dess gestirns[1])
des Hymmels ist / Vmbkreiß der Siben Planeten begriffen als ♄. ♃. ♂. ☉.
♀. ☿. ☽. vnnd bewegen sich alle Hymmel / allein der Feurig Hymmel
Der Ruehet / vnnd wirdt also die Welt jnn Vier thaill getheilt / Als dess
Fewrs / Luffts / Erdñ / vnnd Wasser / vnnd auss diser[2]) SPer vnnd Creatur
Formiert / vnnd ain jegclich Hymmel nimpt sein Materj vnnd Aigenschafft
darauß / der Oberst Hymmel ist Fewrig / Der Mittel vnnd der Vnderst ist
Liecht / der Lufft der jm[3]) Hymmel ist scheinlich / der Mittel vnnd Vnderst
ist Lufftig / jnn dem Obersten ist die Warm vnnd das Liecht von Nahe wegen
der Sonnen / Der vnderst aber von Widerscheins wegen des Glentz[4]) von
der Erden / vnd Wo der schein des Glentzes nit erraichen kan / ist kalt vnnd
Dunckhelheit darJnnen / jnn disem Dunckhlen lufft verstossen / vnnd jnn
solchem Dunckheln lufft Da wir wohnen seind Vngestuemigkeit / Donner-
schleg / Hagell / Schnee / vnnd dergleichen / da wir dann die zeit dess jars /
vnnd wie es wittern soll Wissen können / vnnd hat also der Hymmel Zwelff

---

1) da das Gestirn
2) Wassers, also ist diese
3) Liecht, als der Lufft, der ein
4) Glantzes

vmkreiß / Die die Erdt vnnd das Wasser Vmbringen / Die alle mögen Hymmel genennt werden. Es erzelt jm auch der Geist Dissmals / wie ein Planet nach dem Andern Regiert / Vnnd wieuil Graden ein jeder Planet vber den Andern hatt /

[22]

Ein *Disputatio* vnd falsche antwort dess Geists Doctor Fausto gethon.

Doctor Fausto ist durch[1]) sein Trawrigkeitt vnnd Schwermueth sein Geist erschinen / vnnd gefragt was fur beschwernus vnnd Anligen Er habe /

Doctor Faustus gab jm kein Antwort / Also das der Geist hefftig an jn setzte vnnd begert jm sein anligen grundtlichen zuerzelen / Womuglich / So wolle er jm hier Jnn behilfflich sein / Doctor Faustus Antwurt vnnd sagt jch hab Dich als einen Dienner aufgenomen / Vnnd Deine Diennerschafft kombt mich zu theuer an /

Demnach[2]) so kan jch von dir nicht haben / Das du mir zuwillen werdest / Wie einem Dienner gezimbt / Der Gaist sprach Mein herr Du waist Das jch dir nie zu wider gewesen bin / sonndern noch allzeit wilfart / [35r] Ob jch wol offt dir furgehalten vnnd mein *Condition* gewest / Das jch dein Audiennts nimmer wölle annemen / Demnach[3]) vber Diss bin jch Dir zu willen worden / So sag nun mein herr Fauste was dein beger vnnd Anligen sey /

Der Geist hat dem Doctor Fausto das hertz abgewonnen / Vnnd Fragt Doctor Faustus Den Gaist darauff. Wie Gott die Welt erschaffen habe / vnnd Von der Ersten geburt des Menschen / Der Geist gab jm ein Gottloß Vnchristlich vnnd kindisch erzehlen vnnd bericht / vnnd sagt / Die Welt mein herr Fauste ist Vngeborn vnnd Vnersterblich / So ist das Menschlich Geschlecht von Ewigkeit her gewesen / Vnnd hat anfanngs kein Vrsprung gehabt / Die Erdt hat sich selbs nehren muessen / vnnd Das Moer hat sich von der Erden zertheilt / vnnd seind so freundtlich miteinander verglichen gewest / Als wann Sie reden kondten / Das Erdtreich begert von dem Moer seine Herrschafft / Als Eckher / Wysen / Waldt vnnd das graß oder Laub / Vnnd Dagegen

---

[1]) in

[2]) dennoch

[3]) doch jederzeit

Das Moer auch seine Herrschafft / als Das wasser / Die Fisch / vnnd das⁴) darJnnen ist / allein Gott haben Sie zugeben⁵) Menschen [35v] vnnd den Hymmel zuerschaffen / Also das Sie Gott zu Letst vnderthenig mueß⁶) sein / auss diser Herrschafft entsprungen Vier Herrschafften / Der Lufft / Das Fewr / Wasser vnnd Erdterich / anderst vnnd kurtzer kan jch Dich nicht berichten / Doctor Faustus SPeculiert dem nach / vnnd wolt jm jn kopff nit / sonndern wie Er *in Genesi cap: j.* offt gelesen das es *Moijses* anderst erzelt / Also das er Doctor Fausto⁷) nit vil Darauff Antwortet /

---

⁴) was
⁵) zugeben, den
⁶) müssen
⁷) Faustus

[23]

Ein Abentheur von den Geystern jnn der Hell.*)

Doctor Faustj herr vnnd¹) Maister kam zu jm / wolt jn Visitiern / Doctor Faustus erschrackh nicht ein wenig vor seiner grewligkait / Dann ein sollicher kalter Lufft gieng vom Teuffel (vnangesehen das es jm Sommer oder *Augusto* ward) Das Doctor Faustus gemeint Er mueste erfriern / Dem Fausto antwurt der Teuffel / welcher sich *Belial* nannte / vnnd sprach Doctor Fauste Vmb Mittnacht als du erwachtest hab jch deine gedannckhen gesehen / vnnd seind dise / Das du [36r] gern ettliche Teuffelische Hellische Geister die Furnembsten mochtest sehen / So bin jch mit meinen Furnembsten Räthen vnnd Diennern erschinen / Das du Sie auf dein begern besichtigen sollest / Faustus Antworttet Wolan wo seind sie nun draussen sagt *Belial. Belial* aber erschin Doctor Fausto jnn gestalt eines zotteten vnnd gantz kholschwartzen Beeren mit Deme klawen vnnd Fuessen allein das seine Ohren vber sich stuenden / Vnnd waren die Oren vnnd Riessel gantz brinnendt Rott mit hohen schneeweiß zähnen vnd einem Langen schwantz Drey Eln lanng vngeuerlich / Am halß hett Er Drey fliegender flugl Also kam zu dem Doctor Fausto ein Gaist nach dem andern jnn die Stuben / das Sie nicht alle sitzen konndten / Der *Belial* zeigt dem Fausto einen nach dem andern ahn / Wer sie sein / vnnd wie jre Namen heissen / Es giengen aber am Ersten hinein Siben Furnembste Geister / Erstlichen *Lucifer.* Doctor Faustj Rechter Herr dem Er sich verschrieben in gestaltt eines Mannes Hoch ward harig vnd Zottig jnn farb wie die Rotten Aychharelein seind / den schwantz gantz vber sich gehebt wie die Aichhorn / Zum Anndern der *Beelzebub.* Der hatt ein Leibfarbes

---

*) S. Anh. II.
¹) Fausti Fürst vnd rechter

Haar vnnd ain Ochsen [36v] kopff mit zwey lanngen erschrockhenlichen Ohren / auch ganntz zottig vnnd harig mit zwen grossen Flugeln / vnnd so scharpff wie Die Distell jm Feldt / auch so halb grien vnnd gelb / allein das vber den Flugeln Feurstramen herauß flogen / hat einen khue schwantz /

Zum Dritten dann der *Astaroth*. Diser kam hinein jnn gestalt eins Wormbs / vnnd gieng auf dem Schwantz aufrecht hinein / hat keinen Fueß / Der schwantz hett ein Farb wie die blind schleichen / Der Bauch ward dickh / oben hat Er zwen kurtzer fueß gar gelb / der bauch ein wenig weiss vnnd gelblicht / Vnnd der Rugkh ganntz kestenbraun / vnnd eines fingers lang spitzige stachel wie die jgell /

Zum Vierdten kam der *Sathanas* ganntz weiss vnnd groe Zottel / hat ein Eselskopff / vnnd doch Der Schwantz / wie ain katzen schwantz mit klawen einer Eln lanng /

Zum Funfften / darnach der *Anubis* Diser hat einen Hundskopf Schwartz vnnd weiss den schwantz glatt / hat weisse Dipffelein / vnnd das weiss schwarze[2]) / sonst hat er fueß vnnd Ohren hangenndt wie ein hundt Vier Eln lang. Zum Sechstn̄ Dann der *Dithÿrambus*. ward auch bey Drej[3]) Eln lanng / vnnd sonst gestalt wie ein Rebhun [37r] allein der Halß ward grien vnd schattiert.

Zum Sibenden vnnd Letsten *Dracus* erschin mit Vier kurtzen Fuessen gelb vnnd grien / Der Leib oben Braun / wie ein Blaw Fewer / vnnd der Schwantz Rottlecht. Die Siben hetten solliche Farb / Die andern aber erschinen auch gleicher gestalt wie die Vnuernunftige Thier / als wie die Schwein / Rech / Hiersch / Beeren / Böckh / Geiß / Eber / Esell & vnnd dergleichen / Also das ettlich auß der Stuben muesten herauß gehn /

Doctor Faustus verwundert sich sehr ob dem / Vnnd Fragt Die Siben Vmbsteendt warumb Sie nicht jnn anderer gestalt erschinen wern / Sie Antworten jm vnnd sprachen Das sie sich jnn der Hell anderst nicht verendern khönnen / Dañ also seyen Sie Hellische Thier vnnd Wurm wiewol Sie grewlicher vnnd scheutzlicher sein / Dann do / Aber bey den Menschen können Sie gstalt vnnd berd annemen wie Sie wöllen. Doctor Faustus batth hierauff es wer gnueg wann Sie Siben da seyen / Sie sollen den Andern Vrlaub geben das geschach / Darauff begert Doctor Faustus Sie sollen jn ein Prob sehen lassen / Das ward Er gewert / vnnd also verenderten Sie sich einer nach dem Andern [37v] wie Sie zuuor thon haben jnn aller Thier gestalt / auch wie die grossen Vögell / Schlangen oder kriechennde Thier vnnd zwifuessige Thier / das gefiel Doctor Fausto gar wol vnd fragt ob ers auch könndte / ja sagten Sie vnd warfen jm ein zauber Biechlin Dar / Er solt sein Prob auch thuen / Das thett Er Doctor Faustus köndt zuuor nicht furuber / Als

---

[2]) schwartz vnd weiß, im schwartzen weisse Täpfflen, vnd weissen schwartze

[3]) Nach diesem Dythicanus, war auch bey einer

Sie von jm Vrlaub namen zufragen / Wer Dann das Vnzyfer erschaffen habe?
Sie sagten jm nach dem fall des Menschen ist auch erwachsen das Vnzyfer /
Das die Menschen plagen vnnd schaden thuen soll / So können wir vns eben
so wol zu Vnzyfer verwandlen als zu andern Thiern. Doctor Faustus Lächelt
vnnd Bath Sie / Sie solten jn ein solchs werckh sehen lassen / Das geschach /
Dann bald Sie vor jm verschwunden / Da erschin jn Doctor Faustj Gemach
oder Stuben allerlay vnzyfer / Als Omeissen / Egell / khuefliegen / grillen /
hewschreckhen & Also das sein gantzes hauß voller vnzyfer wardt / sonderlich vber diss ward Er erzurnet / vnnd vnwillig / das vnder anderm vnzifer
jn auch ettlich plagten / Als die Omeissen die krochen vf jn vnnd beseichten
jn / Die Bynnen stachen jn / Die Mucken fueren jm vnder das Angesicht
vnnd setzten vff jn / Die Floe byssen jn / Die jmmen flogen vmb [38r] jn
das Er zu Wehren hat / Die Leyß⁴) auff dem kopff vnnd hembder / Die
SPynnen fuern auf jn herab / Die Rauppen krachen vff jn / Die Wespen
stachen jn / jnn Summa Er war vberal gnueg mit Vnzyfer geplagt; Also
das Er recht sagte / jch glaub das jr Lautter jung Teuffel seyet / vnnd also
nicht jnn der Stuben bleiben konndte / alsbald Er aber auß der Stuben gieng /
Da hett Er kein plag oder Vnzyfer meher an jm / zu dem so verschwandn
Sie auch darauff zu gleich.

---

⁴) Läuß vexierten jn

[24]
Wie Doctor Faustus jn die Hell gefahren:-

Doctor Faustus ward auf das Achte jar kommen / vnnd erstreckht sich
also sein zil von Tag zu Tag / ward auch die zeit des Maystentheils
mit forschen / Lernen / fragen / vnd Disputiern vmbgangen / Vnder
dem Traumet jm abermahl von der Hell / fordert also seinen Dienner
vnnd Geist *Mephostophilem* Er soll jm seinen herren den *Belial* oder
Lucifer berueffen / Das thett der Geist / Sie schickhten jm aber ein
Teuffel der nennt sich *Beelzebub.* Einen fliegennden Gayst vnder dem
Hymell Der fragt Doctor Faustum was sein begern vnnd Anligen wer?
jm Antwurt Doctor Faustus Ob Er nicht vermöcht das jn ein Geist
[38v] jnn die Hell hinein fuert vnnd wider herauß / Das Er der Hell
Qualitet, Fundament, Aygenschafft vnnd *Substanz* möcht sehen / vnnd
abnemen / ja antwurt jm der *Beelzebub.* Vmb Mitternacht So will jch
kommen vnnd dich hollen.

Als es nun stick finster ward erschin jm der *Beelzebub* hat auff seinem
Rugkhen ein Beinenen Sessel / vnnd Rings herumb gantz zugeschlossen /
Darauff sass Doctor Faustus vnnd fuer also daruon /

Nun so horet wie jn der Teuffel verblenndet / vnnd jm ain Affen spiel machet / das er nicht anderst gemaint hatt dann Er jnn der Hell gewesen / Er fuert jn jnn die Lufft / Darob Doctor Faustus entschlieff / als wann Er jn ainem warmen wasser oder Bad sess / bald hernach kompt Er auf einen Berg einer grossen jnsell Hoch darob schwefell / Bech vnnd Fewrstralen schluegen / vnnd mit solcher vngestuem vnnd krachen[1]) / Das Doctor Faustus darab erwachte / Der Teufflische Wurmb schwang sich in solche Clufft hinein mit Doctor Fausto / Faustus aber wie hefftig Er[2]) brann / empfand Er doch keiner hytz noch brunst / sunder luftlein wie jm Mayen oder Frueling / Er hört auch darauff allerlay jnstrument der klang ganntz Lieblich ward / vnnd konndte doch wie Hell das Fewer ward kein jnstrument sehen / oder [39r] wie es geschaffen / so dorfft Er nit fragen / dan̄ jm das zuuor ernstlich verbotten ward / das Er nicht fragen noch reden solt / jnn dem schwungen sich zu disem Teuffelischen Wurm vnd Beelzebub noch Drey auch solcher gestalt / Als Doctor Faustus besser jnn die Clufft hinein kam / flogen Sie dem Beelzebub vor / Da dem Fausto ein grosser Fliegennder Hiersch mit grossen Hörnern vnnd Zinckhen begegnet / Der wolt den Faustum jnn die Clufft vom stuell hinab sturtzen / darab Er erschrackh nicht wenig / Aber die Drey Vorgeende Wurm verdriben den Hierschen / Als Doctor Faustus besser jnn die SPelunckh hinab kam / Da sach Er vmb sich herumb nichts dann lautter Vnzyfer vnnd Schlangen schweben / Die Schlanngen waren vnseglichen gross / jm kamen aber fliegennde Lewen[3]) zu hilff / Die Rangen vnnd Kempften mit den Schlanngen vnnd obsigten / Das Er sicher vnnd besser hindurch kam.

Da nun Doctor Faustus weitter hinab gelanngt / sahe Er einen grossen Fliegenden zornigen Stier auss einem Alten Thor oder Loch herauß gehn / Der lief also ganntz brullend vnnd grimmig auf den Faustum zue vnnd stieß an seinen stuel so starckh / das sich Der stuel mit dem Wurm vnnd Fausto vmbwendt / Doctor Faustus fiel vom Stuel jnn die Kluft [39v] jmmer hinab schrey zetter vnnd Wehe / gedacht nun ist es mit mir auß / Dann Er köndt seinen Geist nit mehr sehen / jn erwischt aber Letztlichen jm herabfallen ein Alter runtzleter Aff / der erhielt vnnd errettet jn / Baldt vberzog die Hell ein Dickher vnd

---

[1]) Prasseln
[2]) es
[3]) Bären

70

Finsterer Nebell das er ein weil gar nicht sehen kondt / jnn dem thett sich ein wolckh an / darauß zwen grosser Trachen stigen vnnd zogen ein Wagen nach jnen / Darauff der Alt Aff Doctor Faustum setzt / Da wurdt ein solcher Sturm windt sampt einem grausamen Donnern mit gestanckh vnnd schwefell vermischt / das sich der Berg oder Clufft dauon erschittelt / Vnd Er mainte zuuersennckhen / vnnd zue sterben / darauff volgt etwan einer Viertl stund lang ein Dickhe Finsternus / Also das Doctor Faustus weder die Drachen noch den Wagen empfandt / vnnd Fuer doch jmmer forth / Aber so baldt solcher dickher vnnd Finster Nebel verschwand sah er wider sein Ross vnnd wagen ein kluft herab⁴) schossen auf Doctor Faustum Souil stral vnnd blitz / das der Keckhest geschweign̄ Faustus erschreckhen vnnd zittern mueste / jnn dem Kompt Doctor Faustus vf ein gross vngestiem Wasser / mit dem senckhten sich die [40r] Drachen hinunder / Er empfanndt aber kein wasser / sonnder grosse hytz vnnd Warm / vnnd schlueg also der stram vnnd Wellen vff Doctor Faustum zue / das Er Ross vnnd Wagen verlor vnnd fuell⁵) jmmer vnnd jmmer jnn die grausamkeit des Wassers hinein biß er endtlich jm fallen ein kluft / Die Hoch vnnd spitzig ward / erraicht / darauff sass Doctor Faustus als wann Er halb todt wer / sahe vmb sich / konndte aber niemandt sehen noch hören / schawete jmmer jnn die klufft hinein / Darob ein Luftlein sich erzeiget vmb⁶) sahe er nichts dan̄ das Wasser / Doctor Faustus Dacht nun wie soltestu jm thuen / Dieweil du von den hellischn̄ Geistern verlassen bist / eindweders du muest Dich jnn die klufft oder jnn das wasser sturtzen / Erzurnet sich darab vnnd sprang also mit einer rasennden vnsynnigen forcht jnn Das Fewrig Loch hinein / sturtzt sich herab vnd sprach Nun Geyster so nembt mein woluerdientes Opffer auf / So mein Seel verursacht hat / Jnn dem Er sich also vber zwerchs hinein gesturzt hat / wurdt so ein erschrockhlichs gross gethumel vnnd klopffet⁷) gehört / vnnd erschuttet sich der berg vnnd spitz so sehr / das er meint Es were lautter gross geschutz abganngen / Als Er vf Den grundt kam / da sahe Er jm Fewr viel statt- [40v] licher Leuth / Kayser / König / Fursten vnnd Herren / jtem viel Tausent geharnischte / vnnd kriegsleuth am Fewr / Rann ein kuels wasser Dauon ettliche

---

⁴) Wagen widerumb. Aber in der Lufft herab
⁵) fiel
⁶) vmb jn
⁷) Klopffen

tranckhen sich erlabeten vnnd Badeten / ettliche liefen vor kuele jnn das Fewr / Doctor Faustus Dratt hinzue wolt ein Seel des[8]) verdambten erwischen / vnd so Er maint Er habs jnn der hanndt / So verschwandt Sie jm / er konndt aber vor hitz nicht bleiben / vnnd als Er sich hin vnd wider vmb sache / so kam sein Drach oder Beelzebub mit dem Sessel / darauff sass Er vnnd fuer wider jnn die Höche / Dann Doctor Faustus konndte vor dem Donner / vngestuem Nebell / Rauch / schwebell / wasser[9]) / Frost / vnnd hitz jn der lenng nicht beharren / sonnderlichen da er gesehen / vnnd gehört hat Ceter schreyen / wehe / gryss vnnd gram / alle wehe jammer vnd Pein & Doctor Faustus darumb[10]) lang nicht anhaimisch gewesen / auch sein *Famulus* nit anderst gemeint / weil Er die Hell begert zusehen / Er wurde mehr gesehen haben / dann jm lieb sey / vnnd also Ewig aussen bleiben / jnn solchem wohn kompt jnn der Nacht Doctor Faustus zu hauß / dann Er seither auf dem Sessel geschlaffen hat / der Geist wirft jn [schlafendt] [41r] schlaffenndt jnn sein Betth / als aber der Tag herbej kam / Doctor Faustus erwacht vnnd das Liecht des Tages sahe / Da ward jm nicht anderst / Als wann er ein zeitlang jnn einem Finstern Thurn gelegen wer / Dann er seidher nichts anders von der Hell gesehen hat / dann was die Fewerstramen / vnnd das Fewer von sich geben hat.

Doctor Faustus jm Betth ligenndt Dacht der Hell nach / Ein mahl nam Er jm gewiß fur / Er were darjnnen gewest / vnnd es gesehen / ein mahl zweifelt Er Darab / Der Teuffel hett jm nur ein verblendung vor die Augen gemacht / wie auch war ist / Dann Er die Hell noch nicht gesehen / Er hett sonst nicht darein begert / Dise Historj vnnd Geschicht / was Er jnn der Hell oder verblendung gesehen / Hat Doctor Faustus selbs aufgeschriben / vnnd ist nachmahls solchs jnn einem zedell / so Doctor Faustj eigne hanndschrifft gewest jnn einem Buech verschlossen gefunden worden /

---

[8]) der
[9]) Fewer
[10]) Faustus, der nu

[25]

Wie Doctor Faustus an das Gestirn hinauff gefaren.

Dise Geschicht Hat man auch bey jm gefunden so mit seiner aignen Hannd Concipiert vnnd gefast worden / welchs Er auch seiner guetten gesellen einem *Jonæ Victorj Medico* jnn Leibzig zugeschriben dess jnnhalts /

Jnsonders [41v] Lieber herr vnnd Brueder /

Jch hab mich noch desgleichen jr Euch zuer Jnnern vnnsers Schuelganngs / vnnd jugent zu Wittenberg / vnnd jr Euch anfanngs beflissen der Kunst *Medicinæ, Astronomiæ, Astrologiæ, Geometriæ,* wie jr dann auch seidt ein *Mathematicus* vnd *phijsicus,* jch aber Euch vngleich ward / Dann jch wie jr wol wist jnn der *Theologia* studierte / bin dannoch Fuch jnn der Kunst gleich worden / Vnd Dieweil jr mich ettlicher sachen Euch zuberichten Raths gefragt / hab jch nichts geweygert / oder Euch etwas zuberichten versagt / bin dessen auch noch Vrbittig / solt mich allzeit so finden vnnd haimsuechen. Eures Ruembs vnd Lobs so jr mir zuemesst thue jch mich bedannckhen / jnn Eurem schreiben meldet jr auch bitt weiß Von meiner Himmelfart vnder das gestirn so jr erfahren / vnnd mir zuschreibt Euch zuberichten Ob jm also sey oder nit / Dieweil Euch solchs ganntz vnmuglich dunckht / vnnd jr auch dabej sagt / es mueß etwa durch Den Teuffel oder Zauberey geschehen sein, Wett Fritz, Es sey jm aber wie jm wölle / So ist es endtlich geschehen / vnnd von diser *Figur acta* vnnd geschicht sey Euch auf Eur Bitt ein solcher bericht /

Jtem als jch einmahl nicht entschlaffen könndte / vnnd eben an meine Cal- [42r] ender vnnd Practica dacht / wie doch Das Firmament am Hymmel Qualificiert vnnd erschaffen wer / Dessen zierdt der Mensch oder *phijsicj* ettlicher massen / vnnd[1]) können abnemen / Ob Er gleich solchs nicht kan Recht sichtbarlichen ersehen / sonndern nach guet dunckhen vnd den Buechern vnnd deren *opinionibus* gemeß / mueß abnemen / vnnd disponiern / jn solchen gedannckhen hört jch ein vngestuem blasen vnnd Windt meinem hauß zugehn / Der mein Laden vnnd Cammerthur alles vf schlieg / Darob jch nicht ein wenig erschrackh jch hört Ein Brullennde Stym gleich darauf die saget / Wohlauf deines hertzen Lust synn / vnnd begirlicheit wirstu sehen / jch antwurt wan Diss zusehen ist / so jch Erst gedacht / vnnd mein beger ist / So bin jch wol zufriden / Er Antwurt wider vnnd sagt / so schaw zum Laden hinauß so wirstu die Fuer sehen / Das thett jch Da sah jch einen Wagen mit Zwen Drachen herab fliegen / Der Wag ward hellischer Flammen weiss anzusehen / Als aber der Mohn desselbigen Nachts am Hymmel schyne / sah jch auch meine Ross vnnd Wagen Dise Wurm an flugeln

---

[1]) Physici solches hierunten

waren Braun vnd Schwartz / weiss sprenckhendt / Der Ruckh auch also
der Bauch / kopff / vnnd halß gruen- [42v] licht gelb vnnd weiß
gesprengt / Die stym antwurt wider / So sitz auf vnnd wandere / jch
sprach jch will dir volgen / Doch das jch alle vmbstendt fragen dörff /
ja antwurt Er es sey dir dissmahl erlaubt / Darauff stig jch vf den
Kammerladen / vnnd sprung vff meine Gutschen vnnd Fuer daruon.
Die fliegende Drachen fuerten mich empor / so ward ein wunderwerckh
das der Wag auch Vier Räder hat / vnnd rauschten doch als wann jch
auf dem Land fuehre / Doch die Rader gaben jm vmbherlauffen jmmer
Fewrstramen / vnnd je höcher jch kam je Finster die Welt ward / vnnd
ward mir nicht anderst / Als wann jch jm hellen Sonnen Tag jnn ein
Finster Loch sehe / Also sahe jch auch vom Hymmel herab jnn die
Welt / jnn solchem fahrn vnnd fliegen Da rauscht mein Dienner vnnd
Geyst daher / vnnd sitzt zu mir auf den Wagen / jch sagt zu jme /
mein *Mephostophiles* wo mueß jch nun hinauß / Das Lass dich nicht
jrren noch hindern sprach er vnnd Fuer also noch höcher hinauff?

[25a]*

Nun will jch Euch erzellen Was jch gesehen hab:-¹)

Dann am Dinstag fuer jch auß vnnd kam am Dinstag wider zuhauß /
das waren acht tag / jch thett nie kein schlaff / vnnd ward auch kein
schlaff jnn Mir / So fuer jch gantz vnsichtbar. [43r] Als es Morgens
frue am tag ward vnnd Hell / sagt jch zu meinem *Mephostophile*.
Mein²) wie weitt seind wir gefahren Das wirstu wissen / Dann jch wol
ahn der Welt abzunemen hett / Das jch die Nacht zimlichen gefahren /
So hett jch so lanng jch Aussen ward keinen Hunger noch Durst.
Mephostophiles sagt. Mein Fauste glaub mir / Das du bisher schon .47.
Meillen jnn die Höche gefahren bist / darnach sah jch am Tag herab
auf die Welt vnnd sahe viel Kunigreich Furstenthumb vnnd Wasser
Also das jch die Welt *Asiam, Aphricam,* vnd *Europam* genugsam sehen
konndte / vnnd jnn sollicher hoche sagt jch zu meinem Dienner / so
weise vnnd zeige Mir an wie diss vnnd das Landt vnnd Reich heyst /
Das thett er vnnd sprach Diss auff der Linckhen Hanndt ist Vnger-

---

*) MILCHSACK versah dieses Kapitel mit keiner Ziffer. Ich habe die herkömm-
liche Kapitelnumerierung nicht ändern wollen.
1) *Nicht als Kapitelüberschrift bei H*
2) Lieber

landt / sihe das ist Preussen / Dort Schlims ist *Sicilia* Poln / Dennemarckh / *Italia* / Teutschlanndt / Aber Morgen wirstu sehen *Asiam* vnd
Aphricam jtem persia[3]), Die Tartarej, *Indiam, Arabiam* / vnnd weil
der Windt hinder sich steht[4]) / so sehen wir jetzundt die Pommern /
Reissen / vnnd Preussen / desgleichen Polen / Teutschlandt Vnngern
vnnd Ossterreich / Am Dritten tag Da sahe jch jnn die Gross vnnd
Klein Turckey *persiam, Indiam,* vnnd *Aphricam,* Vor mir [43v] sahe
jch Constantinopel / vnnd jm Persischn̄ vnnd Constantinopolitanischen
Möer viel Schiffen vnnd kriegshöer hin vnnd wider weben[5]) vnnd
faren / Es ward mir aber Constantinopel anzusehen / Als wann kaum
drej heuser Da / vnnd die Menschen auch anzusehen / Als wann Sie
nur einer spann lang weren. jch fuer jm julio auß / vnnd ward gar
warm / warf auch mein gesicht jetzt her jetzt Dar / gegen Auffgang /
Mittag[6]) / vnnd Mitternacht / Da es dann an einem Orth Regnet / am
andern Donnert / hie schlueg der Hagell / Am Andern Orth ward es
schön sahe auch endtlichen alle ding / wie dieselben gemeinclich jnn der
Welt sich zuetruegen /

Als jch nun Acht tag jnn Der hoche ward sahe jch hinauff von Fernen /
Da[7]) der Hymmel so schnell fuer vnnd Weltzet / Als wann Er jnn vil
Tausent stuckhen springen wolt vnnd knarzet das gewilckh so sehr /
Als wann es alles erschlagen wolt / oder die Welt erbrechen / So ward
der Hymmel so hell / das jch nit weitter hinauf hab sehen mögen
vnnd so hitzig / wann mir mein Dienner nit ein Lufft gemacht hett /
Das jch verbrinnen hett muessen. Das gewilckh das wir vnden jnn der
Welt sehen ist so fest vnnd dickh wie ein Maur / vnnd ist nur ein
Velß vnnd Clar wie Der [44r] Cristall /Der Regen so daruon kompt
biß er auf die Erden kompt / ist so klar / das sich einer darunder[8])
sehen kan / so bewegt sich das gewilckh am Hymmel so krefftig das es
jmmer laufft von Osten biß gen Westen / Da dann das gestirn Sonn
vnnd Mohn entgegen Laufft / Aber die krafft des gewilckhs fuert die
Sonnen Mohn vnnd gestirn mit sich / Daher wir sehen vnnd kombt /
Das Sie vom Auffganng zum Nidergang Laufft / bej vns wie jch auch

---

3) Persiam
4) schlägt
5) schweben
6) Mittag, Nidergang
7) daß
8) darinnen

dacht die Sonn wer kaum eines fass Boden[9]) gross / Sie ward aber
grösser Dann die ganntz Welt / Dann jch köndte kein Endt daran
sehen / Der Mohn mueß zu Nacht so die Sunn Vndergeet das Liecht
dauon empfanngen / Darumb scheint es[10]) zu Nacht Hell / So ist es
vnder dem Hymmel so Hell / Das zu Nacht am Hymmel der tag ist /
Vnnd Die Erden Finster / jch sahe also mehr Dann jch begert / Als der
Stern einer wardt grösser dann die halb Welt / ein Planet so gross[11])
die Welt / Vnnd wa der Luft ward / Da waren die Geister vnder dem
Hymmel. jm herab fahrn sah jch auf die Welt / Die ward wie ein
Dotter jm Ay / vnnd daucht mich die Welt ward nicht einer spannen
[44v] lanng / vnnd das wasser ward Zweymahl Braitter anzusehen /
Also an dem Sibenden[12]) tag zu Nacht kam jch wider zu hauß vnd
schlief Drey tag nacheinander / Richtet darnach alle meine Calender
vnnd Practickh / Das hab jch auf Eur schreiben Euch nicht wöllen verhalten / vnnd besehet also Eure Buecher / ob es nicht meinem Gesicht
nach also sey / Vnnd seyet von mir Freundtlich gegruest.

D. Faustus der gestirnseher

---

9) Faßbodems
10) er
11) groß als
12) 8.

[26]

Doctor Faustj Dritte Fart jn ettliche
Königreich vnnd Furstenthumb oder furnem
Länder vnnd Stätt:-*)

Doctor Faustus nimpt jm ein Sechsjärige[1]) Rayß oder Pilgerfahrt fur /
beschickt also seinen Dienner / Er soll jn wo er hin beger laitten vnnd
fuern / Diser Geist oder Dienner verkert sich zu einem Ross / Doch hat er
flugell gehabt wie ein Parder oder Drometarj / vnnd fuer wohin jn Doctor
Faustus Lendt mit jm dahin. Faustus Durchrayset vnnd durchwandelt manch
Furstenthumb / als jnn das Lanndt *Pannoniam,* Ossterreich / *Germaniam,*
Beheim Mehrerlandt / Schlesien / [45r] Frannckhreich / Schwabenland /
Bayerlanndt / Lythaw / Lyfflanndt / Preüssen / Moskaw / Meissen / Thurin-

---

*) Über dieses und das folgende aus S c h e d e l s *Weltchronik* ausgeschriebene
Kapitel s. Anh. III.
1) nimpt im 16. jar ein

gen / Sachssen²) / Frieslanndt / Hollandt / Westphal / Seelanndt / Brabandt /
Flandern / Frannckenlanndt / Hispania / Welschlanndt / Polen / Vngern /
Dann wider jn Thuringen / Vnnd ward also Funffundzweintzig tag auß /
da Er auch vil sehen kundt / daran er lust hett / Dann nimpt Ers jm wider
fur³) / Ritt mit seinem pferdt auß vnnd kam gehn **Trier.** welche Statt jm   *Trier.*
einfiell / Erstlich zuersehñ / jst Altfranckhisch⁴) anzusehen / alda Er auch nichts
sonnderlichs gesehen / Dann ain Pallast wunderbarlichs werckhs / welcher auss
gebachnen ziegeln gemacht / vnnd so fesst Das Sie kein Feindt zu forchten
haben / darnach sahe Er die Kirchen / darJnn *Simeon* vnnd der Bischoff
Popion begraben / welche auss vnglublicher gröss der stain mit Eysen zusamen gefuegt gemacht ist / darnach wendt Er sich gen **Paris** jnn Franckhreich /   *Paris.*
vnnd gefielen jm die *Studia* / vnnd Hohe Schuel gar wol / was aber dem
Fausto jnn Synn gleich kam / oder fur Lanndschafft vnnd Stätt einfielen dahin
wandert Er / alsdan gen **Maintz** [45v] Erst da der Main hin⁵) fleust /   *Mainz.*
seumbt sich aber alda nicht lanng / vnnd kam *in Campaniam* jnn die Statt
Neapolis darJnnen Er vnseglich viel Clöster vnnd Kirchen gesehen / vnnd so   *Neapolis.*
grosse Hoche Herrliche heuser geziert / das er sich darab verwundert vnd
DarJnn ist ein Herrlich Castell oder Burg so new gepawet / welliches fur
alle anndere gepew jnn Welschlandt den Preiß hat / Der hohe Dickh vnnd
Weitte halben mit mancherlay zier der Thurn / Meur / Pallast vnd Schlaff-
kamern / Dabej ein Berg ligt *Vesuuius* genannt / der Voller Weingarten /
Oelbaum vnnd ettlicher anderer Fruchtbarer Baum / vnnd sollichen Wein
den man *Vinum Græcum* nennet / sehr herrlich vnnd guett / Bald felt jm
Venedig ein. wendt sich dahin / verwundert sich darab / das es gerings herumb   *Venetia.*
jnn dem Moer Lag / Da Er dann alle Kaufmanschafft vnnd Notturfft zu der
Menschlichen aufenthalttung sahe dahin zu schiffen / vnd wundert jn / das
jnn einer solchen Statt da schier gar nichts wechst / dannocht ein Vberflussige
notturfft ist / Er sahe auch ab die weitte heuser Die hoche Thurn vnnd zier
der Gottsheuser / [46r] vnnd gebew mitten jnn dem Wasser gegrundt vnnd
aufgericht. Weitter kompt Er jnn Welschlanndt gen **Padua** die Schuel da   *Padua.*
zubesichtigen / Dise Statt ist mit Dreyfelttigen Vmkreiß vnnd Mauren befestigt mit mancherlay Graben vnnd Vmbligennden Wassern / DarJnnen ist
ein Burg vnd Fesste (*.Antenoris Fratrj Æneæ.*) wellichs gebew ist mancherlay /
Do es auch hat ein schone Thuemb Kirchen / Das Rathhauß so schöne / das
jme jnn der Welt keins zuuergleichen soll sein. Ein Kirch ist da *.S. Anthonj*
Das jres gleichen jm Welschlandt nicht gefunden wirdt.

---

²) Sachssen, Meissen, Düringen *folgen in H auf* Schlesien.
³) er nit viel sehen kondte, darzu er Lust hette. Derhalben name er ein Wider-
fuhr, vnd
⁴) erstlich einfiel zusehen, weil sie so altfränckisch
⁵) in Sinn fielen, die durchwandert er. Als vnter andern auch Meyntz, da der
Mayn in Rhein

Roma. Dann gen **Rom** ligt bej einem Fluss *Tÿberis* genannt / wellicher Mitten durch die Statt laufft vnnd jhenseidt der Rechten seidten zubegreiffen / Die⁶) Statt Siben berg vmb sich vnnd hatt Aylff Pfortten oder Thor / *Vaticanum* ein Berg / darauff .*S. Peters* Münster oder Thumb ist / Dabej ligt dess Pabsts Pallast / herrlich mit einem Lustgarten vmbfangen / Dabej die Kirchen *Lateranensis.* DarJnn allerlay Heyligthumb vnnd die Apostolische Kirchen genant wirdt / welliche gewiß ist die Kostlichste vnnd beruembteste Kirchen der ganntzen Welt / Er [46v] sahe auch viel Haydnische verworffne Tempel so jetzt aufgericht / jtem viel Seulen / Schwibogen⁷) / der gelegenheit zuerzelen zu lanng were / Er kam auch Vnsichtbar fur dess Pabsts Pallast Da Er sahe seine Dienner vnnd hofschrantzen / vnnd was gericht vnnd kost man dem Pabst auftrueg alles so vberflussig. Das Doctor Faustus Darnach zu seinem Geyst sagt / Pfuy warumb hat mich der Teuffel nicht auch zu einem Pabst gemacht / Doctor Faustus sahe auch darjnnen alles seines gleichen / Als Vbermuet / Stoltz / Viel Hochmueth / vermessenheit / Fressen / Sauffen / Hurerey / Eebruch / vnnd alle schöne Gottseligkeitten⁸) dess Pabsts vnd seins geschmeiss / Also das Er hernach weitter sagt / jch maint jch wer ein schwein oder Saw des Teuffels / aber er mueß mich noch lennger ziehen / Dise Schwein zue Rom seind schon gemöst / vnnd alle zeittig zubratten / vnnd zue kochen / Vnnd Dieweil Er vil von Rom gehört / ist er mit seiner **Zauberey Drej tag vnnd Nacht vnsichtbar jnns Pabsts Pallast** bliben / Hört nun sein Abentheur / vnnd kunst so Er jnns Pabst Pallast getriben / Dann der guett herr Faustus [47r] hat seider her⁹) nicht vil guetts geessen oder

Nota:- getrunckhen / Stuendt also vor dem Pabst Vnsichtbar / Einmahl wann der Pabst Essen wolt / So macht Er ein ✝ fur sich / vnnd so offt das geschach / so offt bließ jm Doctor Faustus jns gesicht / Eins mahl Lachet Doctor Faustus das mans jm ganntzen Saal höret / Dañ wainet Er als obs jm ernst wer / Da dann die aufwartter nit wusten was es were / Der Pabst Saget dem gesindt / Es wer ein verdambte Seel vnnd Bitt vmb Ablaß / Da jm dann der Pabst Bueß aufleget. Doctor Faustus Lachet darab / vnnd gefiel jm solliche verblendung wol / Als aber die Letste Richt oder kost zu Letst fur des Pabsts Tisch kam / vnnd aufgesetzt / vnnd jnn dem Faustum Hungert / Da hueb Er seine händ auf / bald flog jm alle Richt oder kosst mit den Schisseln jnn die hanndt vnnd verschwandt also Doctor Faustus mit seinem Gayst dauon auff einen berg zu Rom *Capitolium* genannt / vnnd Aß also mit Lust /

---

⁶) Seyten, begreifft die

⁷) Steigbogen

⁸) vnnd alles Gottloses Wesen

⁹) seythero

jtem Er schickht seinen Geyst wider dahin / Der mueß den bessten wein auf des Pabsts Tafell nemen / sambt dem Silbernen Becher vnd Kandten /

Da nun der Pabst solchs alles gesehen was jm beraubt worden / hat Er jn solcher Nacht mit allen Glockhen zusamen Leythen lassen / Mess vnnd Vorbitt vor die verstorbnen Seelen [47v] haben[10]) / Vnnd auff sollichen Zorn dess Pabsts den Faustum / oder verstorbne Seel jns Fegfewr Appelliert vnnd Verbannet[11]) /

Aber Doctor Faustus hett ein guetten Segen mit dess Pabsts Cosst vnnd Tranckh / Solchs Silber hat man nach seinem Abschied bey jm gefunden / Darnach da es Mitternacht ward / vnnd Er sich von sollicher speiß gesettiget hett / jst Er auf gesessen vnnd mit dem Geyst geflogen gen Meylandt doch *Galliæ*[12]) zuestendig / Da es jn ein gesunde Wohnung dauchte / *Milano.* Dann es ist da weder entzindung der Hytz noch vnmessige kelten / auch seind da frische Wasser Sibenzehen gar schöne See / vnnd So wasser fluss[13]) gezelt / vnnd abgenomen / Auch seind darjnnen schöne fesste wol erbawte Tempel vnnd Konigcliche heuser Doch Altfranckhisch jm gefiel auch die Hoche Burg oder das Schloss mit seiner Fesste / Das kosstlich SPittal zue vnnser Frawen. Florentz besichtigt Er auch / wundert sich jnn disem Bistumb der kunstlichen *Florenz.* zier von den schönen Schwibogen oder Gewelb zu .S. Maria der schönen gezierten Paumgarten / Die Kirch zu .S. Florenz.[14]) so jm Fluss ligt mit schönen kunstlichen Ewigen Vmbganngen belaittet / mit einem gantz Marmol-steinen Thurn aufgericht / Das Thor dadurch man geet mit Glockh vnnd Ertzspeiß [48r] gemacht / Darein die Historj des Alten vnnd Newen Testa-ments gegraben. Die Welsche Gegent tregt guetten Wein / hat kunstliche Leuth vnnd hanndtierung darJnnen / Jtem **Lion** jnn Franckhreich Die jm einfiell zwischen *Lion.* zweyen Bergen ligenndt / vnnd von Zweyen Flussen vmbfanngen / Darbey ein Tempel stehet Treffenlicher Wirdigkeit / Daneben ein Saul Sechtzig Völckher gehawen. jtem von Lion wendet Er sich nach Cöllen am Reinstrom *Colonia.* gelegen / Darjnn ist ein Styfft / der hoche Styfft genannt / Da die Drey König So den Stern *Christj* gesuecht[15]) /

Als Doctor Faustus sollichs sahe / sagt Er bej jm selbs / O jr guettn̄ Männer / wie seidt jr so jrr gerayst / Das jr solt gen *Palæstinam* raysen gen *Bethleem* in

---

[10]) die verstorbene Seel lassen halten

[11]) Fegfeuwer condemniert vnd verdampt

[12]) Meyland in Italiam

[13]) S c h e d e l : 1x. wasserflüss. *Der Fehler (ein S für eine 6) stand schon in der Vorlage, denn H versucht eine Deutung:* viel ander schöne Flüß vnd Wasser.

[14]) S c h e d e l : sand Lorentzen Kirchen — *fehlt in H.*

[15]) gesucht, begraben ligen

Judæa, vnnd seidt hieher kommen / oder eindweder Da jr gestorben jnns Moer seidt geworffen / jnn den Reinstrom geflöst / vnnd Da zu Coln aufgefanngen worden. Da Ligt auch der Tempel zu *.S. Vrsula* mit den Aylf Tausent junckhfrawen / sonnderlichen gefiel jm die Schönheit der Weiber.

Aach. Jtem nahe Ligt **Aach.** die Statt ein Stuel des Kaysers / jnn diser Statt ist ein ganntzer Marmolsteiner Tempel so der Kayser *Carolus Magnus* gepawet / Das seine Nachkommen Die Cron [48v] darjnnen empfanngen sollen / Von *Genff.* Colen vnnd Aach wendet Er sich wider jn Welschlanndt gen **Genff** die[16]) zubesichtigen / welche jst ain Statt der Saffoyer / ligt jn Gegnen dess Schweitzerlandt / ein grosse Schöne gewerb Statt / hat guetten Fruchtbarn Wein *Argentina.* wachs / vnnd Wonet ein Bischoff da / Dann gen **Strasburg.** vnnd hat **Doctor** Faustus erfahren warumb es also genennt / Nemlich von der Vile der Wegen eingang vnd strassn̄ durch die Maur / vnnd alda ist ein Bistumb / Von Dannen *Basilea.* kombt er gen **Basell** jn Schweiz / Da der Rein schier Mitten durch die Statt Rindt vnnd Anfenngclich als Er von seinem Gaist erfahren hat / wie vor zeitten ein *Basilisc* Da wonet / Daher die Statt Basell genant wordn̄ / Die Stattmaur ist Ziegelstainen gemacht vnnd mit tieffen Graben geziert / hat ein Weitt Fruchtbar Lanndt / Da man noch viel Altter gepew sicht / Da ist auch ein Hoche Schuel vnnd gefiell jm kein schöne Kirch darjnnen / Dann das *Constantia.* Cartheuser hauß / Dann gen **Costentz** an den Bodensee / Da ist ein schöne Bruggen von der Statt Pforten vber den Rein gemacht / diser See sagt der Geist zu Doctor Fausto ist .20 000. Schritt lanng / vnnd .15 000. Schritt Braitt / vnnd dise Statt hat von dem *Constantino* [49r] den Namen empfanngen. *Vlma.* Von Dannen gen **Vlm** jnn Schwaben / vnnd der Nam Vlm oder *Vlma* ist vom Feldtgewachs entsprungen Dahin die Thonaw Fleust / Aber durch die Statt fleust ein Wasser die Plaw genannt / hat ein schönes Münster vnnd Pfarrkirchen zu *.S. Maria Anno.* 1377. angefangen ein zierlichs kostlichs vnnd Kunstlichs gebew so[17]) man kaum gesehen / Jnn solcher Kirchen seind .52. Altär / vnnd .52. gestiffter Pfriendt / Auch ein Kunstliches werckhliches Sacrament hauß / vnnd als Doctor Faustus von Vlm wider Vmbkert / vnnd weitter wolt / Sagt sein Geist zu jm. Mein herr secht die Statt an Wie jr wolt Sie haben Drey Grafschafft mit barem gelt an sich bracht vnnd erkaufft sampt allen jren *Priuilegijs* vnnd Freyheitten. Von Vlm auß als Er mit seinem Geist jnn die Hoche kam sahe Er von Fern viel Landtschaft vnnd Stätt / sahe vngeuar ein grosse Statt / vnnd Dabej ein grosses Vesstes hoches Schloss *Wirzburg.* dahin Lenndt Er sich vnnd ward **Wirtzburg** die Bischoffliche Hauptstatt jnn Franckhen / Darneben der Fluß Main hinfleust. Da wechst guetter starckher wolschmeckhender Wein / jst sonnst mit Traydt auch Fruchtbar jnn diser Statt hat es vil Orden / als Bettlorden / Benedictn / [49v] Steffan /

---

16) die Statt
17) dergleichen

Cartheuser[18]) / vnnd Teutschen Orden / Auch Drey Chorherrisch Kirchen ohn die Bischoffliche Thuemb Kirchen / Vier Bettelorden / auch Funff Frawen Clöster Funff Pfarren vnnd zwey SPittal / auch ist darjnnen Ein Closter oder Capell zu *.S. Maria.* Die dann am Thurn ein wunderwirdigs gebew ist / hat[19]) Doctor Faustus als Er die Statt Vberall besichtiget jst Er zu Nachts jnn dess Bischoffs Schloss kommen / Das auch allenthalben besehen / vnnd allerlay Profiandt darJnnen gefunden / vnnd als Er die Felsen so ersicht / sicht Er ein Capellen darein gehawen / Vber das hat Er vil keller gefunden jnn die Felsen gehawen / auch Da allerlay wein gekost vnnd versuecht / vnnd Dann wider daruon gefahren / vnnd ist kommen gen **Nurmberg.** Da vnder dem Weg der *Nurmberg.* Geist sagt / Fauste wiss das Nurmberg der Nam von *Claudio Tÿberio Nerone* entspringt / vnnd nach *Nero.* Neroberg genannt wordn / vnnd Erstlich erpawt / Darjnn seindt Zwo Pfarr Kirchen *.S. Sebold.* der da begraben ligt / vnnd *.S. Laurentius* Kirchen / DarJnn hannget das Zaichen Als der Mantel / Schwerdt / Scepter / Apffel vnnd Cron dess Kaysers *Carolj Magnj.* Es hat auch darJnnen ein Vbergulten Brunnen / Der Schon Brunn genannt auff dem [50r] Marckht stehenndt / Darjnnen ist cder Soll sein / der *Sper.* So *Longinus Christo* jnn die seidten gestochen / vnnd ein stuckh vom Hayligen Creutz / Dise Statt hat .528. Gassen .116. Schopfbrunnen / Vier Grosser vnnd Zwo Kleiner Schlag vhr Sechs grosser Thor / vnnd Zwey klainer Thurlein / Aylff Stainner Bruckhen / Zwelff Berg / Zehen geordnete Merckht / Dreyzehen gemeiner Badstuben zehen Kirchen Darjnnen man Predigt .68. Mulröder so das wasser treibt / .132. Hauptmanschafft zwo grosser Rinckhmaur / vnnd tieffe Graben .380. Thurn Vier Pasteyen / Sechzehen[20]) Apoteckhen .68. wachter .24. Schutzen oder Verräther .9. Stattknecht Zehen Doctores *In Jure.* vnnd Vierzehen *in Medicina.* Von Nurmberg gen **Augspurg** Da Er Morgens *Augusta.* Frue als der tag anbrach hin kam / vnnd seinen Dienner fraget wo der Nam Augspurg seinen Vrsprung herhab / Er sprach Augspurg die Statt hat ettliche Namen gehabt / Dann Sie Erstlich als Sie erpawet *Vindelica* genennt worden / Darnach *Zizaria* / dann Eysenburg / vnnd Endtlich zu Letst von *Augusto Octauiano* dem Kayser *Augusta* genennt worden / Vnnd Dieweil Sie Doctor Faustus vorhin auch gesehen / jst Er [50v] fur vber gefahren / vnnd sich gelenndt gehn Regenspurg. Dieweil aber Doctor Faustus auch fur vber wolt *Ratisbona.* raysen / Sagt der Geyst zu jm / Mein herr Diser Statt hat man Siben Namen geben / Als Erstlich Regenspurg welchen Namen Sie noch hat / Sonst *Tÿberia Quadrata, Hÿaspolis, Reginopolis, Imbripolis* vnnd *Ratisbona,* das ist *Tÿberij Augustj* Sohne Statt / zum Andern. Die Viereckhet Statt / Zum Dritten. Von wegen der groben sprach der nahenden Nachbarschafft / Zum Vierdten. *Germanos* Teutsche / Zum Funfften. Konigspurg / Zum Sechsten Regenspurg

---

[18]) Carthäuser, Johanser
[19]) Gebäw hat.
[20]) 10.

6

vom Regen / Zum Sibenden / Von Flossen Daselbst vnd schiffñ. Dise Statt ist sonnst[21]) starckh vnnd wol erpawt bey jr Laufft die Thonaw / jnn welliches[22]) bej Sechtzig Fluss kommen / Die schier alle Schiff reich sein / vnnd *Anno* .1115. wie noch stehett ein kunstlich gewelbte vnnd beruempte Brugken aufgericht worden / DarJnnen ein Kirch Die zu ruemen ist zu .*S. Reginien*[23]) ein kunstlich werckh / Doctor Faustus ist alsbald sehendt forth kommen[24]) / vnnd sich da nit vil geseumbt / allein Das Er vor ein Diebstall gethon / vnnd einem Wirt zum Hohenbusch daselbsten den Keller ersuecht / Darnach wendt

Munchen. Er sich gen [Munchen] [51r] **Munchen.** jnns Bayrlanndt ein Reich[25]) Furstlich Lanndt / Dise Statt ist New anzusehen / mit schonen weitten Gassen vnnd
Salzburg. wolgezierten Heusern / Von Munchen gen **Saltzburg** ainer Bischofflichen Statt jm Bayerlandt ligenndt / Die auch ettliche andere Namen anfanngs gehabt / Der Gegent hatt es Weyher / ebne Buhel / See / berg / Dauon Sie waidvogel
Wien. vnnd Wildbrett bekommen mögen / Von Saltzburg gen **Wien** jnn Ossterreich / Dann Er sahe die Statt jnn der Hoch von Fernen / vnnd wie jn der Geist bericht ein Elttere Statt kaum sein mag von *Flauio* dem Lanndtuogt also genannt /

Dise Statt hat ein grossen Weitten Graben mit Wöhlen entschutt / Auch jm Vmbkraiß der Mauren .300. schritt vnnd wolbewart zum kriegen / Die heuser Sein gemeinclich alle gemahlt / vnnd neben der Kayserlichen Wohnung ist ein Hohe Schuel aufgericht / zuer Obrigkeit hat dise Statt nur Achtzehen Personen /

Jtem .1200. pferdt die braucht man zum Weinlesen / Sonst hat es da weitte Tieffgegrundte vnnd wolgemaurte keller / Die Gassen von harten Stainen / Die Heuser mit lustigen gemachen / Stuben / Hausgeschirr weitten ställen / vnnd sunst mit allerlay zier geziert / Von Wien raist Er jnn der Hohe / vnnd
Prag. sicht von der Hohe [51v] herab ein Statt die doch Fern Ligt **Prag** ain Hauptstatt jnn Beheim / Dise Statt ist gross / vnnd jnn Drey Theyl getheylt / Alt Prag / New Prag / vnnd Klein Prag[26]) / begreifft die Linckhe seidten jnn sich mit dem Berg Da der Königclich hof ist / vnnd .*S. Veit* Die Bischoffliche Thuembkirchen / Alt Prag ligt jnn der ebne mit grossen gewalttigen gepewen geziert / Auss welcher kompt man zur klainen Statt vber ein Brugkhen zue / Dise Stainene Brugkh hat Vierundzweinzig Schwibogen / So ist die Newstatt von Der Alten mit einem tieffen Graben abgesöndert / auch vmb vnnd Vmb mit Maurn bewarn[27]) / Daselbst ist das *Collegium* der Hohen

---

21) fest
22) welche
23) S. Remigien
24) ist aber bald wider fortgeruckt
25) recht
26) klein Prage, klein Prag aber
27) verwart

Schuel / Die Statt ist sonnst mit einem wald Vmbfanngen. Doctor Faustus rayst also von[28]) Mittnacht zue sicht wider ein andere Statt / vnnd da Er sich von der Hohe herabließ / war es jnn Pollen die Hauptstatt **Crackaw** hat ein schöne gelerthe Schuel da / Dise Statt ist die Königcliche Wohnung in Polñ / Vnnd welche von *Crao.*[29]) dem Pollnischen Hertzogen den Namen empfanngen / sonnst mit hohen Thurmen schütt vnnd Graben Vmbfanngen / Derselben Graben seind ettliche mit Fischwassern vmbgeben / Sie hat Siben [52r] Pfortten / vnnd Viel schöner grosser Gotts heuser / Dise Gegent hat ein grossen mechtigen Felsen vnnd Berg / wellicher[30]) also hoch ist / das man maint Er halte den Hymmel auff / Darauff sich Doctor Faustus ernider gelassen / vnnd also die Statt sehen können / ligt gegen *Orient,* Da Er auch auf den Hohen Schneeigen berg *Carpathum* hat sehen können / vnnd ist also Doctor Faustus hie nicht eingekört / sunder vnsichtbar vmb die Statt rumb gefahren. Von disem Buhell Da Doctor Faustus ettliche tag geruehet / begibt Er sich wider jnn die Höch gegen *Orient* zue zoch furuber viel Königreich Statt vnnd Landtschafft / vnnd rayst also auf dem Moer ettliche tag Da Er nichts dann Hymmel vnnd wasser sahe / kam *in Thraciam* oder Griechenlandt gen *Constantinopel* Da der Turckhische Kayser hoff helt / vnnd jetzundt sich *Teucros* nent / Volbracht da viel Abentheur / wie hernach ettliche erzelt werden / So Er dem Turckhischen Kayser *Solijmanno* zugefuegt. Constantinopel hat sunst jren Namen von dem grossen Kayser *Constantino.* vnnd ist Dise Statt mit weitten Zynnen / Turnen / vnnd gepewen aufgericht vnnd geziert / Das man es wol New Rom mag nennen / neben an beeden Orthen fleust das Moer / Hatt Aylff [52v] Pforten / vnnd Drej Königcliche heuser oder Wohnung /

*Constanti-
nopel.*

Doctor Faustus besahe ettliche tag dess Turckhischen Kaysers Macht / gewalt / Pracht vnnd hofhaltung / Vnnd auf einen Abent / Da der Kayser ob seiner Tafell sass / Macht jm Doctor Faustus ein Affen spiel vnd Abentheur / Dann jm Saal giengen grosse Feurstramen auf / Das da ein jegclicher zuelieff zuloeschen / auch hueb es an zu Donnern vnnd Plitzgen / Er verzaubert auch den Turckischen Kayser so sehr / Das Er weder aufstehn / noch man jn von Dannen tragen konndte / jnn dem wurd der Saal so hell / Als ob die Sonn darjnnen wohnet vnnd gieng Doctor Faustus[31]) Geyst jnn gestalt zier vnnd schmuckh Eines Pabsts fur den Keyser / vnnd sprach gegruest seystu Kayser der jr so gewirdiget / Das jch dein *Mahomet* vor dir erscheine / mit sollichen kurtzen Worten verschwand Er / der Kayser nach seiner verzauberung fiell zu

NBene:-

---

28) auff
29) Craco
30) hat grosse mächtige hohe Felsen vnd Berge ... deren einer
31) Fausti

fueß vnd ruefft also seinen *Mahomet* an[32]) / Das Er jn dermassen gewirdiget / vnnd vor jm erschinen / Morgens am Andern tag / fuer Doctor
Faustus jnn dess Kaysers Schloss ein / Darjnn der Turckh seine Weiber
oder Huern hat / vnd niemand sunst wandlen kan / Dann was ver-
schnitten knaben sein / So dem Frawen zimmer auf warten / Dises
Schloss verzaubert Er mit [53r] einem solchen Dickhen Nebell das man
nichts sehen köndt /

Doctor Faustus wie auch vor sein geyst nam solliche gestalt vnnd wesen
ahn / gab sich fur den *Mahomet* auß vnnd wonet also lanng[33]) jnn disem
Schloss / so ward der Nebell so lanng Da / als lanng Er da wonet / wie
auch der Turckh sein volckh dissmahls ermanet Viel Ceremonien zu-
begeen.

Aber Faustus Aß Tranckh / ward guets Mueths vnnd hett seinen wollust
Da / Darnach jnn sollicher gestalt auch eines Pabsts *Ornata* vnnd zier
fuer Er[34]) jnn die höche / Das jn menigclich sehen konndte.

Als nun Faustus hinweckh ward / vnnd der Nebell verschwandt / jst
der Turckh jnn das Schloss ganngen seine weyber gefodert vnnd
gefragt / wer alda gewesen wer / Das dz Schloss so lanng mit einem
Nebell vmbgeben / Sie berichten jn Es wer der Gott *Mahomet* gewesen /
vnnd wie Er zu Nachts Die vnnd die gefodert / Sie beschlaffen vnnd
gesagt es wurdt auss seinem Samen ein gross Volckh vnnd streittbare
helden entspringen / Der Turckh nam solchs fur ein gross geschenckh
an / Das jm *Mahomet* seine weyber beschlaffen / Fragt Ferner Ob Er
auch ein guette Prob bewisen jm beyschlaffen / Ob es Menschlicher weiß
were zueganngen / ja antworten Sie / Es wer also zuegangen / [53v]
Er hett Sie geliebet / gehalst / vnnd wer mit dem werckh wohl gestof-
fiert / wolten solliches alle tag annemen / zuedem so wer es[35]) nackhendt
bey jnen geschlaffen / vnnd wer ein Mansbildt jnn aller gestalt / allein
sein sprach hetten Sie nicht verstehn khönnen / Die Priester berichteten
den Turckhen / Er soll es nit glauben das es der *Mahomet* sey / sonnder
ein gespenst / Dieweil Sie[36]) aber sprachen / es wer ein gespenst[37]) / So

32) fiel ... auff die Knie nider, rüfft also seinen Mahomet an, lobt vnd preißt jn
33) 6. tag
34) Wollust, vnd nach dem er solchs vollbracht, fuhre er im Ornat vnd Zierde
eines Bapsts
35) er
36) gespänst. Die Weiber
37) gespänst oder nit

hab Er sich zu jnen freundtlich gethan vnd zu Nachts ein Mahl oder Sechs / ja mehr sein Prob Maisterlich bewisen / Also das solchs dem Turckhen vil nachdennckhens gemacht / vnnd jm zweiffel also beharret.

Doctor Faustus wanndt sich gegen Mitternacht zue jnn Egypten jnn die Gross Haupt Statt **Alkeyro.** oder *Memphis.* die auch *Chijrus*[38]) geheyssen / dar Jnn der Egiptische Soldan sein Schloss oder hofhaltung hatte / Da theilt sich der Fluss *Nilus* jnn viel Orthen / Dise Statt ist .150. Achtheyl einer Meill weitt / mit einem grossen tieffen Graben see / So die Statt wol befestiget / Der Fluss *Nilus.* jnn Egypten ist der gröste Fluss jnn der ganntzen Welt / Vnnd So die Sonne jnn Krebs geet / So begeust Er das ganntz Lanndt Egypten. *Alkeijro.*

Darnach wenndet Er sich gegen Auffganng vnd Mitternacht wertz gen **Ofen** vnd **Sabatz** jn Vngern. [54r] Offen dise Statt jnn Vngern ist / vnnd ward ein Königclicher Stuell jnn Vngern dz Landt ist Fruchtbar Lanndt / Es hat da Auch ein wasser so man das eysen drein senckht / So wirdt es zu kupffer / auch hat es Ertzt von Silber vnnd Goldt / vnnd allerlay Metallen Grueben / Die Vngern nennen Dise Statt Rart[39]) / welchs auff Teutsch Ofen genant / ein grosse Vesste vnnd mit ainem aller Schönsten Schloss geziert / Von Dannen kerth Er sich gen **Magdenburg.** vnnd **Lubeckh.** jnn Sachssen / Magdenburg ist ein Furstlicher[40]) Stuel / jnn welcher Statt ist der Sechs krueg einer[41]) Da Christus auss Wasser Wein gemacht / jst Leicht vnnd Marmolstainen / Lubeckh auch ein Bischofflicher Stuel jnn Sachssen / Von Dannen kert Er sich gen **Erdtfurt** jnn Thuringen / Do ein hoche Schuel ist / Vnnd dann lendt Er sich gen **Wittemberg** / kam also da Er Anderthalb jar auß war gewesen wider haim / vnnd hat sonnsten viel Landtschafften gesehen / welliche nicht alle zubeschreiben gewesen / *Ofen.* *Magdenburg.* *Lubeckh.* *Erdfurt.* *Wittemberg.*

[38]) die vormals Chayrum
[39]) Start = *genaue Wiedergabe eines Druckfehlers bei* S c h e d e l : start *für* statt
[40]) Bischofflicher — S c h e d e l : stůl der kaiser vnnd bischoff
[41]) einer auß Cana in Galilea,

[27]

Vom Paradeiß

Doctor Faustus als Er jnn Egipten ward vnd die Statt *Alkeijro* besehen / vnnd jnn der Höhe [54v] vber viel Königreich vnnd Lännder geraist / Als Engellanndt / Hispaniam / Franckreich / Schweden / Polen / Dennemarckh / *Indiam, Aphricam, Persiam.* jst Er auch jnn Morenlanndt kommen / Vnnd neben jmmerdar vff Hoche berg / Felsen / vnnd jnseln sich gelenndt / vnnd geruewet / Vnnd ist sonnderlich vf diser Furnembsten jnsell gewest als *Britannia.*

DarJnnen viel Wasserfluss sein / Warme Brunnen ein Menig der Methall auch der Stein *Gagates* vnnd vil anders / So Doctor Faustus mit sich gebracht. *Orchades* seindt jnnseln des grossen Moers jnnerhalb *Britannia* gelegen / vnnd seindt Dreyundzweintzig jnn der Zall der Zehen wuest vnnd Dreizehen wonhafft. *Caucasus* Zwischen *India* vnnd *Scÿthia* ist die Höchst jnsell mit seiner Hoch vnnd Gipffel / Da Doctor Faustus vil Landtschafft vnnd weitte des Möhrs Vbersehen / alda seind vil pfefferbaum wie bey vnns die Wachholder stauden. *Creta* Die jnsell jnn Griechenlandt ligt mitten jm Candischen Moer den Venedigern zustendig Da man den Maluasier macht / Dise jnsell ist Voller Geiß vnnd mangelt der Hiersch gebiert kein schedlich Thier weder Schlangen / Wolff noch Fuchs / Allein grosse gyfftige SPynnen werden Da gefunden / Dise vnnd sunst vil andere jnsellen [55r] mehr so jm der Geist *Mephostophiles* alle erzelt / gewisen / gezeigt / vnnd dahin gefierth / hat Er alle ausgespeet vnnd gesehen / Vnnd Damit jch *ad propositum* komme / jst diss die Vrsach gewest Das Doctor Faustus sich auf sollliche Hoche gethon / nicht allein das Er damit ettliche theil dess Möhrs vnnd die Ligennde[1]) Königreich vnd Landtschafften vbersehen mechten / sonndern vermeint Dieweil ettliche jnseln mit jren Gipflen so hoch sein / wölle Er auch eigentlichen[2]) Das Paradeiß sehen können / Darumb seinen Geyst nicht ansprechen dörfft / wie Er dann bej der jnsel *Caucasj* welche mit jrem Gipffel alle andere Vbertrifft / vermaint es solt jm nicht gefelt haben / Das Paradeiß zusehen jnn disem gipffel der jnsell *Caucasj* sicht er gar das Landt *Indiam* vnnd *Scÿthiam* gegem[3]) Auffgang / Da sahe Er von Fern vnnd von der höche hinauf biß zu der Mitnächtig Linien Ein helles Liecht / gleich wie die Hell scheinbarliche Sonn ein Feurstramen / gleich wie ein Fewr aufgehn von der Erden biß an Hymmel vmbgeschrenckht / sonst auf der Erden gleich einer kleinen jnsell hoch sahe auch jnn dem Thall vnnd auf dem Landt Vier grosse Wasser springen / eins gegen *India* zue / Das Ander Egypten / Das Dritt *Armenien* zue / Vnnd Das Vierdt auch dahin / Jnn solllichem gesicht so Er gesehen hett Er gern [55v] sein Fundament / vnnd Vrsprung gewüst / Derhalben Er jm furnam den Geist darumb zufragen / thatt es doch mit erschrocknem hertzen / fragt seinen Geist hierauff was es wer / Der Geist gab jme guette Antwort

NBene:- vnnd sagt es wer das *Paradeis.* so da Lege gegem Auffganng der Sonnen / ein Gartt den Gott gepflannztz hat mit aller lusterbarkeit / vnnd Diser Feurig stram (sprach Er) ist die Maur / so Gott dahin gelegt den Garten da zubesetzen[4]) vnnd zu vmbschrenckhen / Dorth aber sihestu ein Vber helles

---

1) vmbligende
2) endlich
3) gegen
4) zuverwahren

Liecht / Das ist das Fewrig Schwerdt so disen Garten bewaret / vnnd ist ein Engell⁵) / vnnd hastu noch so weitt dahin als du jmmer je gewest bist / Du hettest es jnn der höche besser besehen können / Aber Du hasts nit war genomen / Dess⁶) Wasser so sich dabej jnn Vier theill theilt / seind die Vier wasser So auss dem Brunnen / der Mitten jm Paradeiß steett / entspringen / als *Ganges* oder *Phison, Gion* oder *Nilus, Tigris* vnnd *Euphrates,* vnnd sichstu jetzt das es vnder der Wag vnd wider ligt / raicht biß an Hymmel vnnd vff Dise Fewrigen Mauren ist der Engel *Cherubin* geordnet / Dieselben zubewahren / vnnd khan weder jch noch kein Mensch dahin kommen / [56r]

---

⁵) Schwerdt, mit welchem der Engel disen Garten verwart
⁶) Dieses

[28]
Von einem Cometen.*)

Zu Eysleben ward ein Comet gesehen worden Der wunder haarig vnnd gross ward / Da den Doctor Faustum ettliche seine guette Freundt vnnd *Magistrj* Drumb fragten wo doch solchs Vrsprung herkeme / Er antwort jnen vnnd sagt (.Doch dieweil Er jnn gedanckhen / vnnd SPeculiern ward / hats jm sein Geist eingeben zu Respondiern.) Es geschicht offt das sich der Mohn am Hymmel verwandelt vnnd Die Sunn jnnerhalb / vnnd Vnder der Erden ist / vnnd der Mohn nach hinzu kombt / Da ist nun die Sonn so krefftig vnnd starckh / das Sie dem Mohn nimpt sein schein / Das Er aller Rott wirt / Wann der Mohn aber sich jnn die Höch thuet / vnnd sich dann auss mancherlay Farben Verwandelt / so springt ein *prodigium* vom hochstn̄ / Da dann darauß ein *Comet* wirt / deren Figur vnnd bedeuttung / So Gott verhengt seindt mancherlay / Einmahl bringt es mit sich ein aufruehr / krieg oder sterbendt jm Reich / als Pestilentz gehen todt vnnd andere kranckheitn̄ / Jtem Wassergüss / Wolckhenbruch vnnd dergleichen &

Durch solliche zusamen verfeugung vnnd verwandlung dess Mohns vnd Der Sonnen gebürts von jm ein *Monstrum.* als den Cometen oder haarigen Stern / Da dann [56v] die Geister die Verhennckhnus Gottes wissen / vnnd mit jren jnstrumenten gerust sein. Diser Stern ist gleich wie ein Hueren kindt Vnder den andern / Vnnd der Vatter ist wie oben gemelt *Sol et Luna.*

---

*) Vom E l u c i d a r i u s (1572) abhängig. S. Anh. III.

Von den Sternen.

Ein Furnemer Doctor[1]) zu Halberstatt Luede Doctor Faustum zu Gast /
vnnd ehe das Essen zugerust sahe Er ein weil jm Fenster hinauß gen
Hymmel / Da dann der Hymmel[2]) als jnn Herbstzeitten voller Stern
ward / Diser Doctor auch der Ertzney vnnd sunst ein guetter *Astro-
logus* hette den Faustum darumb berueffen / ettliche verwandlung der
Planeten vnd Stern von jm zuerkundigen. Derhalben Er sich zu dem
Fausto an das Fenster Leinet / sah die Helle des Hymmels / Vile der
Stern / vnnd wie sich die Stern Butzten / vnnd herab fielen / Vmb
Diss fragt Er bittenndt Doctor Faustum wie es ein *Condition* vnnd
gelegenheit habe / Doctor Faustus antwort gleich wie vor / Mein herr
vnnd jnsonders lieber Brueder / Dise *Condition* bringt es mit sich /
Die jr doch zuuor wist / Das Euch der kleinest Stern am Hymmel so
jr vnden sehet dunckht kaum wie vnser grosse wachs Liechter zu sein[3]) /
es ist gewiß vnnd jch habs gesehen [57r] das die Weitte vnnd braitte
dess Hymmels ist vil mahl grösser dann der Erdboden / Dann am
Hymmel kein Erdt zuersehen / So ist mancher Stern grösser dann diss
Lanndt / einer so gross[4]) die Statt sihe jhenseidt ist einer so gross als
der Circkhel[5]) dess Römischen Reichs / Diser so gross als die ganntz
Turckhey / vnnd baß droben da die Planeten sein / jst einer so gross
als die Welt.

---

1) Doctor N. V. W.
2) Himmel, der dann dazumal
3) Wachßliechter ... grösser ist als ein Fürstenthumb
4) groß als
5) gezircke

Ein Frag darauff.

Das ist war sagt diser Doctor mein Herr Fauste / Wie hat es aber ein
gestalt vmb Die Geyster / weil man spricht / Das Sie nicht allein zu
Tag / sonndern auch zu Nacht Die Menschen plagen vmb jr thuen.
Antwurtt Doctor Faustus. Man soll nicht ersten von dem sagen /
sonnder von der Ordnung oder Erschaffung Gottes / vnnd ist jm also /
Der Tag bald er anbricht / richt sich die Sonn nach der Welt mit jrem
schein / Da dann die Sonn jm Sommer neher ist / Dann am Winter /

vnd wandlen die Geister vnder dem gewilckh Da Gott Sie dahin geordnet / alle Gottes verhengknus zuuerkundigen / Am tag aber seind
Sie jnn der Höhe / vnnd vnder dem gewilckh / Dieweil Sie der Sonnen
nicht vnderworffen sein / vnnd So Hell sie scheinet / So hoch die
Geyster jre [57v] wohnung suechen / Mogen aber sollicher wol ver-
bottne Tag sein / Dann Gott jnen Das Liecht[1]) nicht gegonnt noch zue
geaignett hat / Aber zu Nacht wann es dickh[2]) Finster ist / seind Sie *NBene:-*
vnder vns / Dann die Helle der Sonnen ob Sie schon nicht scheinet ist
am ersten Hymmel so hell / das es wie der Tag / Daher jnn der Dickhe
der Nacht / Doch ausgenommen Die Stern / wann die Stern nicht scheinen[3]) / Dennoch die Menschen den Hymmel ersehen können Da dann
volgt Das die Geister (.Dieweil Sie den Anblickh der Sonnen / wellicher
jn Der Höche aufgestigen / nicht gedulden noch leiden könnden.) sich
nahe zue vnns auf die Erden thuen / vnnd bej den Menschen wohnen /
Sie engstigen mit schweren Treumen / Schreyen / vnnd gespenst erscheinen[4]) / Vnnd was soll es gelten / vnnd gewettet sein / Wann jr
Finster ohn ein Liecht hinauß geet / vnnd doch sollichs furnembt / so
felt Euch vil schreckhen zue / jtem bey Nacht so habt jr / so jr allein
seidt Viel Fantasey / Der Tag aber bringt sollichs nit mit sich / Zue
dem so erschrickht einer jnn dem Schlaf / ainer maint es sey ein Geyst
vmb jn / oder Er greiff nach jm / oder er gehe jm hauß oder schlaff[5])
& Vnnd vil der versuechung / [58r] Dise alle dieweil[6]) die Geyster
nach seindt / plagen vnnd Engstigen die Menschen mit Manicherlay
bethörung.

---

[1]) suchen, denn das Liecht vnd der schein der Sonnen, ist jhnen von Gott
verbotten, vnd
[2]) gestickt
[3]) Nacht, ob die Stern schon nit scheinen
[4]) vnd erscheinen grausamer vnd erschrecklicher gestalt ängstigen
[5]) Schlaff vmb
[6]) Dieses alles begegnet vns darumb, dieweil vns

[31]
Die Ander Frag darauff:-

Jch bedannckh mich aufs Höchst sprach Der Doctor / Mein Lieber
herr Fauste Vmb Eurn kurtzen bericht / vnnd ist mir mein Lebtag ein
er Jnnerung oder nach bedennckhung Der Geister / aber Euch weitter
zubemuehen / Bitt jch Euch vmb helle der Stern nochmalen / wie Sie
bey nacht erscheinen / zuberichten / ja kurtzlich Antwurt Doctor

Faustus / vnnd ist gewiß / Sobald die Sonn jnn Dritten Hymell steigt (.dann wann es auf den ersten keme / So Zündt Sie die Erdt an / Dises aber mueß beruehen vnnd jren ganng so Gott geordnet gehn.) so hat Gott die Stern geordnet / vnnd wann jr recht vnder dem Hymmel weren Von wegen der Stern / Da ettliche auss dem Ersten vnnd Andern Hymmel erscheinen / So ist es heller dann Zwen lannger Sommer wehret / vnnd mit sich brecht / Daher sonnsten die Vögel jre Wohnung bey Nacht zuer sicherung wohl haben können /

Also ist bej nacht nichts dann der Tag / vnnd der Tag am Hymell die halb Nacht / wie dann jnn *India*, *Aphrica*, vnnd deren Orth / Das sobald es Nacht bej vns [58v] ist / vnnd die Sunn auf steygt / Da hebt erst bey jnen der tag an / vnnd der Tag wann die Sonn aufgeet / so lest sich nider / Dann es ist bey jnen Nacht.

[32]
Die dritte Frag.

Wie ist es aber sprach der Doctor von Halberstatt vmb der Stern wurckhung / So sie für erleuchten / vnnd herab auf die Erden fallen / Doctor Faustus Antwurt / Solchs ist nicht ein New werckh / oder[1]) das alle tag geschicht / Dann gleich wie andere Firmament oder Element sein an dem Hymmel geschaffen oder geordnet das Sie bleiben / vnnd doch jre Enderung der Farben vnnd andere Vmbstenndt haben / also ist es auch mit den Sternen / wann Sie Funckhen oder Flamlein geben / Dann es seind zohen[2]) So von Sternen Fallen / oder wie wir die Butzen nennen / Die seindt zech / schwartz vnnd halb gruenlicht / Aber das ein Stern felt / jst[3]) der Menschen dunckhen / vnnd das man syhet Das ein grosser Fewr stram bey Nacht offt herab felt / Das seind wie wirs Nennen nicht fallende Stern / sonndern seindt nur die Butzen an den Sternen / so jmmer noch grosse der Stern einer viel grösser Dann der Ander ist / Vnd ist das mein mainung / Das kein Stern felt [59r] dann durch Gottes straff[4]) / Solliche Stern bringen das gewilckh des Hymmels mit sich / das gross Wasser / vnnd verderbung Lanndt vnnd Leuth volget.

---

[1]) sondern
[2]) Zeichen
[3]) Stern fallen solt, ist allein
[4]) fallende Stern. Dann ob wol ein Butzen viel grösser ist als der ander, verursacht solches, daß auch die Stern ein ander vngleich seyn. Vnd fällt kein Stern, one Gottes sondere verhengnuß, vom Himmel, es wölle dann Gott Landt vnd Leut straffen, alsdann

Vom donner:-*)

Den 9 Augustj eins jars ward zu Wittemberg Abents ein gross Wetter
entstanden / Da es schlueg kiselt / vnnd sehr wetterleucht / vnnd Doctor
Faustus auf dem Marckht bey Andern *Medicis* stuende / Die begerten
von jm einen Vrsprung anzuzeigen / Denen gab Er Antwurt / jst es
nicht also / Wann ein Wetter herein fallen will / so wirt es zuuor
windig / Ye zuzeiten auch nicht / Aber zu Endt / vnnd so es ein weil
gewittert hat / So erheben sich platz regen / solchs kompt daher / Das
sich Die Vier windt des Hymmels zusamen stossen / Die treiben das
gewilckh des Hymmels zuesamen / oder bringen erst das gewilckh daher
vnnd mischt sich also von[1]) eim Orth ein Regen oder Schwartz gewilckh / Am Andern Orth ein helles gewilckh / wie dann Da auch
zusehen / Dann vber die Statt wie geet ein Schwartz gewilckh / Darnach
wann das gewitter sich [59v] erhebt / So mischen sich die Geyster
darunder vnnd fechten die Vier Orth des Hymmels mit den Geystern /
Das also der Hymmel die stöss erweckht vnnd zerrutt / Das nennen
wir nun Donner vnnd Polhen[2]) / Vnnd wann der Windt so gar gross
ist / Will der Donner nirgendts forth / so steet es an / oder es treibt
geschwindt forth / Darnach so merckht an welliches thaill[3]) der windt
sich entpört vnnd erweckht / Der treibt das gewitter / Also das offt
vmb[4]) Mittag ain Gewitter daher kombt Ye jm Aufganng / Nidergang
vnnd Mitternacht / [60r]

---

*) Vom E l u c i d a r i u s (1572) abhängig. S. Anh. III.

[1]) an

[2]) Donnern oder boldern

[3]) an welchem End

[4]) offt von dem

Volget nun das Dritte Theil.
von Doctor Faustj Abentheur
was er mit Seiner *Nigromantia*
jn Potentaten höfen gethan vnd gewirckht.

[34]

Ain Historj vom Kayser *Carolo Quinto.*

Vnnd Doctor Fausto:-*)

Kayser Carolus ward mit seiner Hofhaltung gen Ynsprugg kommen /
Dahin Doctor Faustus sich auch verfuegt / von Vielen Freyherren vnnd
Grafen / auch Adelspersonnen wol erkanndt / Die seine Kunst / vnnd
geschicklicheit mehr gesehen / sonnderlich denen So er mit Artzneyen
vnnd Recepten von Vielen schmertzen vnnd Kranckheiten geholffen /
Dise herren / vnnd Adelspersonen so jn gen hof zum Essen geladen /
gaben jm das glaith gen hoff / welliches¹) der Kayser Carolus ersehen /
Derhalben nachgefragt / wer Er sey / Da ward jm anzeigt Es wer
Doctor Faustus / darauff Kayser Carolus schwig biß nach Essens²) /
vnnd das geschach vmb Somers Zeittn̄ [60v] nach Philip jacobj / fordert also der Kayser Den Faustum jnn sein gemach / hielt jm fur wie
jm bewust das Er ein erfahrner Der *Nigromantiæ* wer / vnnd ein War-
sager Geyst habe / Bitt jn Derhalben Das Er auff sein beger vor jm jn
etwas so Er gern wissn̄ wolt / ein Prob thuen wolte / solt jm nichts
widerfahren³) bey seiner Kayserlichen Cron. Darauff Doctor Faustus
jnn Vnderthenigkeit zu wilfaren sich anbotte / Nun so hör mich Sagt
Der Kayser /

Jch hab einmahl jn meinem Lager vil gedannckhen gehabt / wie vor
mir meine Voreltern so jnn hochem *grad* vnnd *Authoritet* gestigen
gewesen / Dann jch vnnd meine Nachkommen noch entspringen möchten / vnnd sonnderlichen / Das jnn aller *Monarchj* Der Grossmechtig
Kayser *Alexander Magnus* ein Lucern vnnd Zier aller Kayser / Dann
manichem bewust / Was Reychthumb⁴) / Königreich / vnnd herrschafft

---

*) Vgl. Anh. V.
¹) Welchen
²) Essens zeit
³) widerfahren, daß verhiesse er
⁴) Keyser, wie auss den Chronicken zubefinden, grosse Reichthumb, viel

Er gehabt / vnnd zue sich gebracht / Welche Mir / vnnd meinen nachkommen wider zubekriegen / oder zue wegen zubringen schwer sein
wirt / Dieweil solche herrschafften jnn viel Königreich zertheilt ist /
jch aber jmmerdar Wunshe / Das jch jn auch erkenndt vnnd sehen hett
mögen sein Person / Form / gestalt / gang [vnd] [61r] vnnd geberdt /
desgleichen sein Gemahel / vnnd jch erfahren / Das Du ein erfahrner
Maister jnn deiner kunst seyest / alle ding nach seiner Materj vnnd
weiß jns werckh zubringen /

Also ist nochmals mein genedigs begern / Das Du Mir hierauff Antwurt
geben wöllest /

Doctor Faustus gab Antwurt.

Allergenedigister herr / Eur Kay. Mt& allergenedigstes begern / Die
Person *Alexandrj* vnnd seines Gemahels belanngendt / wie Er gesehen
vnd gestalt gewesen[5]) / will jch souer jch von meinem Geyst vermag
gern wilfaren / vnd sichtbarlich erscheinen lassen / Doch Eur Kay. Mt&
soll wissen / das jre sterbliche Leiber nicht gegenwerttig sein können
noch von Todten Aufferstehn / Dann sollichs vnmöglich ist / sondern
dise weiß ist es / Das die Geyster erfahrne wolwissennde / vnnd Vhralte
Geister sein / vnnd sollicher Leuth Leiber auch an sich nemen können /
vnnd[6]) Verwandlen / Das Eur. Kay. Mt& also warhafftig *Alexandrum*
sehen wirdt / Darauff Faustus auss des Kaysers Gemach gieng sich mit
seinem Geyst zubesprachen / Vnnd dann jns Kaysers Gemach wider
einganngen / vnnd dem Kayser anzeigt / wie Er jm hierjnn wilfaren
wolle / Souerr [61v] Er jn nichts fragen noch reden wolle / Das jm
der Kayser verwilligte /

Doctor Faustus thett die Thur auf / bald gieng der Kayser *Alexander*
herein jnn aller gestalt wie Er jm Leben gesehen / Nemlich ein wol-
gesetztes Dickhs Mändlen[7]) / hett ein Rotten gleich falben Dickhen
barth / Rott backhet / vnnd eines strengen Angesichts / Als ob Er
Basilisken Augen hett / Tratt herein jn einem ganntz Volkomnen
Harnasch gieng zum Kayser *Carolo.* vnnd naiget sich mit einer Tieffen
Reuerentz / Der Kayser wolt auch aufstehn / vnnd jn empfahen / Aber

---

5) Gemahls, in Form vnd Gestalt, wie sie in jhren Lebzeiten gewesen, vnter-
thänigste Folg zu thun

6) vnmüglich ist. Aber die vhralte Geister, welche Alexandrum vnd sein Ge-
mählin gesehen, die können solche Form vnnd Gestalt an sich nemen, vnd
sich darein

7) Männlein

Doctor Faustus wolt solchs nit gestatten / Bald darauff als der Kayser Alexander sich aber Nayget / vnnd wider zu der Thur hinauß gienng / geht gleich sein Gemahl gegen jm herein / Die erzeigt auch jr Reuerenz / Sie gieng jnn einem gantz blawen Samet mit gulden stuckhen vnnd Perlein Vmbgebn / Ward auch vberauß schön / vnnd Rottbacket / wie Milch vnnd Bluet langlicht eines Runden Angesichts / jnn dem Dacht der Kayser / Nun hab jch zwo personnen gesehen / so jch lang zusehen begert hab / so kan es auch nicht fehl schlagen der Geyst werde sich in solche gestalt verwandelt haben / vnnd mich nicht betriegen [62r] kan / gleich wie das weib so Saul dem[8]) Propheten *Samuel* auferweckht hat / vnd das der Kayser sollichs besser jnn erfahrung sein möchte / Dacht Er bej jm Nun hab jch offt gehört / Das Sie hinder dem Ruckhn[9]) ein grosse wartzen gehabt / ist Sie bej dem Bildt zufinden / so wolt jch es nun besser glauben / geth also herzue / hebt jr den Rockh auf[10]) / vnnd fand also die wartzen / Dann Sie jm wie stockh still hielt / vnnd verschwand also.

Also wardt dem Kayser *Carolo* sein beger erstattet / dess Er genuegsam *Content* wardt /

---

8) den
9) sie hinden im Nacken
10) gieng hinzu zu besehen, ob solche auch an diesem Bild zu finden

[35]
Von einem Hirschhorn.

Auff ein zeit bald Hernach Als Doctor Faustus Kayser *Carolo* sein begern erfult hat / legt Er sich auf ein der jhenen Abents zeitten / da man zu hoff zum Nachtessen geblasen[1]) / sahe das hofgesindt auß vnnd eingehn / jnn dem sicht Doctor Faustus hinuber jnn der Ritter Tirnitz einen[2]) am fenster ligen der ward am Fenster endtschlaffen / dann es wardt seer heiss Die Person mit Namen hab jch nicht melden wölln / aber es wardt ein Ritter vnnd gebornner Freyherr (.*fuit* der herr von Hardeckh.) zaubert jm also durch hilff seines Geistes *Mephosto-philes* ein Hierschgewaid auff den kopff / [62v] jm aufwachen Da Er

---

1) erfüllet, hat er sich Abendts, nach dem man gen Hof zu Tisch geblasen, auff eine Zinne gelegt
2) Ritter Losament, einen schlaffendt

vom Fenster Den kopff neiget / empfand Er die Schalckheit / wem ward
Banger dann dem gueten herren / Dann die Fenster waren verschlossen /
das gehirn köndt Er nicht Zwingen von seinem kopff³) / Das der
Kayser warnam / druber Lechelt vnd ein wolgefallen hett biß endtlichen
jm Doctor Faustus die Zauberey auflöset.

³) verschlossen, vnd kondte er mit seinem Hirschgewicht weder hindersich,
noch für sich

[36]

Ein Abentheur*)

Doctor Faustus nam sein Abschiedt wider von Hoff / Da jm aller gueter
Will bewisen worden / sampt der *Donation.* Als Er nun auf Anderhalb Meil
wegs gerayst / nimpt Er war Siben pferdt jm Waldt halttend / Die auf jn
straiffen / es ward aber der Ritter dem die Schmach am hof mit dem Hierschhorn widerfahrn / Dise erkennen nun Doctor Faustum / Drumb Renten Sie
mit sporstreichen vnnd aufgezognen Haanen auf jn / Doctor¹) nimpt sollichs
war / thuet sich jnn ein heltzlein hinein / Rent bald wider auf Sie herauß
alsbaldt namen Sie acht / das der gantz wald voller geharnischter Reutter
ward auf Sie dar Rennen / Derhalben das Versen gelt gaben / wurden aber
nichts destoweniger aufgehalten [63r] vnnd Vmbrendt / Derhalben Sie den
Faustum vmb genad batten / Doctor Faustus Ließ Sie von sich vnnd verzaubert Sie / das Sie alle Geishörner auf den Stirn hatten ein Monatlang /
vnnd die Geyl mit kuehörnern / Das ward jr straff / vnnd ward also vnnd
dergestalt dess Ritters mechtig.

*) Über dieses und das folgende Abenteuer s. Anh. V.
¹) Doctor Faustus

[37]

Von einer Abentheur mit einem Heuwagen

Er kam einmahl gen Gottha jnn ein Stettlin Da Er zuthuen gehabt / Als
nun die zeit jm junio ward / vnnd man das hew allenthalben herein fuere /
jst Er mit ettlichen seinen Bekandten spaziern ganngen am Abent wol bezecht /
Als nun Doctor Faustus vnnd die jm gesellschafft leissten fur das Thor kamen
vmb den Graben spaziern / begegnet jm ein Wagen mit hew / Doctor Faustus
gieng auf dem Fuerweg / Das also der Baur notthalben jn Ansprechen hat
muessen jm zuentweichen / Er könne sich wol neben dem Fuerweg enthalten /
Doctor Faustus so bezecht / Antwort jm / Nun will jch sehen ob jch Dir
oder du Mir weychen muest / Hörstu Baur¹) / Hastu nie gehört Das [63v]

¹) Bruder

95

einem Vollen Mann ein Hewwagen ausweichen soll / Der Baur ward daruber erzurnet gar[2]) dem Fausto vil Trutziger Wort / Doctor Faustus Antwort / Wie Bawr / Woltestu mich erst Darzue Bochen / Mach nicht viel[3]) jch friss Dir den Wagen / Das hew / vnnd die Pferdt / der Bawr Antwurt jm so friss mein Dreckh Doctor Faustus verblendt jn Hierauf / nicht anderst Dann das der Baur Mainte / Er hab ein Maul so gross als ein zuber / vnnd Frass oder verschlang am Ersten Die Pferdt / Darnach das Hew vnnd den Wagen / Der Baur Forchtsam vnnd erschrockhen lief eylendts zum Burgermaister bericht jn[4]) der Warheit wie es alles erganngen wer / Der Burgermeister gieng mit jm behend Dise Geschicht zusehen / Als Sie aber fur das Thor kamen / funden Sie alles wie vor[5]).

---

2) gab

3) viel Vmbstendt, oder

4) jn mit

5) fanden sie deß Bauren Ross vnd Wagen im Geschirr stehen, wie zuvor, vnd hatt jhn Faustus nur geblendet

[38]
Von drey Graffen so auff die Furstlich
Hochzeitt zu Munchen jn eyl gebracht Worden:-*)

Drey Furnemer Grafen Sun (.So notthalben nicht zu melden sein.) die zu Wittemberg gestudiert haben / kamen auf ein zeit zusamen redeten vnder einander Vom herrlichen bracht / [64r] so auf der Hochzeit zu Munchen mit dess Herzogen oder Fursten Sohn auss Bayern sein Wurde / Vnnd wunschten also das Sie nur ein halbe stundt da sein mochten / Vnder sollichem gesprech fiel dem Einen Der Doctor Faustus ein / vnnd sprach zu den Andern zweyen Grafen. Meine Vettern so jr mir wolt volgen / schweigen / vnnd nit Lautbrecht sein / So will jch Euch Rath geben / Das wir die Hochzeit sehen können / vnnd dann zu Nacht wider zu Wittemberg sein / Vnnd ist diss mein Muethmaß[1]) / Das wir zum Doctor Fausto schickhen jm vnser Furnemen erzellen / vnnd kundt thuen / Jn daneben mit gelt stechen[2]) / Er wirt vns sollichs nit abschlagen / Diser *deliberation* waren Sie Einhellig / schickhten nach

---

*) Vgl. Anh. V.

1) fürschlag

2) schicken, jme vnser fürhaben eröffnen, ein Verehrung thun, vnd ansprechen, daß er vns hierinnen verhülflich seyn wolte

96

dem Fausto / welcher Der Schenckh halben / vnnd dann jrer Banckhet so jm Rathlich bewisen[3]) *Content* Drumb jnen hilfflich zusein zuesagte /

Als nun Die zeit erschin / Das dess Fursten Sun auß Bayern Hochzeit Celebriert solt haben / fordert Doctor Faustus Sie jnn sein hauß / befilcht jnen Sie sollen Sie[4]) auf das schonest klayden mit allem Ornat so sie haben / Nimpt hernach ein braitten Mantel / brait jn jnn seinem Garten Den Er neben seinem hauß hett / Vnnd setzt Die Grafen darauf Er Mitten hinein / vnd befilcht [64v] jnen höchlichen / das keiner mit keinem so lang Sie auß sein rede / Auch wann Sie schon jnn dess[5]) Bayern Pallast seyen / vnnd man mit jnen reden wolt kein antwurt geben solten / Disem allem verhiessen Sie zu gehorchen / auf solche ermanung setzt sich Doctor Faustus nider / hebt seine *Coniurationes* ahn / baldt kompt ein grosser windt / Der bewegt das Tuech / vnnd fuert Sie also jnn Lufften dahin / Das Sie zur Rechten zeit gen Munchen jnns Fursten hof kamen / Dann sie fueren jn luften vnsichtbar dessen niemandt gewar worden[6]) / Sie kamen jns Bayrn Pallast vnnd Saal / des der Marschalckh war nam / zeigt dem Fursten jnn Bayrn an / wie alle Fursten / Graffen vnd herren schon zu Tisch gesetzt sein / Daussen[7]) aber stehn noch Drey herren mit ainem Dienner Die Erst herkommen sein / Die zuempfahen / Das thett der Alt Furst jnn Bayrn / sprach jnen zue / Sie aber wolten kein einigs wortlein reden / Das geschach am Abent als man das Nachtmahl wolt empfahen / Dann Sie sunst durch des Faustj kunst den ganntzen tag sollichen bracht vnsichtbar ohne hindernus gesehen hetten.

Nun merckht als jnen wie oben gehört Doctor Faustus ernstlich verpotten den tag mit niemandt zue reden / Auch so bald Er sprechen wurdt wolauf / solten Sie an den Mantel greiffen / So werden Sie aug-[65r] enblickhlich dauon wischen. Wie nun der Furst jnn Bayern mit jnen redet Sie jm aber kein Antwurt gaben / vnnd man jnen doch Das hand wasser raychet / Weyl da ein Graf gethon wider das gebott Faustj.

---

3) Fausto, hielten jhm solches für, theten jm ein Schanckung, vnd hielten jm ein stattlich Pancket
4) sich
5) deß Hertzogen auß
6) warname, biß
7) draussen

Doctor Faustus hueb an zuschreyen Wolauf / bald wischen die zwen
Grafn so sich an den Mantell[8]) daruon / Der Dritt / So sich versaumbt /
ward aufgefanngen / vnnd jnn ein gefenngknus geworffen / Die andern
zwen Grafn kamen vmb Mitternacht gen Wittemberg gehueben sich
vbel von wegen jres andern Vettern dess Grauen. Doctor Faustus gab
jnen Vertröstung jne auf Morgen frue zue erledigen & Nun ward der
Arme[9]) Graue höchlich erschrockhen Das Er so verlassen ward / auch
jnn ein verhafftung eingeschlossen mit huettern verwart / Darzue ward
Er gefragt was das fur ein gesicht gewesn / mit den Andern Dreyen
so verschwunden / Vnd was es sein möchten / Der Graff gedacht Verrath
jch Sie so wurdt[10]) es ein böesen Ausgang gewinnen / gab allen ge-
sanndten kein antwurt / Also Das man den tag kein antwurt auss jm hett
bringen mögen / Derohalben jm Letzlich bescheidt worden / Das man
jn zue Morgen mit dem Carcer vnnd Peinlicher frage zureden bringen
wolt / Der Graff gedacht bej jm selbs / es ist mit der Frag [65v] auff
Morgen dahin gericht / Vnnd wann Doctor Faustus jn nicht erledige[11]) /
So mueß Er mit der sprach notthalben herauß doch getrost Er sich
jmmer seiner Gesellen die anhalten wurden mit der erledigung bej
Doctor Fausto / wie auch geschach / Dann eh der tag anbrach ward der
Doctor Faustus schon bey jm / vnnd verzaubert also die Wächter / Das
Sie jnn einem harten schlaff lagen / darnach mit seiner kunsst ferner
thett Er ketten / thur vnnd Schloss auf bracht den Grafen zeittlich gen
Wittemberg / Da dan dem Doctor Fausto ein stattliche verehrung pre-
sentiert wardt /

---

8) Mantel gehalten,
9) gefangene
10) wirdt
11) gedachte, vielleicht mich D. Faustus heut noch nit erledigt, vnd ich Morgen gepeinigt vnd gestreckt werden solte

[39]
Von einer Abentheur mit einem Juden:-*)

Man spricht ein Vnholdt oder Zauberer werd ein jar nur[1]) vmb Drej
heller Reicher / Also widerfuer den[2]) Doctor Fausto auch / die verhaissung ward gross mit seinem Geyst / Aber verlogne Ding / wie dann der

---

*) Vgl. Anh. V.
1) nicht
2) dem

Teuffel ein Verlogner Gayst ist / warff dem Doctor Fausto fur mit der geschickhlicheit mit der Er durch jn begabet solt er sich selbs zu Reichtumb schickhen / Dann jm dadurch kein gelt entrynnen werdt / So weren auch seine jar noch nit auß / sonndern Die versprechung mit jm erstreckht sich erst auff [66r] Vier jar / nach dem Ausganng seiner verheyssung Da entzwischen Er mit gelt vnnd guett kein mangel haben werde / Mehr so hab Er Essen vnnd Trinckhen zubekommen mit seiner kunst auss aller Potentaten höfen (.wie oben gemeldt.) Doctor Faustus muest jm Dissmahl recht geben / vnnd sich jm nit widersetzen / Dacht jm derhalben selbs nach wie Erfahren Er wer.

Nach sollicher *Disputation* vnnd Erclerung dess Geysts / jst Er mit mit guetten gesellen Pangkettieren ganngen / vnnd nicht bey gelt gewesen / Derhalbn̄ Er verursacht bey dem[3]) juden gelt aufzubringen / Dem setzt Er auch nach / Nam bey ainem juden Sechtzig Taller auf einen Monat / Als nun Die Zeit sich verloffen Das der jud seines gelts sampt dem Zinß gewerttig / Vnnd Doctor Faustus nicht gemeint Das Er jm etwas zubezallen schuldig wer / kam der jud zu jme jns hauß / thet sein anforderung /

Dem Antwurt Faustus / jud gelt hab jch nicht / gelt kan jch nicht aufbringen / Diss aber will jch thuen / an meinem Leib will jch ein glid / es sey Arm oder Schenckhel abschneiden / vnnd dir zu pfandt lassen / Doch Souerr biß jch bej gelt bin / Mir jn wider zuzestelln̄ / Der jud (.dann die juden[4]) ohne das den Christen Feind.) nach allem nachdennckhen nimbt er bej jm ab / Ehr muest je ein verwegner Mann [66v] sein / der seine Glieder zu pfandt setzen wolt / fodert jn sollichs ahn. Doctor Faustus nimpt ein segen vnnd schneidt jm sein fueß mit ab / vnnd Vbergab jm[5]) dem juden (es ward aber nur lautter verblendung) mit der *Condition* sobald Er bej gelt sey / vnnd jn bezallete / so soll Er jm sein Schenckhel wider zuestellen / Er wöll jm jn wol wider ansetzen / Der jud ward mit disem *Contract* vnnd Pact wol zufriden zeucht mit daruon /

Als er nun ab dem Schenckhel verdrossen vnnd muedt ward / vnnd Darneben dacht / was hilfft mich ein Schelmen bein / trag jch es heim so wirdt es stinckhendt / so ist es mislich wider anzuheilen / zudem so ist dise Pfändung ein schwerlichs ding / dann Er sich nicht hocher ver-

---

3) den
4) Der Jud, so
5) jn

burgen hatt können / Dann mit seinem Aignen glidt / es wirt mir doch nichts darfur / Mit sollichen vnnd andern nachdennckhen (wie Er sich selbs hernach Erklert hat) geet der jud vber ein Steg des wassers vnnd warf den Schenckhel Nein / Dise Lisst wust nun Doctor Faustus gar wol / Vber den Drittn̄ tag fordert Er den juden jn mit der bezallung richtig zumachen / Der jud erzeigt sich / zeigt jm alle seine Nachdennckhen ahn.

Doctor Faustus wolte kurtzumb bezalt sein / oder jme [67r] dafur seinen willen zumachen / Hat Also der jud von jm kommen wöllen / So hat Er jm noch Sechtzig gulden darzue geben muessn̄ / vnnd hett Doctor Faustus sein Schenckhel wie vor auch /

[40]
Ain Abentheur mit ainem Rossteuscher:-*)

Gleicher weiß thett Er auch mit einem Rossteuscher auf einem jar marckht / Er verblendt jm ein schon herrlich pferdt / mit dem Ritte Er vf einen Marckht pffeffering genannt Da Er vil kauffer hett / ward also seines pferds Vmb Vierzig gulden Loß / Doch vermanet Er Den Rossteuscher zuuor / Er solt jn vber kein tranck Reitten / Der Rossteuscher wolt doch sehen / wz Er mit dem Mainet / Reitt derhalb jnn ein Schwem / da verschwand das pferdt / vnnd sass Er auf einem buschell stroo das Er schier Ertrunckhen ward / Der Kauffer wust noch wol wo sein verkauffer zur Herber Lage / geet Zorn weiß darein fandt Doctor Faustum auf einem Betth ligen / der eben thett als schlieff Er vnnd schnarchet / Der Rossteuscher nam jn beim Fueß wolt jn herab ziehen / Da gieng jm der Fueß auß / fiell mitten1) jnn die Stuben nein Faustus klagt seinen Wehe vnnd schmertzen / [67v] wem ward banger dann dem guetten Ross tauscher / gab die stiegen hinab die Flucht / macht sich auß dem staub / Vermaint Er wurde Das Recht vber jn Ausschreyen / Also kame Doctor Faustus wider zu gelt /

---

*) Über c. 40—44 s. Anh. V.
1) Fuß aussem Arß, vnnd fiel der Roßtäuscher mit

[41]
Ain Abentheur mit ainem Andern Heuwagen:-

Doctor Faustus kam jnn ein Stättlin Zwickaw genannt / Da jm vil *Magistrj* Gesellschaft laistetten / Vnnd als Er mit jnen nach dem Nacht Essen spaziern gieng / begegnet jm ein Paur der fuert ein grossen Wagen voll Omath1) / Den

---

1) Grummats

100

sprach Er ahn / was Er nemen wolt / vnd jn genueg lassen Essen / waren also
eins Vmb ein kreutzer oder Lewen pfening / Dann Der Baur Mainet / Er tribe
nur sein gespött mit jm / Doctor Faustus Hueb an so geytzig zue Essen / Das
alle vmbstender sein Lachen muestñ / verblendt den Bawren Das jm Bang
wardt / Dann Er solchs schon auf den halben theill hinweckh gefressen hett /
wolt der Bawr zufriden sein / das jm das halbtheil blib so mueß Er dem
Fausto sein willen machen / Als Er aber an seinen Orth kam / hat Er das
Omath²) wie zuuor auch / [68r]

---

²) Hew

[42]
Von ainem Studenten *Rumor:-*

Zu Wittemberg bey seinem hauß wardt ain hader mit Siben Studenten wider
Funff Das dunckht Doctor Faustum vngleich sein / hebt an / vnnd verblendt
allen jre Gesichter / das keiner den Andern sehen konndte / Schluegen also jm
zorn blinder weiß einander / Also das Vberal ein gelechter ward der seltzamen
schlacht vnnd die Fridmacher einen nach dem andern zu hauß fueren muessen /
jnn heusern aber kamen jnen jre gesichter wider /

[43]
Ein Abentheur mit Vollen Bawren:-

Doctor Faustus ward jnn einem Wirtshauß jnn einer zech / Darjnnen vil Tisch
Voller Bauren waren / Die nun dess Weins zuuil hetten / Derhalben ein
geschray anfiengen mit Singen vnnd Schreyen / das keiner sein aigen wort
hören könndte / Doctor Faustus sagt zu dem der jn beruefft hat / habt acht
jch will jnen bald abhelffen / Als die Bawren jnn noch grosserm geschray vnnd
gesang warñ / Da verzaubert ers Das allen Bawrn Das Maull offen stuendt /
vnnd kondts keiner zubringen / [68v] sahe ein Baur den Andern an / Dann
es ward gar still worden / welcher Baur fur die stuben hinauß kam / Der hett
gewonnen / kam jm sein sprach wider / Also das jnn kurtzer frist noch vil
mehr von Den Bawren Da waren.

[44]
Von ainem Kauff mit Funff Schwein.

Doctor Faustus Huebe widerumb einen Wuecher an / Dann Er rust jm Funff
gemöster Sew Zue / Die verkaufft Er aine vmb Sechs gulden doch mit dem
Pact des Sawtreibers / das er vber kein wasser mit jnen kommen noch schwim-
men soll / Doctor Faustus zoch wider haim / Der Sewtreuber oder Keuffer /

wie die Schwein sich jm Kott besudelten / treibt Er sie jnn ein Schwem / Da
verschwanden Sie / vnnd schwamen lautter strowisch empor / Der Kauffer
muest also mit schaden dahin gehn / Dann er wust nicht mehr wer der verkauffer gewest wer &

[45]

Abentheur an des Grafen von Anhalt hoff getriben.*)

Doctor Faustus kam auf ein zeit zu den Grafñ (.die jetzundt nun
Fursten sein.) von Anhalt / Da jm der Furst allen guetten genedigen
willen [69r] bewise / vnnd das ward jm jenners Zeitten / am Tisch
nam Er gewar Das die Furstin gross Leibs vnnd Schwanger gieng / Als
nun das Nacht Essen aufgehebt ward / vnnd man *Colation* mit speze-
reyen auftrueg / hebt Doctor Faustus an mit der Furstin zureden vnnd
sprach Genedige Fraw / jch hab alweg gehört / Das die Weibsbilder so
Schwanger geen zu manicherlay dingen Lust haben / jch bit E. G. Sie
wöll mir nichts verhalten / warzue E. Fen. G. ein Lust zuessen hett /
Die Furstin Antworttet jm / Mein herr¹) jch wils Euch warlich nicht
verbergen / jch möcht jetzunder wunschen / das es zu Herbst zeitten
were / So wolt jch frische Trauben / vnnd Obs gnueg essen. Doctor
Faustus Antwurt Genedige Fraw / Mir ist das Leichtlichen zuthuen /
vnnd jnn einer stundt soll Eur will erfullt sein. Doctor Faustus nam
zwo Silberne Schussell / die setzt Er furs Fenster / als die stundt verloffen ward / griff Er furs Fenster hinauß / stelt also der Furstin ein
schissl mit weissen vnnd mit Rotten Trauben fur / Die Erst von Reben
herkommen waren / desgleichen die Ander Schussell mit grienen Opffel
vnnd Biren / Doctor²) Frembder vnnd Weitter Landsart / sagt hierauff
auch weitter zue der Furstin / Genedige Fraw jch bitt E. Fen. G. [69v]
jr wöllet Euch nit darab entsetzen zuessen / dann jch sag Euch furwar
das es auss Frembder Nation herkombt / Do der Sommer sich enden
will / vnnd wir jm Frueling sein / Also aß Sie von allem Obs vnnd
Trauben mit Lusst vnnd grosser verwunderung. Der Furst von Anhalt
konndt nicht fur vber jn zufragen / wie es ein gelegenheit mit Den
Trauben vnnd Obs gehabt. Doctor Faustus Antwort Genediger Herr
E. Fen. G. sollñ wissen Das jnn der Welt das jar jnn zwen Zirckhell
getheilt ist / Das wo es bey vnns (wie jetzt) Winter ist / So ist es *in*

---

*) Vgl. Anh. VI.

¹) jhme: Herr Doctor,

²) doch

Orient vnnd *Occident* Sommer / Dann der Hymell ist rundt / vnnd die
Sonn ist jetzt vfs höchst hinauf gestigen / Also das wir jetzunder Die
kurtzen tag vnnd den Winter haben / *In Orient* vnnd *Occident.* aber
als *in Saba, India* vnd Recht Morenlanndt[3]) / steigt die Sonn nider Da
haben Sie jetzt den Sommer / Dann Sie haben jm jar zweymahl frucht
vnnd Obs / Mehr Genediger herr / jst jetzundt bey vnns Die Nacht /
bey jnen hebt der tag an / Dann Die Sunn hat sich vnder die Erden
gethon / Da wir jetzunder Die Nacht haben / bey jnen aber lauft die
Sonn ob der Erden / drumb haben Sie den tag / vnnd diss ist mein[4])
gleichnus / Das Moer Laufft [70r] Höcher dann die Welt ist / vnnd
wann Sie[5]) nicht dem höchsten gehorsam wer / so konndt es Die Welt
jnn ainem Augenblickh ersauffen / Also ist jr Nation auch vmb das
Moer hervmb / Da jetzundt die Sonn bej jnen aufsteigt vnnd bey vnns
nider geet /

Auff sollichen bericht Genediger herr / hab jch meinen Gaist dahin
gesanndt / der ein fliegennder geschwinder Geist ist / vnnd sich jnn
Augenblickh jn etwas kan verendern / Der hat auch Dise Trauben vnnd
das Obs erobert / Sollichem hort der Furst mit grosser verwunderung
zue

---

3) Morgenland
4) vnd ist dessen ein
5) es

[46]

Ain Andere Abentheur / so Faustus auch
auff obstehende getriben:-*)

Doctor Faustus Ehe Er vom Fursten von Anhalt Vrlaub nam / Batt Er den
Fursten Er wolt mit jm fur das Thor hinauß gehn / Da Er jnn ein Castell
oder Schloss wolt sehen lassen / so Er dise Nacht auf sein Guett vnd Herr-
schafft gepawt / dess sich der Furst sehr verwundert geeth also mit Doctor
Fausto / auch mit seinem Frawen zimmer Gemahel vnnd hofgesindt fur das
Thor hinauß / Da Er auf einem Berg den Rennbuhell[1]) genannt / nicht weitt
von der Statt gelegen / Ein wol [70v] erpawttes Schloss sahe / Das der
Faustus dahin verzaubert hett / Batth den Fursten vnnd sein Gemahell das
Sie sich dahin Verfuegten / vnnd bey jm zu Morgen Essen / welchs jm der
Furst nit abschlueg. Diss Schloss ward durch Zauberey also gepawet / das ein

---

*) S. Anh. VI.
1) Rohmbühel

tieffer grab Darumb gieng mit wasser gefult / Darjnn allerlay Fisch zusehen waren / auch allerley wasser Vögell schwamen / Als Endten Schwannen Rayger / vnnd Dergleichen / alles Lustig zusehen / Jnn disem Graben stuenden Funff Runder stainener Thurn / vnnd Zwey Thor / vnnd ein weitter hoff DarJnnen allerlay Thier verzaubert warn sonnderlichen die jm Teutschlandt nit Vil zusehen sein / Als Affen / Bern / Puffell / Gembsen / vnnd dergleichen Frembde Thier / sonnst waren wolbekhandte Thier auch Dabej / Als Hierschen / Wildeschwein / Rech / vnnd dergleichen / auch allerlay Vögell So man je erdennckhen mocht / Die von ainem Baum zum andern Hupfften / vnnd Flogen. Nach solchem allem setzt Er seine Gäst nider zu Tisch / raicht jnen ein Herrliches Königcliches Mahl mit Essen vnnd allerlay Tranck so man erdennckhen mocht / Neun Richt[2]) setzt Er allerlay auf ein mahl auf / Das muest [sein] [71r] sein Dienner der Wagner auftragen Welcher es vom Geyst vnsichtbar empfieng von allerlay kost / ahn wild Vogeln / Fischen vnnd anderm / Also auch von Haimischen Thiern (.wie es dann Doctor Faustus alles erzelet.) setzt Er auf Ochsen / Piffel / Bockh / Rindern / Kelbern / Hammel / Lemmer / schefin[3]) / Schweinen Fleisch / von Wilden Thiern zu Essen gab Er Dorgen / Bickerlin / Gembsen / hasen / Hierschen / Reheln / Wilde Ross vnd anders / Von Fischen gab Er Äll / Möhrael / Barben / Persing / Bickherling / Bolhen / Aschen / Hecht / Karpffen / krebs / muschell / Neunaugen / Plateissen / Salmen / Schlein / vnnd dergleichen. Von Vögeln trueg Er auf Cappaunen / Dauch anten[4]) / Wilde Endten / Dauben / Fasanen / Auerhanen / Wildt vnnd jndianischen Gigkler / vnnd sunst huenner / Rebhuener / haselhuenner / Feldhuenner / Lerchen / Cramater / pfawen / Rayger / Schwanen / Krantssen / Trappen / vnnd Wachtelln / Was den Wein belanngt waren Da Niderlender / Brabander / Burgunder / Coblentzer / Crabatischer / Elsässer / Engellennder / Franzosischer Reinischer / Hispannischer / Hollender / Lutzelburger / Vngerischer / Ossterreichischer / Windischer / Wurtzburger oder Francken Wein / [71v] Neckherwein / Rainfall / vnnd Maluasier / jnn Summa von allerlay Wein Das bej hundert Kandten da herumb stuenden / Solch herrlich Mahl nam der Furst mit Gnaden an / zohe nach dem Essen wider gen hof vnd dunckt Sie nicht das Sie etwas geessen oder gedruncken haben sollen / so Öed waren Sie / Als Sie nun wider jnn die Statt ans Thor kommen / vnnd Doctor Faustus jm Schloss bliben wer / gieng auss dem Schloss grewliche Buchssenschuss herauß. Vnnd bran Das Fewr jm schloss jnn alle hoche biß es ganntz verschwand / Da Kam Doctor Faustus widerumb zum Fursten / Der jn hernach mit ettlich hundert thaller abferttiget / vnnd wider hinziehen liess / Aber sollichs dess Faustj Geschicht ward vfgezeichnet.

---

2) Trachten

3) Schafen

4) Dauch Enten

Hernachuolgt welchermassen Doctor Faustus als *Bachus* Fasnacht gehalten hat:-*)

Doctor Faustj gröste Muehe / geschickhlicheit vnnd kunst / so Er zuewegen bracht ward Diss / Das Er gehörtter massen dem Fursten von
Anhalt erzeigte / Da Er dann durch seinen Geist nicht allein zuwegen
bracht Dises / sonndern auch alle Thier von Vierfuessigen / [72r]
gefligels vnnd gefurderts / Nachdem Er aber Vrlaub nam / vom Fursten / vnd wider gen Wittemberg kam / ruckht die Fasnacht Daher /
Doctor Faustus ward Der *Bachus* beruefft zue sich ettliche gelertte
Studenten / Die Er (.nachdem¹) wol vom Doctor Fausto gespeist vnnd
Content Den *Bachum* Also gekronnt / vnnd an dem waren / Das Sie jn
vollest celebriern solten.) vberredet / Sie solten mit jm jnn ein Keller
fahren / Vnnd Da die Herrlichen gedranckh so Er jnen raichen / vnnd
geben werde / versuechen / Dessen Sie leichtlichen bewilligten.

Darauff Doctor Faustus jnn seinem Garten ein Laitter nam / setzt einen
jegclichen auf einen sprossen / Wischt also daruon / vnnd kamen zu
Nachts jnn dess Bischoffs zu Saltzburg Keller / Da Sie allerlay wein
kostetten / wie Dann diser Bischoff einen Herrlichen Weinwachs hat /
Da nun die guetten herren guets mueths waren / Vnnd Doctor Faustus
ein Fewrstain mit gebracht Das Sie alle fässer besehen köndten / kam
dess Bischoffs Keller vngefahr Daher der Sie fur Dieb so ein gebrochen
hetten einziehen²) thett / Das dem Doctor Fausto wee thett / Mannet
seine gesellen aufzusein / nimbt [72v] den Keller beim haar / fiert mit
jm Daruon / vnnd als Er ein grosse Hoche Dannen sahe / setzt Er den
Keller der erschrockhen ward darauff / vnnd kam Doctor Faustus
haim / Da Er erst das *Valete* mit seinen Fasnacht gesellen hielte mit
dem Wein so Er jnn ain grosse flaschen gefult hatt jns Bischoffs keller /

Der Arme Keller muest sich die gantze Nacht auf dem Baum halten
damit Er nicht herab fiell / vnnd schier erfroren ward / Als es aber tag
vnnd Er die grosse hoche Der Thannen sahe / vnnd jm Vnmuglich ward
herab zukommen / Dann Sie hett kein Ast / dann nur oben am Baum /
Da syhet Er ettlich Bauren daher fahren Denen Er zuschrie vnnd

---

*) Vgl. Anh. VI über die beiden Kapitel 47 und 51.
¹) nach dem sie
²) außschreyen

anzeigt wie es jm gangen wer / Dess[3]) verwunderten sich / vnnd zeigten
sollichs zu Saltzburg am hof an / Da ein grosses zuelauffen ward /
bracht jn mit grosser Muehe vnnd arbeit mit strickhen herab / vnd
kondt doch der keller nit wissen / wer die gewest / so jm keller gefunden waren / noch der so jn dahin gefuert hat / [73r]

---

[3]) were, vnd bate, daß sie jme herunder helffen wolten, Die Baurn

[48]
Von der Andern Fasnacht am Dinstag.*)

Siben Studenten (.welcher Vier darunder *Magistrj* waren *in Theologia, Juris-
prudentia* vnnd *Medicina* studierent / Als Sie die herren Fasnacht Celebriert
hetten.) jnn dess Doctor Faustj hauß / wurden Sie am Dinstag Der Fasnacht
(.da Sie angeneme vnnd wolbekannte Gäst des Faustj waren.) zum Nacht Essen
wider berueffen / vnnd als Sie Erst mit Huennern / Visch vnnd gebrates Tractiert worden / Doch schmal gnueg Tröstet Doctor Faustus seine Gest also.

Lieben herren / jr sehet hie mein geringe Tractation / Damit jr verguet muest
nemmen / Es soll zum Schlafftrunckh besser werden / jr wist lieben herren Das
jnn Viler Potentaten hofen / Die Fasnacht mit kostlichen speisen vnnd
getranckh gehalten wirdt / Dessen solt jr auch thailhafftig werden /

Nun solt jr wissen / Das diss die vrsach ist / Das jch Euch mit so geringer
speiß vnnd tranckh Tractiert / vnnd jr kaum den Hunger gebiest habt / Das
jch Drey flaschen Eine [73v] Funff / Die Ander Acht vnnd widerumb Acht
Mass haltendt jnn meinem Garten gesetzt hab vor zwo stunden / vnnd Meinem
Geist beuolhen ein Vngerischen jttalianischen vnnd Hispannischen Wein zu
holen / dergleichen hab jch Funffzehen Schussl nacheinander jnn meinen Garten
gesetzt / Welche Alberaith mit allerlay speiß versehen sein / Die jch widerumb
warm machen mueß / vnd solt mir glauben / Das es kein verblendung ist /
Das jr maint jr Esst / vnnd sey doch nit natturlich / Als Er sollich *Oration*
zu Endt gefiert / beuilcht Er seinem Diener Wagner ein Newen Tisch zu-
beraitten / setzt also alle mahl Drey Richt[1]) auff / Vff Funff mahl / das ward
von allerlay Wildbrett / Bachens vnnd dergleichen / zum Tischwein braucht Er
Welsch wein / zum Eer wein Vngerischen vnnd Hispannischen / Da Sie nun
alle Toll vnnd Voll waren / Auch viel speiß vber bliben / vnnd Letztlichen
Anfiengen zu singen vnnd springen / auch gegen dem tag erst gen Hauß
kamen / Wurden Sie mehr auf die Rechte Fasnacht berueffñ. [74r]

---

*) Über die Fastnachtsgeschichten c. 48—50 s. Anh. VI.
[1]) Trachten

106

Von der dritten Fasnacht am Ascher Mitwoch:-

Am Ascher Mitwoch der Rechten Fasnacht kamen Die Studenten als berueffne Gässt Da Er jnen ein Herrliches Mahl gab / vnnd also sprangen / sungen / vnnd alle kurtzweil triben / Als nun die Hochen Becher vnnd glesser herumber giengen / Da hebt Doctor Faustus an sein Gaugkelwerckh zutreiben / Dann Sie hörten jnn der Stuben allerlay liebliche Saydten spil / vnnd wusten doch nit wo es herkeme / bald ein spiel aufhöret / kam ein anders / Da ain Orgell / Positif / Lautten Geigen / Cittern / Harpffen / Krumhörner / Posaunen / schwegel / zwerchpfeiffen / Jnn Summa es waren allerlay jnstrument Da / jnn dem hueben an Die Gleser vnd Becher zu hupffen / So nam Doctor Faustus Ein hafen oder zehen / Die stellet Er jnn die stubñ / Da hueben sie an alle zu Dantzen / vnnd Einander zu stossen / Das sie all einander erschmetterten / Welchs ein gross gelechter am Tisch gab. Bald hernach hebt Doctor Faustus ein ander kurtzweil am Tisch an / Ließ ain Gegkler [74v] jnn einem hof fanngen / den stelt Er auf den Tisch / als Er jm nun zudrinckhen gab / hueb Er natturlichen Mit dem Schnabel an Dantz zupfeiffen. Bald macht Er wider ein kurtzweil / Satzt ein jnstrument auf den Tisch / Da kam ein Alter Aaf jnn die Stuben / vnnd macht vil Schöner Tantz jnn die stuben Darauff / Als Er nun solche kurtzweil trib biß die Nacht Daher gieng / Batt Er die Studenten Sie wöllen vollendts Da bleiben / vnnd mit jm zu Nacht Essen / Er wolt jnen Ein Essen vogel geben / Dann wolle Er mit jnen jnn die Mumerey gehn / welliches Sie jm leichtlichen zuesagten /

Also nam Doctor Faustus ein Stanngen / Die raicht Er fur das Fenster hinauß / Da kamen allerley Vogell zu seinem Fenster / vnnd welliche vff Die stangen sassen / Die kondten nit mehr Weitter / Da Er ein Summa Vögel fieng / Die Studenten halfen jm alle vögel wurgen vnnd ropffen / Dann es waren Lerchen / Cramater / Vnnd Vier Wilde Endten / Als Sie nun dapffer gezecht hetten / sein Sie mit einander jnn die Mumerey ganngen / Doctor Faustus beualch zuuor / Das ein jeder ein weiss [75r] hembdt solt anthuen / vnnd jn machen lassñ / sollichs geschach / Da nun die Studenten einander ansahen / Daucht ein jegclichen Er hette keinen köpff / Mit solcher Mumerey giengen Sie jnn ettliche heuser / Darab die Leuth erschrackhen / Als aber die Herren bey denen Sie das kuechlin geholt sich zu Tisch gesetzt / Da hetten Sie jren schein wider / vnnd kent man sie darauff alsbald. Schnell verenderten sie sich wider vnnd hetten Natturliche Eselsköpff vnnd Ohren / Das triben Sie biß jnn die Mitternacht hinein vnnd zoch ein jeder widerumb zu Hauß /

Von der Vierdten Fasnacht Am Donnerstag:-

Die Letste *Bacchanalia* ward am Donnerstag Da denselben tag ein grosser Schnee gefallen. Doctor Faustus wardt zu den Studenten Berueffen / Die jm ein stattlich Malzeit aushielten / Da Er wider seine Abentheur anfieng zubrauchen / Dann Er verzaubert Dreyzehen Affen jnn die Stuben / die werckhlich gauggeltñ / Das nie dergleichen gesehen ist worden / Dann Sie sprangen aufeinander / wie man sonnsten die Affen abricht / so namen Sie auch einander jnn die Fueß vnnd Dantzten ein gantzen Reyen [75v] vmb den Tisch herumb zum Fenster hinauß vnnd verschwunden also / Sie satzten Dem Fausto ein bratnen Kalbskopff fur /

Als nun ein student jn erlegen wöllen / hatt der Kopff angefanngen zureden ⁚ vnnd Menschlich zuschreyen *Mordio. helffio.* **O wee was zeichstu mich.** Da Sie erschrackhen / Dann widerumb anfieng[1]) zulachen / vnnd also den kalbskopff verzerten / vnnd Doctor Faustus noch zeittlich am tag zu hauß gieng mit versprechung widerumb zuerscheinen / Baldt risst Er jm mit Zauberey einen Schlitten zue / der hatt ein gestalt wie ein Drach / auf dem Haupt sass Doctor Faustus / vnnd mitten die Studenten / so waren Vier zauberische Affen ob dem Schwantz Dess Drachen Die Gauggelten aufeinander gantz lustig zusehen / der ein bließ auf der Schalmej vnnd lieff der Schlitt ahn jm selbst wahin Er wolt[2]) / Das ließ er weren biß jnn Mitternacht hinein mit sollichem kleppern Das keiner den Andern hören könndt / vnnd Dunckht doch die Studenten Sie weren jnn Dem Lufft gewandelt.

---

[1]) anfiengen

[2]) wohin sie wolten

Von der verzauberten Helena
Auß Griechenlandt.

Am weyssen Sontag kamen die Studenten / [76r] so offt gemelt vnuersehens jnn dess Doctor Faustj Behaussung zum Nachtessen / Da Sie jre speiß vnnd Tranckh mit brachten Welliche angeneme Gäst waren /

Als nun der Wein eingieng ward am Tisch geredt Von hubschen weibsbildern / Da einer vnder jnen anfieng / Das Er kein weibsbildt lieber sehen wolte / Dann die schöne *Helenam* auß Kriechelanndt / Das von jrentwegen die schon Statt Troia zugrundt ganngen / Sie mueß schön gewesen sein / sprach Er weil Sie jres Mans beraubt[1]) / vnnd solliche

---

[1]) jrem Mann geraubt

Embörung von jrentwegen entstanden ist / Doctor Faustus Antwurt /
Dieweil jr Dann so begirlichen seind zusehen / Die Schöne gestalt der
Königin *Helenæ**) Menelaj* hausfraw / ein Tochter *Tÿndarj* vnnd *Ledæ Castoris,*
vnnd *Pollucis* Schwester / Welche solt die Schönste *in Græcia* gewesen sein /
hab jch daran gedacht Sie zuerweckhen / will sie auch herein bringen /
Damit jr Sie personlichen sehen sollen[2]) jren geist / vnnd wie Sie jn
Leben gesehen hat / Wie jch dem Kayser *Carolo Quinto.* auch sein
begierdt erfult hab mit dess Kaysers *Alexandrj Magnj* vnnd seiner haus-
frawen Person / Darauff dann verbott Das keiner nichts reden solt /
noch vom Tisch aufstehn oder Sie empfahen / gieng hier- [76v] auff
zuer Stuben hinauß / vnnd als[3]) wider herein geet / Volgt jm von
Fueß die Königin *Helena* nach / die so wunder schon ward / Das die
Studenten nit wusten ob Sie bey jnen selbs weren oder nicht / so verwirrt vnnd brunstig wurden Sie / Dann Sie erschin jnn Einem Cost-
lichen schwartz Purpur Claydt / jr Haar das Goldfarb ganntz schon
herrlich schin / hett Sie Dasselb so lanng herab hanngen biß jn Die
kniebieg / So hatt Sie kholschwartze Euglein / ein Lieblich angesicht mit
einem Runden köpfflein / jre Lefftzgen waren Rott / wie die Rotten
kirschen mit einem kleinen Meulin vnnd helslein wie ein weissen[4])
Schwan / Rotte becklein / welliche einer Rosen zuuergleichen waren /
mit einem Vberauß schönen glitzigen Angesicht / ein langlecht aufgericht gerade person / jn Summa es ward kein vnthedelein an jr
zuuerachten / Dise Helena sahe sich allenthalben jnn der Stuben Vmb /
Vnnd mit gar Buebischem Angesicht / Das die Studenten jnn Lieb
gegen jr hefftig entzündt waren / Doch dieweil Sie es fur ein Geist
achteten / ward jnen sollich Brunst leichtlich verganngen / Sie gieng mit
Doctor Fausto zuer Stuben wider hinauß. Hierauff als die Studenten
sollichs alles gesehen / Batten Sie Doctor Faustum Er soll jnen souil
zue [77r] gefallen thuen / vnnd sollich bild noch ein mahl erscheinen
lassen / Dann Sie jm zu Morgens jnn sein hauß ain Mahler schickhen
wolten sie abzuconterfeien / wellichs jn Doctor Faustus abschlueg /
vnnd sprach Er köndte jren Geyst nicht alzeit erweckhen / Er wolt jnen
aber ein Conterfeit zuestehn lassen / wellichs auch geschach / vnd Dann

---

**) Hier folgt ein Exzerpt aus Da s y p o d i u s , Dictionarium (1535—1536).
S. Anh. III.
2) sollet
3) als er
4) weisser

die Studenten aller erst abreissen liessen / Welchs die Mahler sehr hin vnnd wider schicktn̄ / Dann es ward jnn schon[5]) herrlich gestalt eines weibsbildt / wer aber sollichs gemähl dem Doctor Fausto abgerissen / Das hat man nicht erfahren können.

Die Studenten aber belangendt könndten Sie / als Sie zu betth kamen / Vor der gestalt vnnd Form so Sie sichtbarlichen gesehen nicht schlaffen / darauß abzunemen ist wie der Teuffel die Menschen jnn Lieb verblendet / wie dann offt geschicht / Das mancher also jm Huernleben wandelt /das Er nicht Leichtlichen mehr herauß zubringen ist.

---

[5]) ein sehr

[52]

Von einer *Gesticulation* mit Vier Rödern.*)

Doctor Faustus ward gen Braunschweig jnn die Statt erfordert zu ainem Marschalckh der die Schwindsucht hett jm zuehelffen / Nun hett aber Doctor Faustus den brauch wa Er hin- [77v] gebetten wardt / es sey gleich zu Gastung oder Artzney / Da Ritt oder Fuer Er nicht / sondern zuegehn ward Er gericht / Als Er nun nach bey der Statt ward auf ein halbe Vierttel Meil / vnnd die Statt vor jm sahe / Da ferth ein Baur vngeuer Daher mit Vier Rossen vnd einem Lehren wagen / Den Pawren sprach Doctor Faustus guettlich an / Er wolt jn aufsitzen lassen / vnnd Vollends fuern biß an Das Statt Thor / welliches sich[1]) der Dolppel Verwaygert vnnd Abschlueg / Sagt Er werde genuegsam herauß zufuern haben & D. Fausto ward solcher anforderung nicht ernst / sondern Den Bawren nun[2]) Probiern wollen / Ob auch ein guettigkeit bej jm wer / bezalt derhalben solliche Vntrew (welcher viel bey den Bawren ist) wider mit gleicher Muetz[3]) / vnnd sprach zue dem Pawren / Du Delpell vnnd nichts werder Vnflath / Dieweil du solliche Vntrew an mir bewisen hast / Das du gewiß andern auch thun wirst / oder Alberaith wirdest gethon haben / soll Dir die Muehe belohnet[4]) werden / vnd deine Vier Röder bey einem jegclichen Thor eins finden / Darauff springen die Roder Daruon jnn dem Lufft daher schweben /

---

*) Vgl. Anh. V.

[1]) jm

[2]) nur

[3]) Müntze

[4]) dir darfür gelohnet

Das sich ein jegclichs Rad [78r] bey einem sondern Thor hat finden lassen / welches doch sunst niemandt war genomen / So fielen seine Vier pferdt auch Darnider als ob Sie gehlingen gestorben weren / Dann Sie sich nit mehr regeten / Darab der Paur hertzlichn̄ erschrackh / was⁵) jm solchs fur ein sondere straf Gottes⁶) der Vndanndkbarkeit halben auch ganz bekommert vnnd wainendt bath Er den Faustum mit aufgereckhten hennden Naigung der Bain vmb Verzeyhung mit bekandtnus das er sollicher straff wol wirdig sey / es soll jm ein anders mahl ein erJnnerung sein dergleichen Vndannckhbarkeit nit mehr zuegebrauchen / Vber das nun den Faustum Die Diemueth Erbarmbdt / vnnd jm Antwurt / Das er keinem andern solchs mehr thuen solt / Dann es sey kein schandtlicher ding Dann die Vntrew / Vndanckhbarkeit vnnd stoltz so mit Vnderlaufft / so solt Er nun hie Erdtreich nemen vnnd auf die geull werffen / So werden sie sich wider aufrichten / vnnd zuer Fristung kommen / das auch geschach / Darnach sagt Er zum Pawren Deine Vndanckhbarkeit⁷) khan ohne straff nicht Lehr abgehn / sonndern mueß mit gleicher mass bezalt werden / Dann dich ein grosse muhe bedaucht hat einen Mueden [78v] auff einen Wagen zusetzen / Sueche⁸) Deine Räder sein vor der Statt bey Vier Thoren Da du Sie alle Vier finden wirdest / Der Baur fand Sie wie Doctor Faustus gesagt hett mit grosser muehe vnnd arbeit / auch Versaumnus seines handels vnnd geschefft So er verbringen hat wöllen / Also trifft Vntrew jren herren alweg selbs &

---

⁵) masse
⁶) GOTtes zu,
⁷) vntrew
⁸) ein lähren Wagen zusetzten, So sihe

[53]

Von vier Zauberer¹). so einander die Köpff Abgehawen / vnd wider aufgesetzt / dem auch Doctor Faustus beygewont / vnnd was furnemlichs betriben hat:-*)

Doctor Faustus kam auf ein Zeit gen Franckhfurt auf die Fasten Mess Da Er von seinem Geyst *Mephostophile* bericht ward / wie jnn ainem

---

¹) Zauberern
*) Vgl. Anh. V.

Wirtshauß bey der juden Gassen Vier zauberer waren Die einander die kopff abhieben / vnnd Sie zum Balbierer schickhten Sie zue Salbiern² / Da viel Leuth zusehen / Das VerDross den Faustum vermaint³) wer des Teufels Haan jm Korb allein / geet dahin solchs auch zubesehen / Da Sie die Zauberer schon beyeinander waren / Die kopff abzuhawen / bey jnen ward der Balbierer der soll die köpff hernach [79r] butzen vnnd zwagen auf dem Tisch aber hetten Sie einen glesernen hafen mit Distiliertem Wasser / einer vnder jnen der Furnembste zauberer ward / Der⁴) jr Nachrichter der zaubert dem Ersten ein Lilien jnn⁵) hafen / die gruenet Daher / vnnd nannt diss die Wurtzel des Lebens / darauff richt Er den Ersten / Ließ den kopf Balbiern / vnnd setzte jm⁶) wider auf / bald verschwand die Lilien / vnnd hett er seinen kopff wider ganntz / das thett Er auch dem Andern vnnd Dritten Zauberer / Die alle Lilien jm wasser hetten / gericht vnnd Balbiert worden / Auch jnen die köpff wider aufgesetzt.

Als es nun am Nachrichter ward / vnnd sein Lilien des Lebens jm Wasser stuende oder daher wuechs / ward jm auch der Kopff abgeschlagen / vnnd Da es an deme das man jm zwueg vnnd Balbiert / ward Doctor Faustus gegenwerttig / den solliche Zauberej⁷) verdross / vnnd auch sahe den Hochmuett des Principal Zauberers / wie er so frech auch mit Gottes schwuer vnnd gelechter jm den kopff ließ herab hauwen / also gehet Doctor Faustus zum Tisch da der haf vnnd Bluem der Lilien ward / nimpt ein Messer / hawet dar / vnnd schlitzt den Bluemenstengel voneinander Da es dann niemand war genomen hett / Die Zauberer wolten jn widerumb [79v] aufsetzen / Aber da ward kein hilff vnnd muest der also jnn sünden sterben / Sie sahen hernach den stengel voneinander zerhawen / Da sie nicht abnemen könndten / wie es zueganngen wer / Also bezalt der Teuffell seine Dienner mit sollichem Ablaß. Wie jn aber Doctor Faustus bezaubert / also ist Er

---

²) zum Barbierer schickten, sie zu barbieren
³) vermeynendt, er
⁴) der war
⁵) in den
⁶) jhme hernach denselben
⁷) man jhn zwagete vnnd barbierte in Fausti Gegenwertigkeit, den solche Büberey in die Augen stach vnd

112

gleicherweiß bezalt / vnnd hat auch schandtlich sein *Absolution* emp-
fanngen⁸) /

⁸) voneinander, dessen niemandt gewahr worden, Als nun die Zauberer den
Schaden sahen, ward jre Kunst zu nicht, vnd kundten jrem Gesellen den
Kopff nicht mehr ansetzen. Muste also der böß Mensch in Sünden sterben
vnd verderben, wie dann der Teuffel allen seinen Dienern letztlich solchen
Lohn gibt, vnd sie also abfertigt, Der Zauberer aber keiner wuste, wie es
mit dem geschlitzten Stengel wer zugangen, meyneten auch nit, daß es
D. Faustus gethan hette.

[54]

Von einem Alten Mann der den Doctor Faustum
von seinem Gottlosen Leben hat beköhren wöllen
vnnd was vndanckh Er hergegen empfangen:-

Ein Christlicher Frommer Gottsfurchtiger Artzet / ein Eyferer der
Eern Gottes & ward ein Nachbaur / vnnd sahe das vil gesellschafft der
Studenten jren Ein vnnd Ausganng hetten jnn des Doctor Faustj Behaussung / Als einem schlipfferten / wie einem gemeinen Frawen hauß /
ja welliches noch Erger ward / Dann alle juden so baldt Sie von jrem
Gott abfielen waren nicht allein abgesagte Feind Gottes / sonnder auch
die zauberey ward [80r] auch jr Prophecey vnnd betrug / wie auch
der / der manches frombes kindt so den Eltern sauer worden / vnnd
Christlich erzogen / nicht allein dem Leib / sonnder auch den *Pater
noster* vergessn̄ versuecht worden /

Diser Alte Nachbaur des Doctor Faustj der alle seine schelmerey vnnd
Ergernus lannge jar her ersehen / sein Teuffelisches furnemen jnn
Achtung hett / vnnd doch neben abnemen konndt / Das die Beüdt oder
Biren noch nicht reiff waren / Das die Obrigkeit ein einsehen solt
haben¹) / berüefft auss einem Christlichen Eyfer jn den Doctor Faustum
zu Gast / der jme auch erschine / Vnder sollicher Mahlzeit spricht der
Alt Gottsforchtige *Patron* den Faustum also an / Mein Lieber herr jch
hab zu Euch ein freundtlich Christlich Bitt / jr wöllet mein Eyferig

¹) EJn Christlicher frommer Gottsförchtiger Artzt, vnd Liebhaber der H. Schrifft,
auch ein Nachbawr deß D. Fausti, Als er sahe, daß viel Studenten jren Auß
vnd Eingang, als ein schlüpffwinckel, darinnen der Teuffel mit seinem Anhang, vnd nit Gott mit seinen lieben Engeln wohneten, bey dem Fausto hetten,
Name er jme für, D. Faustum von seim Teuffelischen Gottlosen wesen vnd
fürnemmen abzumahnen

furtragen nicht jnn argem vnnd vnguettem aufnemen / Daneben auch
die geringe Mahlzeitt nicht verachten / sonnder guetwillig / wie es der
Liebe Gott beschert auf vnnd Annemen. Doctor Faustus Batt Er solt
sein furhaben Ercleren / Er wolt jnn gefelligem[2]) gehorsam laysten /
Darauff fieng der guett *Patron* also an / Mein herr jr wist wie jr ein
Furnemen habt / Da jr Gott vnnd allen Heyligen abgesagt / vnnd Euch
dem [80v] Teuffel ergeben / damit seind jr jnn grossem Zorn Gottes /
vnnd auss einem Christen ein rechter Ketzer vnnd Teuffel worden /
NBene:- Ach mein herr was zeucht jr Euch / Es ist vmb den Leib nicht zuthuen /
sunder vmb die Liebe Seel / So ruehet jr jnn der Ewigen Pein vnnd
Vngnad / Wolan mein herr es ist noch nichts versaumbt / wann jr Euch
noch bekert[3]) / Vnnd vmb genad vnnd verzeyhung bey Gott ansuecht /
wie jr sehen[4]) bey dem Exempel jnn der APostel Geschicht am .8. *Cap:*
vom *Simone in Samaria.* Der auch viel Volckh verfuert / dann Er sonderlich fur ein Gott geachtet worden / Dann man hieß jn die Krafft
Gottes oder *Simeon Deus sanctus.* Diser wardt auch bekert / als Er die
Predig .*S. Philippj* hort / ließ sich taufn glaubt an vnnsern herren *Jesum
Christum.* Welches jnn der Geschicht der Apostel sonderlich beruempt
ward / Das Er sich hernach zu dem *Philippo* gehalten hat / Also mein
Herr Last Euch mein Predig auch gefallen / vnnd ein Hertzliche Christliche erJnnerung sein / nimmer thuen ist die Bueß / genad vnnd verzeyhung zuesuechen / dess jr ein schön Exempel an dem Schacher am
Creutz habt / Jtem an .*S. Peter.* jtem an *Matheo* vnnd *Magdalena,* ja
zu alln̄ Sündern [spricht] [81r] spricht Christus der Herr / Kompt
her zu mir alle Die jr muheselig vnnd beladen seydt jch will Euch
erquickhen / vnnd jn dem Propheten *Ezechiel.* jch beger nicht den todt
dess Sünders / sunder das Er sich bekehre vnd habe Das Leben / Dann
sein hanndt ist nicht verkurtzt / das Er nicht helffen kan / Sollichen
Furtrag bitt jch Euch mein herr last Euch zu hertzen geen / Bittet Gott
Das Er Euch vm̄b Christj willen verzeihen wölle / vnnd stett Darneben
von Eurem boesen Furhaben ab / dan̄ Die Zauberey ist wider Gott
vnnd seine Gebott / wie sollichs Gott der herr schwerlich jm Altn̄ vnnd
Newen Testament verbeutt / nemlich man soll Sie nicht Leben lassen /
man soll sie[5]) nicht zu jnen halten / noch jr gemeinschaft haben / Dann

---

[2]) wolte jm gefälligen
[3]) jr allein wider vmbkehret
[4]) sehet
[5]) sich

es sey ein Grewel vor Gott / Also nennt *.S. Paulus* dem *Par*[6]) oder *Elijmas* den Zauberer ein kindt dess Teuffels / ein Feindt aller Gerechtigkeit / vnnd Das Sie auch kein thaill am Reich Gottes haben sollen.

Doctor Faustus hört jm zue / vnnd sagt / Das jm Die Lehr wol gefiell / dem souil jm möglich sey nachkommen[7]) / vnnd nam also sein Abschiedt / Als Faustus jnn sein Behaussung kam / dacht Er der Lehr lanng nach / vnnd betrachtet [81v] was Er doch sich vnnd sein Seel Zyhe vnnd Vbergabs dem Laydige Teuffel[8]) / Er wölle Bueß thuen / vnnd sein versprechen dem Teufl absagen /

Jnn sollichen gedannckhen Erscheint jm sein Geist / Dapt nach jm / als ob er jm den kopff herumb Drehen wolt warf jm fur / was jn dahin bewegt / Das Er sich dem Teuffel ergeben / nemlich zu dem hab Er sich versprochen / Gott vnnd allen Mentschen feind zu sein / dem versprechen gehe er nicht nach / sonnder wolt dem Alten Lecker volgn̄ einem Menschen / vnnd Gott zu Huld haben / Da es schon zu spatt / vnnd Er dess Teuffels sey / der macht hab sprach er dich zu holen / vnnd jch jetzunder beuelch hab Dir den gar auß zu machen / oder Dich wider zuuersprechn̄ / Das du dich nimmermehr wöllest verfueren lassen / vnnd dich von Newen verschreibe mit deinem Bluet[9]) / vnnd alsbald erklerest ob du es thuen wöllest oder nicht / wo nit So will jch dich vmbbringen /

Doctor Faustus ganntz erschrockhen verwilligt jm solches / setzt sich nider vnnd schreibt mit seinem bluet / welches nach seinem erschrockenlichen Todt gefunden ist worden / also Lauttendt / [82r]

---

6) den Bar Jehu
7) wolgefiele, vnd bedanckt sich dessen gegen dem Alten seines wolmeinens halber, vnd gelobte solchem, so viel jhme müglich were, nachzukommen
8) geziehen, dass er sich dem leidigen Teuffel also ergeben hette
9) oder aber, er solle sich alsbald nider setzen, vnd sich widerumb von newem verschreiben mit seinem Blut, vnd versprechen, daß er sich keinen Menschen mehr wöll abmanen vnd verfuren lassen

[55]

Obligation:-

JCH Doctor Johann Faustus / Bekhenn mit diser meiner eignen Hannd vnd Bluet / Das jch diss mein Erst jnstrument vnnd verschreibung biß

nun jnn das Neunzehend[1]) jar Vest vnnd steyf gehalten hab / Gott
vnd allen Menschen feind gewest / Hierauff setz jch hindan Leib vnnd
Seel / Vnnd Vbergibs dem Mechtigen Gott *Lucifero.* Das So auch Das
Funffte jar[2]) verloffen ist / er mit mir zueschalten vnnd zuwalten hat /
neben dem so verspricht er mir mein Leben woll kurtzern vnd auch
lenngern / es sey jnn Todt oder jnn der Hell / auch mich keiner Pein
thailhafftig machen / Hierauff versprich jch mich weitter / Das jch
kainem Menschen mer gehorchen will / Es sey mit vermanen Lehren /
abrichten / Vnderweysen vnnd Dreuhungen / es sey jm Wort Gottes /
Weltlichen / vnnd Geystlichen Sachen / vnnd sonnderlich keinem Geystlichen Lehrer gehorchen noch seiner Lehr nachkommen / alles getrewlich
vnnd krefftig zuhalten Laut meiner verschreibung vnnd eignem Bluet.

Auff solliche Gottlose verdamliche Verschreibung [82v] jst er dem
guetten Alten Mann so feind wordn̄ / Das er jm nach Leib vnnd Leben
gestelt / aber sein Christlich gebett vnnd Wandel hat dem boesen Feindt
ein grossen stoss thon[3]) Das er jm nicht konnen beykommen. Vber
zwen tag hernach als der Frombe Mann zu Betth gen Wolt / vnnd jm
Betth lag / Da hört Er jm hauß ein gross gerimpell / welchs Er zuuor
nie gehört / vnnd gehet zu jm jnn sein kamer kurret wie ein Saw /
das werdt nun lanng / Darauff der Alt Mann des Geistes zu spotten
anfieng vnnd sagt O Wol ein schöne Bayerische *Musica* ist das / Ey
wol ein schon gesanng ist das von einem gespenst / wol ein Hubsch
gesang[4]) ist das von einem schonen Engell / Der nicht zwen taglanng
jm Paradeis bleiben mögen / Vexiert suecht erst jetzundt[5]) ander Leuth
heuser / vnnd hat jnn seiner wohnung nicht bleiben können / Mit
sollichem gespött Hat Er den Geyst vertriben / Dann Doctor Faustus
fragt wie Er mit dem Alten vmbganngen sey: jm Antwurt der Geyst
also / Das Er jm nicht habe können bekommen[6]) / dann Er sey gehar-
nischt gewesen (.das gebett gemeint.) So hab Er sein darzue gespott /
Welliches die [83r] Geister / oder gespenst[7]) nicht leiden können /
sonnderlich wann man jnen jren faall Verwurfft /

---

1) in die 17.
2) 7. jar
3) ein solchen stoß gethan
4) Gespenst, wie ein schön Lobgesang
5) vexiert sich erst in
6) beykommen
7) Teuffel

116

Also beschutzet Gott wider den boesen Geyst alle Frombe Christen so sich Gott ergeben /

[56]
Von zwayen Personen so Doctor Faustus jrer verEelichung ein Vrsacher:-

Zu Wittemberg ward ein *Studiosus* ein stattlicher vom Adel .N. Reukkauer der hett sein hertz vnnd augen gewandt zu ainer die auch guett von Adelichem Geschlecht wardt / ein Vberauß schöns Weibsbild / vnnd vil Werber hett zu Ee / aber allen solchs abschlueg / sonnderlich auch ein junger Freyherr darunder ward /

Nun hett diser Reuckhauer vor allen dern wenigsten platz¹) / Der zu Doctor Fausto guette kundtschafft / auch offt mit jm jnn seinem hauß mit jm geessen vnnd gedrunckhen / Dem fecht die Liebe zu der vom Adel so sehr an / Das Er vom Leib abnam / auch daruber jnn ain kranckheit fuell / das Doctor Faustus jnn erfahrung kam / wie Er schwerlich krannckh were / Fragt seinen [83v] Geyst *Mephostophiles* was jm wer / Der jm alle gelegenheit mit der Liebe anzeigt / darauff suecht Er den *Nobilem* haim / Sagt jm alle gelegenheit seiner kranckheit der sich daruber verwundert. Doctor Faustus vertröst jn Darneben Er solt sich nicht so sehr bekhummern / Er wölle jm behilfflich sein / vnnd mueß sonnst²) keinem andern Dann jme zuteil werden / das geschach auch / Dann Der Doctor Faustus verwurt³) der junckhfrawen Hertz so gar mit seiner Zauberey / Das Sie keines andern⁴) oder jungen Gesellens mehr achtet / vnnd sonnderliche⁵) stattliche Reiche vom Adel zur Werber⁶) hett / Bald nach sollichem befilcht Er dem Reuckhauer Er soll sich stattlich beklaiden / Er wolt mit jm zu der junckhfrawen geen / Die jnn einem Gartten sey / bej Vielen sonnst auch junckfrawen / Da man ein Dantz anfahen wurdt / Da Er mit jr Dantzen soll / gibt jm darauff ein Ring / Den soll Er an⁷) finger steckhen / wann Er mit

---

¹) hette sonderlich obgedachter Edelmann vnder disen allen den wenigsten Platz bey jhr
²) seyn, daß dieses Weibsbildt
³) verwirrte
⁴) andern Manns
⁵) achtete (da sie doch
⁶) zu Werbern
⁷) an seinen

117

jr Tantzen / da_u sobald Er sie mit dem finger Ruere / So wert Sie jr
hertz zu jm wenden / vnnd sonnst zu keinem / vnd soll Sie vmb kein
Ee ansprechen / Dann Sie werdt jn selbst ansprechen / Nimpt darauff
ein Distillierts wasser / Zwagt Den [84r] Reuckhawer / der Baldt
darauff ein Vberauß schon Angesicht bekham / thett also wie jn Doctor
Faustus gelernet hat / Tantzt mit jr / vnnd Riert sie an / Die von
stundt an jr hertz vnnd Lieb zu jm wanndt / Die guet jungkhfraw
wardt mit jupitters[8]) pfeyl durchschossen / Dann Sie hett die ganntze
Nacht kein Ruehe am Betth / so offt Dacht sie an jn / bald Morgens
beschickht Sie jn eröffnet all jr hertz vnnd Lieb / begert jn zuer
Ee / Der auß jnbrunstiger Lieb jr solliches darschlueg / hetten bald miteinander jr Hochzeit vnnd wardt Doctor Fausto ein stattliche verEerung
geschennckht /

---

8) Cupidinis

[57]

Von merelay Garten gewechs am Christag
jnn Doctor Faustj Garten gesehen Worden.

Am Christag oder jenner jm Winter[1]) ward gehn Wittemberg vil
Frawen Zimmer kommen / ettliche vom Adel kinder zu jren ge-
schwistergit[2]) / so da studierten Sie haim zusuechen / Welliche guette
Kundtschafft zu Doctor Fausto hetten / Der wardt auch ettlich mahl
zu jnen zuer Mahlzeit geladen / solches zuuergelten beruefft Er diss
Frawnzimer [84v] vnnd die junckhern jnn sein Behaussung / zu einer
Vnderzech / als Sie erschinen vnd doch ein sehr grosser schnee jnn der
Statt lag / Da ward ein herrliche sehr grosse verwunderung jnn dess
Doctor Faustj Garten / Dann Sie sahen Da ein solliche Zauberey das
kein Schnee jm Garten Lag / sonnder ein schöner Sommer mit allerlay
gewechs / Dann das graß hett allerlay bluemen / So waren auch Da
schöne Weinreben / die Allerlaj Trauben hetten / jtem allerlay Rosen /
weiss Rott vnd Leibfarb / auch sonnst vil schone schmeckende Bluemen /
welches ein schöner Lust zusehen /

---

1) JM December, vmb den Christag,
2) Geschwisterten

118

Von einem gemachten Kriegshöer
wider den Freyherren von Hardeckh erzeigt:-*)

Doctor Faustus Rayset gen Eysleben / als Er am halben weg ward / Da
sichet Er Siben pferdt Daher Reitten / vnnd den herren kennet Er /
dann es ward der von Hardeckh Dem Er an dess Kaysers hof ein
Hierschhorn auf die Stirn bezaubert hett wie Hieuornen gemelt / Der
herr kennet den Doctor Faustum gar wol / Desgleichen auch der Faustus
jn / der herr [85r] ließ aber seine knecht still halten / Das der Faustus
bald merckht / Derhalben Er sich vff ein höche thett / als solliches der
Freyherr sahe / ließ Er auf jn Darrennen mit beuelch keckhlich auf-
einander¹) zu schiessen / Dann sie sahen schon das Faustus auf der
hoche ward / derhalben Sie desto besser darauff Truckhten jne zu
erraichen / Er ward aber bald auß jrem gesicht verlohren / Dann Er
sich vnsichtbar macht / Der Freyherr ließ auf der Hoche still halten /
Ob Er jn wider jnn das gesicht bringen möchte / schnell hören sie vnden
jm Wald ein gross pfeiffen mit Posaunen / Trommeten / Trumell / vnnd
hoer bauckhen / Blasen vnnd Schlagen / sahen auch ettliche hundert
pferdt Die auf den Freyherren straifften / aber da gab Er das Versen
gelt / Als Er nun neben dem berg haim wolt / Da stuend ein gross
kriegsfolckh jm Harnisch so auf jn Dar wolt / Er wandt sich auf ein
andern weg / Da sahe Er wider viel Raysiger pferdt / Derhalben Er
sich abermahls auf ein andern weg begeben muest / Da Er gleicherweiß
ein Schlacht Ordnung sahe / also geschache jm solchs ein mahl oder
Funff / So offt Er sich auf ein anders Orth gewenndt / Als Er nun
merckht Das Er nirg- [85v] endt hinauß könndt / vnnd doch sahe das
man auf jn straiffet / Da Rennt Er jnn das hoer hinein was gefahr jm
darob entstehn möcht / vnnd fraget was die vrsach sey / das man jn
allenthalben vmbgeben hab / oder auff jn straiffe / aber da wolt niemandt mit jm reden biß endtlich Doctor Faustus zu jm Ritt (.Da der
Freyherr bald gar vmbschlossen ward.) vnd jm furhielt Er solt sich
gefanngen geben / Wo nicht / so werde man mit jm nach der scherpffe
hanndlen / Der Freyherr meint nicht anders Dann es were ein Mann-
schafft oder Naturlich Vorhaben einer Schlacht / so es doch Lautter
zauberey Dess Doctor Faustj ward / Darauff fordert Faustus Die

---

*) Vgl. Anh. V.
¹) vff jn

Buchssen vnnd schwerdt von jnen / Nam jnen die Geyl / fuert jnen andere Geyl mit buchssen so da verzaubert waren / vnnd schwerter dar / Vnnd sprach Doctor Faustus zu dem Freyherren der Den Doctor Faustum nicht mehr kandt / Mein herr Es hat mir der herr dises hoers beuolhen / Das jr diss mahls solt hinziehen mit diser Condition vnnd geding Das jr einem nachgerendt der bej vnnserm herren vmb hilff angesuecht hat / Wie nun der Freyherr jnn Die Herberg kam / vnnd seine knecht die pferdt [86r] Zuer trennckh ritten / Da verschwunden Sie vnnd waren die guetten knecht schier ertruncken / muesten also zu Fueß reytten / Der Freyherr sahe die knecht besudelt vnnd nass daher ziehen / als Er die vrsach erfahren / beschloss Er alsbald das es Doctor Faustj Zauberey ward / wie Er jm auch zuuor thon / vnnd solches alles zu hon vnnd spott geschehen / Dieweil Er aber anglobt hett / wolt es auch nicht brechen. Doctor Faustus kuppelt die Geyl zusamen / verkauft Sie / vnnd kam dardurch widerumb zu gelt / Also hett Er den grollen seines feinds gerochen /

[59]

Von dess Doctor Faustj Buelschafften
So Er gePflegt hatt:-*)

Doctor Faustus der nun sahe Das seine jar / vnnd versprechung schier verloffen / Hueb an ein Epicurisch / Turckhisch / vnd Gottloß Leben zu haben / beruefft jm Siben Teufelische *Hecubas*[1]) oder *Concubinas* die Er alle beschlieff vnnd eine anders dann die ander gestalt ward / auch so treffenlich schön / das mancher darab geergert wer worden[2]) / Dann Er fuer jnn viel Kunigreich mit seinem Geyst / Damit Er alle weybsbilder schön macht[3]) / Also hett Doctor [86v] Faustus Siben Weyber / Zwo Niderlender / Ain Engellenderin / Ain Vngerin / Zwo Schwabine / vnnd ain Fränckhin / Die ain Ausbundt dess Lannds waren / Also trib Er vnkeuscheit mit seinen Teuffelsweibern sein Lebtag / auch jnn seinen .19. vnnd .20. verlaufenden jaren.

---

*) Über c. 59, 60, 61 vgl. Anh. VI Anm. 11.

[1]) Succubas

[2]) daß nicht davon zusagen

[3]) Weibsbilder sehen möchte

Von der Schönen *Helena* auss *Græcia*
so dem Doctor Fausto beywonung gethon.

Doctor Faustus Damit Er nit vnderließ noch versaumbt so dem Leib angenem vnnd wol thett / felt jm jnn wachen der Mitternacht seines .22. vnnd .23. verlauffnen jars Die Helena auss Griechenlanndt ein / Die Er am weissen Sontag jnn der Fasnacht den Studentn erweckht hett / wie hieuornen gemelt wordn / Derhalben Er Morgens seinen Geyst anmanet er solt jm die *Helenam* darstellen / die sein *Concubina* sein mocht / Das auch geschahe / vnnd die Helena wardt solcher gestalt (.die hernach der Doctor Faustus abreyssen hat lassen / jnn ein gemahl.) Sie hat ein zimliche aufgerichten vnnd wol Proporzionierten lanngen Schnee weissen Christallischen Leib / Ain Angesicht [87r] als ein angestrichen Dynn Rosenfärblin mit Lachenden geberden / Ein gold gelb haar / Das schier biß auf den Waden raichet / Liechte vnnd lachennde Augen mit einem Lieblichen Holdseligen Anblickh ein wenig lengliche nasen / Die zeen weiß wie Alabaster / Jnn Summa es ward kein einiger gebresten an jr /

Als Doctor Faustus solliches sahe / hat Sie jm sein hertz gefanngen / hueb an mit jr zu Buelen vnd ward sein Schlafweib / Die Er so lieb[1] / Das Er schier kein Augenblickh von jr sein könndt. Als Doctor Faustus Sie jm .22. biß jns .23. jar hett / Da blöst Sie sich auf als ob Sie Schwanger gieng / Darab Doctor Faustus hefftig erfrewet ward / vnnd gebar jm ein Sun / den Er *Justum Faustum* hiess / Diss kindt saget dem Doctor Fausto viel zukunftige ding / so jnn allen Landen geschehen solten / Als aber Doctor Faustus hernach Vmb sein Leben kam / da wust man weder Weib noch kind &[2]

---

[1] lieb gewann
[2] kame, verschwanden zugleich mit jm Mutter vnd Kindt

Von gelt vnnd Barschafft dess Doctor Faustj:-

Damit der Teuffel seinem Erben dem Fausto gar keinen mangel ließ / Weyst der Geyst [87v] *Mephostophiles* den Doctor Faustum jnn ein Alte Capell so eingefallen / vnnd bej Wittemberg auf ein halbe meyl

gelegen jnn einem verfallen[1]) keller / Da Er graben solt / Dem gieng
Faustus trewlich nach / wie Er dann kam / fandt Er einen greulichen
grossen wurm auff Dem Schatz sitzen / Der Schatz schine wie ein
angezindt Liecht /

Doctor Faustus beschwuer jn das er jnn ein Loch muest kriechen / Als
Er nun den Schatz grueb / Da fand Er nichts als Kolen darjnnen
nichts[2]) / vnnd sahe Darneben vil gespenst / Also bracht Doctor
Faustus die Kolen haim / Die jnn Silber vnnd Gold verwandelt waren /
welches wie sein *famulus* daruon gemelt hatt / jnn ettlich Tausent
gulden werdt geschetzt ist /

---

[1]) Meil wegs gelegen ist, allda hette es einen vergrabenen
[2]) hörete

[62]

Von einem so jnn der Turckey gefanngen
worden sein weib sich verheurat.
so Doctor Faustus jme Kundt
gethan vnd erlediget hatte:-

Ein stattlicher vom Adel johann Werner von Reuttpuffel zu Bennlin-
gen der mit Doctor Fausto jnn die Schuel ganngen ein gelerther Kerle /
der sich mit einer verheuratt [88r] Sabina von Kettheim / Ein vberauß Schön Weibsbildt / waren auch vber die Sechs jar jnn der Ee /
darnach ward bemelter johann Werner jnn ainem Schlaftrunckh verfuert / Das Er gesellschafft jnn die Turckhey vnnd Hayligen Lanndt
Laysten wolt / sollicher *promission* vnnd versprechen ist Er auch nachkommen / vnnd viel Nation gesehen / auch vil ausgestannden / vnnd
jnn die Funff jar ausgebliben / also das gewise Pottschafft kam / das Er
todt wer / Die Fraw Drey jar Leyd trueg / vnnd darneben Viel werber
hett / vnnd darunder jr einen jungen vom Adel auserkhorn (.der Nott
halben nicht zumelden ist.) als nun die Zeitt Daher lieff Die Hochzeit
zu Celebriern / vnnd Doctor Faustus solliches jnn erfahrung kam /
bericht Er seinen *Mephostophiles* Fragt jn ob Diser Reuttpuffel noch
jnn Leben wer oder nit / Da gab der Geyst antwurt / ja Er wer bey
Leben / vnnd jnn Egypten jnn der Statt *Lijlopolts* gefanngen / Da Er die
Statt *Alkeijro* hat sehen wöllen / Das thett dem Fausto Wehe / Dann
Er jn gar Lieb hett / vnnd neben jm nit Fro ward Das sich die Fraw
so bald verheurat / Da doch der Mann sie So geliebt hett / Damahl

122

ward eben die zeit der Hochzeit der Kattheim [88v] jm das der Bey-
schlaff sein solt / guckht Derhalben Doctor Faustus jnn seinen SPiegell
darjnnen Er alles sehen konndt / zeigt solchs dem Reuttpuffel an / wie
die Hochzeitt seiner Frawen wer / Darab Er von hertzen erschrocken /
Nun ward die zeit dess Beyschlaffens verhannden / Als sich der Edelman Auszug auch das wasser abschlueg / Da braucht der Geist sein
spiel / dann als Er zu jr jnns Beth sprang Die Frucht der Liebe zu-   *NB:*
Da ward & alles verlohren / Die guett Fraw als sie sahe das Er nicht
genuessen / Dann Sie Die hembder auszugen sich zusamen schmucktn̄ /
dran wolt vnnd verzohe / greifft Sie selbs nach dem *Patron* & wolt jm
darzue helffen / aber Sie kundt auch nichts gewinnen /

Also das Ers mit greiffen / ruckhen / schmuckhen bezallen muest /
welliches der Frawen ein Reuwe bracht / ward jngedenckh jres vorigen
Manns / Den Sie mainte todt sein / der Sie recht herumb kundt ziehen
& Eben denselbigen tag hett D: Faustus den Edelman erledigt / vnnd
jm schlaf jnn sein Schloss bracht /

Als nun die guett Fraw jren junckher sahe / Fuel Sie jm zu fueß vnnd
batt vmb verzeyhung / zeigt auch an / wie der ander Mann keinen
gehabt / vnnd nichts hett ausrichten können / darauß [89r] Er merckht /
Das Doctor Faustus reden sich zusamen stimpten / nimpt Sie derhalben
widerumb an / Der guet gesell / so erst widerumb gestaffiert ward /
Der entritt wolt sich nicht mehr sehen lassen / Dieweil es jm also er-
gangen / ist jm krieg hernach Vmbkommen / Der Ander Eyffert aber
jmmer / vnnd muest Die guett Fraw hörn / ob Ers schon nit gemerckt /
hab Sie dennoch bey jme geschlaffen / Der Sie betast / greifft / So Er
aber vber sie mechtig hett kommen können / solliches auch Vollbracht
hett.

Das Letste Stuckh Doctor Faustj
was Er verricht jnn seinem Letsten
Endt des .23. vnd .24. jars So seiner
versprechung nach ausganngen Ist:-

Vom Testament Doctor Faustj was Er seinem Dienner Cristoff wagner vermacht[1]). Faustus hat dise zeither biß jnn das 24 jar seiner versprechung ain jungen knaben auferzogen / so zu Wittemberg fein studierte / der sahe alle Abentheur Zauberey vnnd kunst seines herren / Doctor Faustj / waren auss [89v] Einem Orth eines Rockhs geschnitten / Ein boeser verloffner Bueb Hieuor so zu Wittemberg Betthlen vmbgieng / Wolt jn von seiner boesen Arth wegen niemandt aufnemen / Diser Wagner ward dess Faustj *famulus* vnd hielt sich wol / Das jn derselb seinen Sun nennet / Aß vnnd Fraß mit / Gott geb es kem her wo es wolt.

Als nun Dise obgemeltte .24. jar schier verlauffen / beruefft Er Einen *Notarium* neben ettlichen *Magistris.* So oft vmb jn waren vnnd verschafft also dem *Famulo* Das hauß sampt dem Garten neben dess Gansers vnnd Veitt Röttingers hauß gelegen bey dem Eysern Thor jnn der Scherrgassen an Der Rinckhmaur / welches hauß von Newem hernach gepawet worden / Dann es so vngeheurlich gewesen Das niemandt darjnnen hat wonen können / Jtem Er verschafft jm auch .1600. gulden am zinßgelt / vnnd ain Bawrn guett .800. gulden werdt / Mer 600 gulden Bargelt / Ein gulden ketten drewhundert Cronen werdt / Ein Silbergeschirr so jm kraffter geschenckht / was Er neben von Höfen gebracht hat / als auss Pabsts vnnd Turckhen hoff / jnn die hundert gulden Werdt / sonst ward nicht vil besonnders Da vom Hausrath / Dann Er [90r] nicht vil daheim gewonnt / sonnder bej wirten vnnd Studenten Tag vnnd Nacht gefressen vnnd gesoffen /

---

[1]) *Als Kapitelüberschrift in H.*

Was Gesprech Doctor Faustus mit seinem
Sun neben vermachung dess auffgerichten
Testaments gehabt:-

Als nun das Testament aufgerichtet wardt / Beruefft Er seinen Dienner /
helt jm fur / wie Er jn[1]) Testament eingeleibt hab / weil Er sich die
zeit seines Lebens bej jm wolgehalten / Seine haimlicheit nicht offenbart / Derhalben soll Er jn noch ein bitt anlegen / Das wöll Er jn geweren /
Da begert er sein geschickhlicheit / Darauff Antwurt der schon Vatter
seinem Hubschen verwegnen Sun / Von dem wolgesagt / er hieß
Cristoff Wagner mit dem .*E.* vnd *Ver,* Verwegner / Was sein Buecher
belanngt / Die waren Vorhin mit Erbschafft sein / Doch das ers nicht
jnns Liecht oder tag wolt kommen lassen / Sonnder seinen Nutz Darmit
schaffen / vnnd fleissig darjnnen studiern (.jn Teuffel jrren.) kein
andern[2]) sprach Doctor Faustus begerstu mein geschicklicheit / Die du
ja haben wirdest / wann du meine Buecher lieb hast / dich an niemandt
kerst / sonder bey mir[3]) bleibest / was ist mehr dein beger? mit [90v]
Meinem Geyst *Mephostophiles* dir zudiennen / Das kan jnn dem nit
sein / Dieweil er mir weitter zudiennen nicht schuldig ist / noch einem
andern nicht zuuergleichen / So Du aber einen Geyst vnnd Dienner
haben wilt / Da will jch Dir auch einen verschaffen & Bald am Dritten
tag beruefft Er den *Famulum* vnnd hielt jm fur wie Er einen Geyst
wöll / Ob er noch dess furhabens sey / vnnd jnn was gestalt er jm
erscheinen soll / Er Antwurt Mein herr vnd Vatter jnn gestalt eines
Affen / auch jnn solcher gestalt[4]) vnnd Form /

Darauff erschin jm ein Geyst jnn gestalt eines Affen Der jnn die Stuben
sprang.

Doctor Faustus sprach syhe jetz sichstu jn / vnnd er wirt Dir nicht zu
willen werden biß nach meinem todt / wañ mein *Mephostophiles* oder
Geyst von Dir[5]) genomen / Vnnd du jn nicht mehr sehen wirdest / jm
fahl Du aber dein versprechen / welliches zu Dir steht laysten[6]) / So

---

1) jhn im
2) studieren. Zum andern,
3) sondern darbey
4) grösse
5) mir
6) leystest

wisse Das so du jn fordern vnnd berueffen wirdest / jn solstu nennen
den Auerhanen / dann also Haist Er / Neben So bitt jch dich / Das
du meine thatten / kunst vnnd was jch getriben hab nicht offenbarest
biß jch Todt bin / Dann wöllestu es aufzeichnen zuesamen schreiben /
vnnd jnn ein *Historiam* [Transferiern] [91r] Transferiern / Darzue
dir dein Geyst vnd Auerhann helffen / vnnd was dir vergessen ist /
dich wider erJnnern wirdt / Dann man wirdt solche meine Geschicht
von dir haben wollen /

[65]

Was Doctor Faustus thett als Er noch
ein Monat auff sein End hett:-

Dem Doctor Fausto Lief das ziel daher wie ein Stundglaß / vnnd als
Er noch ein Monat vor jm hett das seine .24. jar ausgeen solten /
darauff Er sich dem Teuffel Versprochen / wie jr vernomen habt / Da
wardt Doctor Faustus Erst klainmuettig erschlagen / vnnd jnn hochster
schwermuettigkeitt / vnnd ward jm wie ainem Gefangnen Mörder vnnd
Rauber so das Vrtheil jnn Gefengknus empfangen / vnnd der Straff
dess Todts gewerttig sein muest / Dann Er war geengst jmmer wainendt
mit jm selbs redent / gauckgelt[1]) mit der handt / Achtzget vnnd
Seunfftzget nam vom Leib ab / vnnd liess sich nicht sehen / So wolt Er
auch den Geyst nicht mehr haben oder Leyden / [91v]

_____

1) fantasiert

[66]

Doctor Faustj Weeclag. das Er noch jn
guettem Leben vnd jungem Alter Sterben mueste:-

Dise Trawrigkeit bewegt den Faustum / das Er seine Wee Clag auf-
zeichnet / damit Ers nicht vergessen mocht / vnnd ist diss auch seiner
aufgeschribnen Clag Eine.
Ach Fauste Du Verwegens nichts werdes Hertz / so deine Gesellschafft
mit verfuerest mein Vrtheil das Fewr[1]) Da du wol die Seligkeit hest
gehabt die Verleurstu /

_____

1) verführest in ein Vrtheil deß Feuwers,

126

Ach vernunfft / vnnd Freyer will was zeyhet jr meine Glyder / Von den sich nichts anders zuuersehen ist / dann beraubung jres Lebens / Ach jr Glider / vnnd Du noch gesunder Leib / jr muest die vernunfft vnnd Seel beclagen / Dann jch hat dirs zugeben oder zunemen gehabt / vnnd mein besserung mit Dir befridigt /

Ach Lieb vnnd Haass warumb seydt jr zu gleich bey mir Einkhert / nachdem jch Euer gesellschafft halben solliche Pein erleiden mueß /

Ach Barmhertzigkait vnnd Rach / auss was Vrsachen [92r] Habt jr mir solliche Ehrngeitz²) vnnd schmach vergonnt.

O Grimmigkeit / vnnd Leiden³) / bin jch darumb ein Mensch erschaffen / Die Straffen so jch jetz beraith sihe von mir selbs zuerdulden.

Ach Ach jch Armer jst auch etwas jnn der Welt / so mir nicht widerstrebt.

Ach was hilfft mein Clag.

---

²) solchen Lohn
³) Mitleyden

[67]
Widerumb ein Clag Doctor Faustj:-

Ach Ach jch Armuethseliger¹) Mentsch O Du betruebter Vnseliger Faustus Du kerst kerst wol jnn den Hauffen der Vnseligen / Da jch den Vbermessigen schmertzen dess todts erwarten mueß / ja vil ein Erbarmlicher dan̄ jemahls ein schmertzhaffte Creatur erduldet hat.

Ach Ach vernunfft / Muettwill / Vermessenheit / vnnd Freyer will. O Du verfluechtes vnnd Vnbestenndiges Leben / O Du Blinder vnnd Vnachtsamer / Der du deine Glieder Seel vnnd Leib so blind machest / auch Dutzest²) / jnn was muheseligkeit hastu mich gefuert Das Du mir meine Augen so fast verdunckhelt vnnd Verblendt hast / Ach mein schwachs gemueth wo waren meine [92v] augen / Vnnd Du mein betruebte Seel / wo ward dein Erkandtnus / jr alle meine Synn / wo ward jr behafft / O Erbarmliche muehe / O Vnseligkeit / O Verzweiffelte Hoffnung / So deiner nimmermehr gedacht wirdt /

---

¹) arbeitseliger
²) machest, als du bist. O zeitlicher Wollust

127

Ach Layd vber Layd / jammer vber Ach vnnd Wee / wer wirdt mich
erlösen / Wo soll jch Euch³) verbergen / Wohin mueß jch mich ver-
kriechen oder fliehen / ja jch sey wo jch wöll / So bin jch gefanngen /
darauff es dann Doctor Fausto also zuhertzen gieng Das Er nicht mehr
reden könndt.

³) mich

[68]
Wie der Geist dem Fausto mit seltzamen
Sprichwörttern Zuesetzt:-*)

Auff obgemelte Klag erscheint Doctor Fausto sein Geyst *Mephostophiles* Tritt
zu jm vnd spricht /
Dieweil Du auss der Heyligen Schrifft wol gewist hasst / Das du Gott allein
solt anbetten / jme Diennen vnnd keinen andern Gott neben jm haben weder
zur Lincken noch zuer Rechten / vnnd Du es aber nicht gethon / sonnder
deinen Gott versuecht jm abgefallen / jn verleugnet / vnnd hieher dich
versprochen [93r] mit Leib vnnd Seel / So muestu Dise versprechung Laysten /
vnnd merckh Meine Reymen /

Waistu was So schweig /
Jst dier wol so bleib.

Hastu was so behalt /
Vngluck kompt mit seinem fueß baldt.

Also nun schweig / Leyd / meyd vnd vertrag /
Dein Vngluckh niemandt Clag.

Es ist zu spat an Gott verzag /
Dann¹) vngluckh Lauft herein alle tag.

Darumb mein Fauste es jst nicht guet mit grossen herren / vnnd dem Teuffel
kurschen Essen / Sie werffen einem die Still jnn das Angesicht / wie du nun
sihest / Derhalben werest wol weytt von dannen ganngen / Weitt Dauon ist
guett fur die Schuss / Dann Dein Hoferttiges Röslein hat dich geschlagen /
Du hast die Kunst Die dir Gott geben verachtet / Dich nicht genuegen lassen /
Ladest erst Den Teuffel zu Gast / Vnnd hast die .24. jar her gemeint es
were alles gold was da gleyst Da²) dich der Geyst bericht / Darauff der
Teufl Dir wider als der Katzen Die Schellen anhengt /[93v] Syhe Du warest

*) S. Anh. VII.
¹) Dein
²) was

ein Schöne wolgeschaffne Creatur / aber die Rosen so man lang jnn Hennden tregt / vnnd schmeckhet / bleiben nicht / Dess Brott Du geessen hast / des Liedlein muestu singen / Verzeuhe biß auf den Karfreytag es wurdt baldt Ostern werden / Dann was du verhaissen hast ist nicht ohn vrsach / ein brattne wurst hat zwen zipffel / vff dess Teuffels Eyß ist nicht guet geen / Syhe Du hast ein boese Arth gehabt / Darumb last Arth nicht von Arth /

Also last die Katz jres Mausens nicht / scharpff Furnemmen macht scherttig / sihe Fauste ist jme nicht also / weyl der Leffel New ist / so braucht jn der koch / Darnach wann Er Alt wirdt / wirfft Er jn jnns Fewr[3]) / ist es nit auch also mit dir / Der Du ein Newer Kochleffel dess Teuffels warest / nun nutzt Er dich nimmer / Dann Der Marckht hat jn Lernen[4]) kauffen / neben dem hast dich nicht lassen benuegen mit Wenig Vorrath Den dir Gott beschert hat.

Noch mehr mein Fauste was der zeit her hastu ein grossen Vbermueth gebraucht jnn allem deinem thuen vnnd Wandel / hast dich genent ein Teuffl Freundt / Gottes / vnnd aller Mentschen Feindt / Derhalben sturtz[5]) dich nun / [94r] Dann Gott ist herr / Der Teuffel / jst Der Teuffel / Ein Apt der Munchen[6]) / Hoffart thett nie guett / Wolttest Hanns jnn allen Gassen sein / so soldt man allen Narren mit dergleichen kolben lausen / Wer zuuil will haben / dem Wirt zu wenig / Vnd Darnach einer kegelt / Darnach mueß er aufsetzen / Lass Dier mein Lehr vnnd erJnnerung zu hertzen geen / Die gleichwol schier verlohren ist / Du solltest dem Teuffel nicht souil vertrawt haben / oder weil[7]) er Gottes Aff ist / Darumb solstu klueger sein gewesen / schimpfen bringt schaden / Dann es ist bald vmb ain Menschen geschehen / vnd Er costet souil auff zuziehen / Den Teuffel zubeherbergen[8]) gehört mehr zum Tantz dann ein Rott bar Schuech / Hettestu Gott vor Augen gehabt (.Dann er Feyrt on das nicht.) vnnd dich mit Gottes gab genuegen lassen / Du solltest dem Teuffel nicht so leichtfertig zu willen gewesen sein / vnnd geglaubt haben / Dann wer Leichtlich glaubt wirdt bald betrogen / jetzt wyscht Der Teuffel das maul vnnd geht daruon / Du hast dich zum Burgen gesetzt mit deinem Aignen Bluet / so soll man Burgen Wurgen / man hatt Dich zuer Bueß vermanet / Aber Du hast es zu [94v] ainem Ohr ein / zum Andern wider ausgehn lassen.

Als nun der Geyst Dem Fauste[9]) den Armen *Judas* jnn das genuegsam gesungen / jst er gleich darauff verschwunden / Vnnd den Faustum gantz Melancholisch vnnd verwirt gelassen /

---

3) wirt, so scheißt er dreyn, dann jß mit jm auß
4) Marckt hett dich soll lehren
5) schürtz
6) der Teuffel ist nur Abt oder Münch
7) haben dieweil
8) beherbergen, braucht ein klugen Wiert, Es
9) Fausto

Doctor Faustj Weeclagen Von der Hellen:-

O Jch Armer verdampter Warumb bin jch nit ein Viech so ohn Seel
stirbt / Da jch nichts erwarten mueß / Dann wann Der Teuffel Seel
vnnd Leyb vor nimpt /Vnnd jch sitzen wirdt jnn ein Vnaussprechlich
Orth[1]) der Qual / Dann gleich wie die Seligen an jnen haben Schonheit /
geschwindigkeit[2]) also mueß jch vnnd die verdampten haben / ein
vnerforschlichen Grewel / gestanndkh / Verhinderung / schmach / zittern / zagen / schmertzen / Truebsal / Heylen vnnd Waynen / Dan̄ wir
haben zwytracht mit allen Creaturn / alle geschöpff sein wider vnns /
vnnd Vorher den Seglichen[3]) Ewige schmach tragen muessen. jch waiss
mich noch zuer Jnnern vom Geyst den jch eins mahls von der Verdamnus gefragt hab / Der zue mir sagt / Es sey ein großer vnder- [95r]
schiedt vnder den Verdampten / Dann die sündt weren vngleich / also
auch die straff vnnd Pein / Vnnd sprach ferner / gleich wie Die sprewer
holtz vnnd Eyssen von dem Fewr verbrandt werden / Doch eines Leich-
ter vnd hertter dann das ander / Also auch die verdampten jnn der
Gluett der Hellen.

Ach Du Ewige Verdamnus / so vom Zorn Gottes also jnflammiert von
Fewer vnnd hytz / So keines Schirns darff jnn Ewigkeitt / Ach was
trawren / Truebsall vnd schmertzen mueß jch nun jnn Ewigkeit
gewerttig sein / mit Wainenden Augen / Knirtschem[4]) Der Zeen /
stanckh der Nasen / erschröckhung Der Eorn[5]) / Zittern der Hanndt
vnnd Fueß / Ach jch wolt gern dess Hymmels Empörn[6]) / wan̄ jch nur
der Ewigen Straff könndt entfliehen /

Ach wer wirdt mich dann[7]) vnaussprochlichen Fewer der verdampten
erretten /

Da kein zeit der hilff sein wirt / Da kein bewaynen der sünd mehr
nutz ist / Da weder tag noch nacht kein Ruehe ist / Wer will mich
Ellenden erretten / wo ist mein zueflucht / wo ist mein Schutz / hilff /

---

[1]) finsternuß
[2]) frewd
[3]) vnd von den Heyligen
[4]) knirschen
[5]) Ohren
[6]) entberen
[7]) dann auß dem

vnnd auffenthalt / Wo ist mein Vesste Burg / was Darf jch mich
trösten /Der Seligen Gottes nicht / Dann jch scheme mich Sie an zu-
sprechen / Da [95v] kein antwurt volgen wirdt / Da mein Angesicht
sich verhullen mueß / Das jch Die Freud der Auserwöhlten nit sehen
mogen / Ach was Clag jch Da kein hilff kompt / Da jch kein vertrostung
der hilff waiss *Amen. Amen.* jch habs also haben wollen / Vnnd mueß
also den spott zum schaden haben /

[70]

Von einer Prophecey oder Weyssagung
des Doctor Faustj vor seinem Endt
Von dem Pabstumb:-*)

Jnn .24. seinem verlauffnem jar / Wardt Er berueffen zu dem Bischoff vnd
Cardinal gen Saltzburg Dem Er widerumb zuer gesundtheit hulff /

Diser Bischoff hielt viel auff Doctor Faustum / Sonnderlich seiner Practica
halben so nicht vngewiß gewesen / Dennoch begert Er eben jnn Dem jar
Da dess Faustj Endt herzue geruckht Ein weyssag was sich jm Pabstumb
werdt zuetragen / jnn Zwainzig oder mehr jaren / Darauff ward diss die
widerantwurt vnnd Prophecey Doctor Faustj an Den Bischoff wie volgenndt
kurtz verfast / [96r]

.1. Der Pabst Ruempt sich dess Apostelampts als Ein verkertter Apostel /
sein macht wirdt je lenger je grösser / Dann Er Verlast sich auff grosse
herren / Als Kayser / Kunig vnnd Potentaten Die jn Beschutzen /

.2. Er wirdt jnn Ettlich jaren die Lilien jn Franckreich verfueren durch ein
Florentinerin vnd gross jammer vnnd Bluetvergiessen anrichten /

.3. Er steigt auf durch einen wurdt ein gewalttiger vnnd Weltlicher herr /
legt seinen Stab neben sich / nimpt das Schwerdt jnn die hanndt / Derhalben
der Adler vnnd Römische Kayser geschwecht wirdt /

.4. Er wirdt Newe Gesatz machen / vnnd Wie Er ein Geystlicher vnnd Weltlicher wirt sein / Also werden seine Bischoff auch sein vnnd Namen haben /
dann es wirdt jnen als gluckhlich ergehn / Dieweil Er Lebt jm Pabstumb mit
seinen Cardinälen Bischoffen & mit fressñ vnnd sauffen /

.5. O Teutschlandt Dein Cron ist dir genomen / dann der Pabst hats vber sein
Cron gesetzt / vnnd wolt fur Kayser vnd König wo Er will fleugt hocher
Dann der Adler / Lebt also mit Euch seines gefallens / vnd ist diser Fuchs ein
herr / vnnd last Euch Affen sein / [96v]

*) S. Anh. VII.

.6. Weyl nun der Pabst ein Weltlicher Herr ist / gelt vnnd guett die Menge hat / Wirt Er jnn Franckhreich vil jammer vnnd Bluettvergiessen anstyfften / auch vil hocher Pottentaten durch sein gelt die kopff abreyssen /

.7. Aber Frew dich wider Teutschlandt / Dann Er Hat dein Gelt vnnd guet an sich gebracht / Dargegen wirstu sein betriegerey mit seinem falschen Glauben gewar / Vnnd wirdt jn Teutschlandt das Lautter *Euangelium* angehn Darzue sich die Teutschen Fursten bekhern / vnnd dem Pabstum einen grossen stoss thuen /

.8. Dieweil Er sich dann mit der Heyligen schrift nicht mehr wirdt schutzen können / Dann thuet Er doch zun Buecher / setzt hinden vnd vornen Zue mit Newem / Darumb auch Vngern / Pollen /Franckhreich / Engellandt vnd Niderlanndt grossen Stoss vnnd Bluetvergiessen haben werden /

.9. Das Pabstum stehet jetzundt auf Dreyen Seyln / als seiner Lehr / dem Schwert / vnnd seinem gelt vnnd guett / aber das ein wirdt Er behalten / vnnd die zwey verliern / als Abfall der Lehr vnnd eröffnung des Rechten Euangelij Aber fur ein Weltlichen herren wirt man jn bleiben lassen / [97r]

[71]
Doctor Faustj Grewlich End
vnnd SPectackell.*)

Die .24. jar des Doctor Faustj waren verloffen / vnnd eben jnn sollichem wachen erscheint jm der Geyst vberantwurt jm sein Brieff oder verschreibung / vnnd zeigt jm an / Das der Teuffel seinen Leib die Ander Nacht hollen werde / dess soll er sich versehen. Doctor Faustus klagt vnnd Wainet die gantze nacht / Also das der Geyst jnn sollicher Nacht jm widerumb erscheint / spricht jm zue / vnnd sagt Mein Fauste sey doch nit so kleinmuettig / ob Du schon dein Leib verleurst / so ist noch lanng Dahin biß dein Gericht wirdt / Du muest doch sterben / wann du gleich viel hundert jar Lebest / Muessen doch die juden / Turckhen / vnd andere Vnchristliche Kayser sterben / So jnn gleicher Verdamnus seind / waistu doch noch nicht was dir aufgesetzt ist / sey behertzt vnnd verzag nit so gar / hat dir doch der Teuffel Verheyssen er wöll Dir ein Stachlinen Leib vnd Seel geben / so nicht Leiden soll / solliches wie andere verdampten & solch vnnd sonst mehr [97v] trost vnnd zuespruch gab er jm / doch falsch vnnd der Hayligen Schrifft nicht gemeß. D: Faustus der nicht anderst wyst vnd gewerttig ward / Dann die versprechung oder Verschreibung muest Er mit der haut bezallen /

---

*) Vgl. Anh. VII.

geht eben an disem tag (.da jm der Gaist angesagt / Das der Teuffell jn
Hollen wert.) zu seinen Vertrawten gesellen *Magistris, Baccalaureis,*
vnnd andern Studenten mehr / welliche bej jm offt stackhen / Die Bath
Er das Sie wolten mit jm gehn jnn das Dorff Rimlich ein halb meyl
wegs von der Statt / vnnd alda mit jm ein Malzeit Einnemen / Die jm
solches nicht abschluegen / gehn dahin vnnd Assen ein Morgenmahl mit
Vil kostlichen richten an speiß vnnd Wein so der Wirdt auftrueg.

Doctor Faustus wardt mit jnen Frölich aber nit auss rechtem Hertzen /
Bitt Sie all widerumb so er berueffen Sie wöllen jm souil zugefallen
thuen / vnnd mit jm widerumb zu Nacht Essen / auch solche Nacht bej
jm bleiben / Er mueß jnen etwas wichtiges sagen / Das Sie jm wider
zuesagten / Namen hierauff die Mahlzeitt ein /

Als nun der Schlaftrunckh auch vollendet wardt / bezalt Doctor Faustus
den Wirdt vnnd batt Die Studenten Er wölle jnen etwas anzeigen /
[98r] dess Sie sich bewilligten / Doctor Faustus Sagt zu jnen also. Mein
liebe vertrawte vnnd gantz gunstige herren / Warumb jch Euch berueffen
hab / jst diss die Vrsach Das Euch vil jar hero an mir bewust / Was jch
fur ein Mann ward / mit allen kunsten vnd Zauberey bericht / Welches
aber nirgennd anderst herkommen / Dann vom Teuffel / vnd mich
auch zu disem Teuffelischen Lust niemand gebracht Dann boese Gesellschafft Darnach Mein nichts wirdiges fleisch vnnd Bluett / Mein hals-
starriger Gottloser will / vnd fliegende Teuffelische gedannckhen / welliche jch mir furgesetzt / Daher jch mich dem Teuffel versprochen / vnnd
Verschreiben muessen / Nemlich jm 24th jaren mein Leib vnnd Seel
zuuerpfenden / Nun seind sollich jar zu Endt biß auf dise Nacht verloffen / jst mir das Stundglaß vor den Augen / vnnd gewerttig sein
mueß wann es ausgehe / Derhalben dieweil jch waiss Das der Teuffel
nicht lest dahinden was jm zuegehört / vnnd jch jm Leib vnd Seel so
theur verschriben mit meinem bluet / Also Das er mich dise Nacht hollen wirt / hab jch Euch Freundtliche liebe gunstige herren vor meinem
Endt zuuor[1]) berueffen / mit Euch ein *Johannes* Trunckh zu ainem Abschied thun wölln̄ / [98v] vnnd Euch mein hinschaiden nicht verbergen
wöllen / Bitt Euch hierauff mein Liebe gunstige Brueder vnnd herren
jr wöllet all die meinen / vnnd die meiner jnn guettem gedencken von
meinetwegen Bruederlich vnd freundtlich griessen / vnnd auch mit bitt
mir nichts fur vbel zuhaben / sonder wo jch Euch jemals belaidiget hab /
solt mir solches hertzlich verzeyhen / Was dann mein Hystorj vnd was

---

1) Ende zu mir

jch triben hab jnn solchen .24. jaren / werdet jr alles aufgeschriben finden /

Vnnd last Euch mein grewlichs End Euer Lebtag ein furbild vnnd erJnnerung sein / Das jr wöllet Gott fur Augen haben / jn bitten Das Er Euch wolle Behuetten vor dess Teuffels Lyst / vnd trueg / Ja der Liebe Gott Euch nicht wölle jnn versuechung fueren /

Dargegen jme anhanngen nicht so gar abfallen von jm wie jch Gottloser verdampter Mensch / Der jch veracht vnnd Abgesagt hab der Tauff dem Sacrament Christj / Jtem Gott / allem Hymmelischen Hoer vnd den Menschen / Einem sollichen Gott der nicht begert Das einer soll verlohren werden / Last Euch Die Boese Gesellschafft nicht verfueren / wie es mir ganngen / sonnder besuecht fleissig vnnd Embsig die Kirchen / vnnd seidt²) alzeit [99r] wider den Teuffel mit ainem guetten gelauben an Christum vnnd Gottseligen Wandel endtlich gericht / So ist nun³) zum Beschluss mein freundtlich bitt jr wöllet Euch zu betth begeben mit Rue schlaffen / vnd Euch nichts anfechten lassen / Auch so jr ein Valtter⁴) oder Vngestuem jm hauß höret / Wollet jr Darab mit nichten erschreckhen / Es soll Euch kein Leyd widerfahren auch nit vom Betth aufstehn / Vnnd so jr mein Leib todt findet / jn zur Erden bestettigen lassen / Dann jch stirb als ein boeser vnnd guetter Christ /

Darumb das jch ein hertzliche Rew hab / vnnd jm hertzen jmmer vmb gnad bitt / Damit mein Seel errettet mocht werden / Dann jch waiss Das der Teuffel den Leib will haben / vnnd jch will jm jn gern lassen / er lass mich nun⁵) zufriden mit meiner Seel / Hierauff Bitt jch Euch jr wölt Euch zu betth verfuegen / vnnd Wunsch Euch ein guette Nacht / mir ein boese Ergerliche erschrockhenliche /

Dise *Declaration.* vnnd erzellung thett D: Faustus mit behertztem Hertzen⁶) / Damit Er sich⁷) nicht verzagt / erschrockhen vnnd kleinmuettig machte /

Die Studenten [99v] verwunderten sich aber vfs hochst das Er so verwegen gewest / nur Vmb schelmerej Furwitz vnnd Zauberey willen sich

---

²) Kirchen, sieget vnd streitet
³) Wandel gericht. Endlich nu vnd
⁴) Gepölter
⁵) nur
⁶) Gemüt
⁷) sie

134

jnn solliche gefahr an Leib vnnd Seel zubegeben / Hatten jn Lieb / vnnd sprachen jm also zue / Ach Lieber herr Fauste / was habt jr Euch gezygen Das jr so lanng habt still geschwigen / vnnd diss vnns nit lenngest offennbaret / Wir wolten Euch durch gelerthe *Theologos* auss dem Netz dess Teuffels errett vnnd gerissen haben. Nun ist es aber zu spatt vnnd Eurem Leyb vnnd Seel schadlich. D: Faustus Antwurt jch hab es nit thun dörfen / bin dessen offt jm willen gewest / mich zu Gottseligen Leytten zuthuen / Rath vnnd hilff zusuechen / wie mich auch ein Altter Mann darumb angesprochen Das jch seiner Lehr volgen soll / Von der Zauberey abstehn / vnnd mich bekhern / jch ward diss schon jm willen / Da kam der Teuffel wolt schon mit mir den garauß spillen (.wie er heidt thon wirdt.) vnnd sagte so Bald jch die Bekherung zu Gott annemen wolte / oder jm synn habe / so soll es mit mir auß sein / Als Sie solliches vom Fausto verstuenden / SPrachen Sie zu jm / weil nun nichts anderst zugewartten ist / [100r] So soll Er Gott an-rueffen vnnd Vmb verzeyhung vmb jesu Christj willen bitten vnnd sprechen /

Ach Gott Sey mir armen sünder genedig / vnnd gehe nicht mit mir jns Gericht / jch kan vor dir nicht bestahn / Wiewol jch dem Teuffel den Leib mueß lassen / So wöllest Du doch die Seel erhalten / Ob Gott etwas wirckhen will / Das sagt Er jnen zue / Er wolt betten / Es wolt jm aber nicht eingeen / wie dem *Cain.* sagt seine sünd weren grösser Dann jme mocht verzygen werden / Also mit Fausto auch / der gedacht jmmer Er hab es mit seiner Verschreibung zu grob gemacht /

Die Studenten vnnd guette herren / als Sie jn gesegneten / Weyneten / vnnd einander Vmbfiengen / blib Doctor Faustus jnn der Stuben / Die herren aber begaben sich zu beth vnnd kundt keiner recht schlaffen / Dann Sie den Ausganng hören wolten.

Also geschahe es zwischen zwelff vnnd Ein Vhr jnn Mitternacht / Das gegen dem hauß her ein grosser vngestiemer wind gieng / So Das hauß vmbgeben / als ob es alles zugrund wolt gehn / vnnd das hauß zu Boden reyssen Darab die Studenten vermeinten zuuerzagen sprangen auss dem Betth vnnd hueben an [100v] einander zutrösten / wolten auss der Kamer nicht /

Der Wirt Lief auss dem hauß / Da Er sonnst jnn den andern heusern kein vngestyem spiret / dann eben jnn seinem hauß / jnn dem Wind (.dann die Studenten neher lagen bey der Stuben / darJnn Doctor Faustus ward.) hörten Sie ein grewliches pfeiffen / als ob Schlanngen / Ottern / vnnd anndere Thier jm hauß wehren / Bald geht Doctor

Faustus thur[8]) jnn der Stuben / Der hueb an Mordio vnnd schrey vmb hilff / aber kaum mit halber stym / Da hört man jn nicht mehr schreyen. Wie es nun tag ward / Vnd die Studenten die gantze Nacht nichts geschlaffen hetten / seind Sie jnn die Stuben ganngen / Darjnn Doctor Faustus gewesen / sahen sie kein Faustum mehr / sonder nichts dann die Stuben Voller Bluett / Das hyrn klebt an der wand Dann der Feindt jn von einer Wand zu der Andern geschlagen hett / jtem seine Augen Da / vnnd ettliche zeen ein greuliches *Spectacul.* Die Studenten hueben an zu Clagen vnnd zu waynen suechten jn allenthalben / Da Sie herauß bey dem Myst den Leyb funden / welcher [101r] greulich anzusehen ward / Der Kopff vnd alle glyder schlotterten.

Dise Studenten vnnd *Magistrj* so gemelt vnd bey dess Doctor Faustj Todt gewesen / haben souil erlanngt / Das man jn / jnn disem Dorff begraben hat / sein darauff auch jnn dess D: Faustj Behaussung ganngen / Da Sie sein *Famulum* den Wagner gefunden / der sich seines Meysters vbel gehueb / Sie fanden Die Historj dises Buechlin alles aufgeschriben & Ohn was sein *Famulus* aufgezeichnet / Das auch ein New Buech von jm ausgeht / Desgleichen eben an sollichem tag ist die Verzauberte Helena / vnnd jr Sohn *Justus Faustus* nicht mehr verhanden gewest.

Es ward aber so Vngehewer jnn seinem hauß / Das niemandt darJnnen konndt Wohnen D: Faustus erschin dem *Famulo* Leibhafftig zu nacht vnnd offenbart jm vil Haimliche ding / So hat man jn auch gesehen bey der Nacht herauß sehen auss dem Fenster wer fur vber ganngen ist.

Also Endt sich die gantz warhafftig thatt geschicht Historj vnd Zauberey /

NBene:- Darauß die Studenten vnnd Schreiber [101v] Lehrnen sollen Gott Furchten / Zauberey / beschwörungen / vnnd anders Teuffels werckh so Gott verbotten zufliehen / auf das Sie den Teuffel nicht zu Gast Laden Noch jm Ruem[9]) geben / wie Doctor Faustus gethon / Da vnns ein Schrockhenlichs vnnd grewlichs Exempel von seiner Verschreibung vnnd End furgebildet ist / sonnder sollicher hendel muessig geen /

Jnn allen dingen Gott allein anbetten / vnnd jn Lieben von gantzem Hertzen Seel vnnd Krefften /

Dargegen den Teuffel sampt allem seinem Anhanng Absagen /

Das wir also mit Christo Ewigclich selig werden mogen /

Das helff vnns allen Christus jesus Vnnser Einiger Herr vnnd Seligmacher *Amen. Amen. Amen.*

---

8) Fausti thûr vff
9) raum

Anhänge

I. Interpolierung und Neuordnung bei der Überarbeitung von c. 4

Wir brauchen lediglich das in mehreren Teilen des Faustbuchs klar zu Tage tretende Formbewußtsein vorauszusetzen, d. h. für das Faustbuch einen Verfasser anstatt eines recht unbesonnenen und nicht auf die Anordnung seines Stoffes achtenden Sammlers anzunehmen, um schon im 4. Kapitel einen Beweis für die Tätigkeit eines Anderen zu finden, der sich nicht nur als Kopist sondern auch als Überarbeiter betätigt[1]). In *des Faustj* Disputation (c. 3) legt Faust dem Geist drei Bedingungen dar. Die erste betrifft den Gehorsam des Geistes; die beiden anderen betonen dann dringend die Vollständigkeit und Wahrhaftigkeit von Mephostos Antworten auf eventuelle Forschungen Fausts. *Des Faustj* Disputation entspricht hierin dem ganzen ersten Teil — dem Charakter der Teufelsbeschwörungen wie auch der darauffolgenden Disputationen — wo Faust immer als wißbegieriger Spekulierer auftritt. Außerdem werden dieselben Bedingungen im Pakt (c. 7) noch einmal festgelegt und in der zweiten Verschreibung (c. 55) bestätigt.

Solche Bedingungen will der Geist besonders schwer finden, denn er scheint im voraus zu wissen, auf welche Informationen Faust zielt:

> *zwar wir niemahlen Den Menschen offenbart haben / Das Recht Fundament vnnserer Wohnung / Regierung / vnnd herrschafft / es waiß auch niemandt was sich findet nach absterben des verdampten Menschen der es erfert vnnd jnnen wirt.*

Da Mephosto ohnehin nicht befugt ist, einen solchen Vertrag einzugehen, muß er unverrichteter Dinge verschwinden, verspricht aber, am Abend wieder zurückzukehren.

In der *Andern* Disputation (c. 4) kommt Mephosto dann mit einer Vollmacht, unbedingten Gehorsam zu verheißen; Faust glaubt mit Recht, daß seine Artikel damit angenommen werden. Das erhellt aus dem Pakt (c. 7): nicht zufrieden mit den

> *Gaben so mir von Oben herab beschert vnnd gnedig mitgetheilt worden ... hab jch jnn das werckh gesetzt die Elementa zu speculiern / welches man von den Menschen nit kan bekommen / Darumb jch erfordert gegen-*

---

[1]) PETSCH, Einleitung zum Volksbuch S. XXVIII, glaubt schon im 2. Kapitel des Überarbeiters Tätigkeit zu spüren. Seine Besprechung von c. 4 befindet sich auf S. XXVIII—XXX.

werttigen gesandtñ Gaist der sich Mephostophiles *nennet / ein Diener dess Hellischen Printzen* In Orient *(.Dem vbergeben ist Mich solliches zuberichten vnnd zulehren).*

Dagegen, fährt der Pakt dann fort, *soll jch jm ein* promission *aines jnstruments vbergeben / Der sich Dagegen auch versprochen mir jnn allem vnderthenig vnnd gehorsam zu sein.* Auch in c. 4, nachdem Mephosto versprochen hat: *jnn allem gehorsam / vnd Vnderthenig zusein / Dieweil jm von seinem Obersten gwalt gegeben,* drängt er auf Fausts promission: *Antwurt bring jch / vnd Antwurt Muestu mir geben.* Aber anstatt auf eine so herrisch verlangte Antwort zu warten, stellt der Geist sofort die nämliche Frage, die er im vorigen Kapitel vorgebracht hat: was Fausts *beger* sei — und Faust kommt auch mit völlig neuen Bedingungen.

Sein Verlangen nach Wissen fehlt in diesen zusätzlichen Artikeln ganz. Zuerst bittet Faust um Gestalt und Geschicklichkeit eines Geistes. Dann, als hätte er gar nicht auf Mephosto geachtet, als dieser doch gleich zu Anfang des Kapitels versprach *jm jnn allem gehorsam / vnd Vnderthenig zusein,* verlangt Faust in fünf einzelnen Punkten strengen Gehorsam. Der geduldige Geist versichert wieder *Das er jm jnn allem wolt wilfaren vnnd gehorsamen* und spricht dann erst die zweifellos folgerichtige Fortsetzung seiner Worte am Kapitelanfang. Es sind nämlich *dess Gaists begerte Articul.* Alles, was dazwischen liegt, ist schale Wiederholung und teilweise sogar ein Widerspruch zum vorigen, sich doch bis ins einzelne mit dem Pakt deckenden Kapitel (3). Die zweite Reihe von Fausts Forderungen an den Geist, die in einem falschen Verhältnis zu dem übrigen Faustbuch steht, müssen wir als Schreiberzutat betrachten. Hier wie auch später liegt die Vermutung nahe, der Überarbeiter werde nur versucht haben, seine Vorlage zu verbessern, indem er durch Anlehnung an andere Kapitel Fausts Bedingungen — nach seiner Meinung — in Einklang mit der übrigen Historia bringen möchte. Vgl. etwa Punkt 1 mit dem Schluß des Kapitels; Punkt 3—5 mit c. 8; Punkt 6 mit c. 5.

Wir dürfen aber nicht das ganze 4. Kapitel als Zutat ansprechen, denn es war von L gewiß als eine Parallele zu c. 3 gedacht. In c. 4 soll Mephosto nun seinerseits Forderungen stellen, ehe in dem *Dritten* Colloquium (c. 5 ff.) der Pakt selber formuliert wird. Der Anfang von c. 4 muß, wie am Ende Fausts Antwort, echt sein. Aber auch unter den Forderungen Mephostos steht sicher Echtes und Interpoliertes dicht beisammen.

Hier widersprechen sich Punkt 1 und Punkt 4 auf recht krasse Art. — Der 7. Punkt stellt überhaupt keine Forderung, sondern eine Versprechung Mephotos dar. Er heißt (übrigens nicht in H) Punkt 7 vielleicht nur um die magische Siebenzahl zu erreichen. — Aber auch Punkt 6 kann unmöglich in diesem ersten Abkommen enthalten sein, denn sonst würde sich Mephosto darauf berufen, wenn der *Alt Mann* des 54. Kapitels Faust tatsächlich *verfuert*[2]).

---

[2]) PETSCH, Einleitung zum Volksbuch S. XXIX.

Stattdessen verlangt Mephosto in c. 54 einen neuen Pakt. Nachdem Faust (c. 55) die Klauseln des ersten Pakts ausdrücklich wiederholt, wird die wichtige neue Bedingung zugefügt: *Hierauff versprich jch mich weitter / Das jch kainem Menschen mer gehorchen will ... vnnd sonnderlich keinem Geystlichen Lehrer gehorchen noch seiner Lehr nachkommen.* Diese Verpflichtung kann nicht schon im 4. Kapitel enthalten sein. Der erste Pakt weiß nichts davon, und der zweite Pakt schließt ihn buchstäblich aus jedem früheren Abkommen aus: *JCH Doctor Johann Faustus / Bekhenn ... Das jch diss mein Erst jnstrument vnnd verschreibung biß nun jnn das Neunzehend jar Vest vnnd steyf gehalten hab.* Der Überarbeiter interpoliert in c. 4 also: entweder Punkt 1 oder Punkt 4; auch Punkt 6 und Punkt 7.

Sogar H mußte in diesem Abschnitt die Widersprüche erkennen. Wie er zum 4. Punkt kommt, läßt er ihn vorläufig weg (denn wie könnte Faust, der schon versprochen und geschworen hat — Punkt 1 — des Teufels eigen sein zu wollen, nun mit Punkt 4 dem Teufel *ettliche zeit vnnd zill geben*?). Bei H erscheint Punkt W 4 ganz logisch zusammen mit Punkt W 7 erst in einem anderen Abschnitt als Zugeständnis des Teufels an Faust. Es bleiben dann nur fünf Punkte. W wird hier wie auch sonst der Vorlage ziemlich nahe gefolgt sein, während H eine oberflächliche Redaktion versucht, um die auffallendsten Widersprüche zu beseitigen.

Sieben Punkte hat es aber auch bei L nicht gegeben. Punkt 6 übernimmt X aus der zweiten Verschreibung. Punkt 7 ist bei L höchstens ein Trostwort Mephostos und gar keine Verpflichtung Fausts. Wie schon H erkennt, kann nur einer der beiden Punkte 1 und 4 richtig sein. Weil die Forderungen Fausts aus c. 3 in den beiden Pakten wieder festgelegt werden, dürfen wir auch aus den Pakten ein ungefähres Bild von Mephostos Forderungen in c. 4 erwarten.

Die beiden Pakte stimmen darin völlig miteinander überein, daß Faust am Anfang eigentlich nur zweierlei verspricht: 1) Gott und allen Menschen feind zu sein; und 2) nach 24 Jahren des Teufels eigen zu werden. Wir hören dagegen nichts davon, daß Faust sich wissentlich und sofort dem Teufel ergeben sollte (laut Mephostos erster Bedingung in c. 4). Daß Faust nun in der Tat schon seit dem ersten Abkommen vom Teufel besessen wird — das wissen natürlich wir und der Überarbeiter, aber Faust erfährt es erst später, nämlich in dem Disputatio-Kapitel 14: *Doctor Faustus Antwurt vnnd sprach / So hast Du mich auch besessen / Lieber Sag mir die Warheit ... Ey was hab jch gethon.*

Während also die weitere Entwicklung der Historia Mephostos ersten Artikel unterminiert, wird durch bloßes Vorhandensein eines Pakts der zweite Artikel bestätigt: *Das Er sollichs mit seinem Aignen bluet wöll bezeugen.* Was aber Faust zu bezeugen verspricht, ergibt sich erst aus dem vierten, auch durch die Pakte unterbauten Artikel: *wöll Er jme ettliche zeit vnnd zill geben / So dann sollliche verloffen so Soll Er sein sein.* Da Punkt 2 auch in L an zweiter

Stelle stehen muß, so dürfen wir dort die Reihenfolge: W 4, W 2 vermuten. Das heißt, der Überarbeiter ersetzt Punkt L 1; nach seiner Erfindung eines neuen ersten Artikels (oder vielmehr, Entlehnung aus c. 5: *Eben jnn sollicher stundt felt diser Gottlose Mensch von seinem Gott vnnd Schöpffer ab / vnnd wirdt ein Glidt des Laidigen Teuffels)*, muß er sogleich Punkt 2 anführen und Punkt L 1 deshalb vorläufig weglassen, um ihn erst später als Punkt W 4 wieder einzuschalten.

Den beiden Pakten nach besteht die einzige weitere Verpflichtung Fausts in seinem Versprechen, dem Christentum feind zu sein. PETSCH bedauert das Fehlen einer solchen Verpflichtung unter Mephostos Forderungen in c. 4[3]). Sie fehlt aber nicht, sondern ergibt sich aus Punkt 3 und Punkt 5, welche nicht nur inhalts- sondern auch wohl syntaxmäßig voneinander abhängig sind und sich tatsächlich in L (wo sie Punkt W 4 = L 1 noch nicht trennt) nebeneinander befinden. Sie vertreten nur eine, und zwar die dritte und letzte Bedingung Mephostos. Damit setzen sich seine Forderungen, genau so wie Fausts im vorigen Kapitel, aus nur drei Artikeln zusammen.

Stellt c. 4 die erste bedeutende Änderung durch X dar, so dürfen wir hier schon charakteristische Züge seiner Arbeitsweise suchen. Daß dieser Überarbeiter eine Ergänzung von L erstrebt, ist nicht schwer zu verstehen. Ihm ist die Faustfigur überhaupt keine fiktive Gestalt, sondern eine wohlbekannte Persönlichkeit. Überall erzählt man gerne Anekdoten von Faust — er war ja bis gegen die Jahrhundertmitte noch am Leben, war berühmten Leuten bekannt; sein schrecklicher Tod (um 1540) wird sehr wahrscheinlich noch in den Jugendjahren des Überarbeiters X stattgefunden haben. C. 3—4 wird der Überarbeiter in ihren Hauptzügen als Bestätigung dessen betrachten, was er schon weiß: daß Faust einen Pakt mit dem Teufel eingegangen sei. — Unter anderen hat Melanchthon Fausts Geist (in Hundesgestalt) gesehen. Das zu bearbeitende Material gilt bei X also gar nicht als Roman — was wußte man im deutschen 16. Jahrhundert von dieser Kunstform? — sondern als faktischer Bericht über eine wohlbekannte Figur aus der neueren Geschichte. Diese Historia enthält viel Neues. Damit entspricht sie freilich nicht im Einzelnen dem bisher Mitgeteilten, aber sie bringt doch das umfänglichste Material, das es damals gibt (es erscheinen natürlich in den folgenden Jahren noch viel reichhaltigere Nachrichten als in X, denn andere Faustbuchbearbeiter — die Erweiterung von H beginnt schon im Erscheinungsjahr des ersten Drucks und wird bis auf Widmanns Wälzer fortgesetzt — sind genau so gesinnt wie X).

Der Überarbeiter hat L offenbar schon einmal durchgelesen, ehe er ans Werk geht, aber ohne imaginative Teilnahme als einen rein sachlichen Bericht. Sein Standpunkt ist ganz objektiv, so daß er die in L enthaltene Reihe von Artikeln (c. 3) als ebenso gültig anerkennt, wie die ihm wahrscheinlichere, bei erster

---

[3]) PETSCH, Einleitung zum Volksbuch S. XXIX: „doch hat die Überarbeitung den für L wichtigsten Punkt weggelassen".

Gelegenheit eingeschobene Serie (c. 4). Den Gang der Erzählung in c. 4 damit zu unterbrechen, stört ihn anscheinend nicht, denn ihm fällt es gar nicht auf, daß es hier nach dem ersten Abschnitt nicht mehr möglich ist, noch zu der Handlungsetappe von c. 3 zurückzukehren. So viel läßt sich über die Einstellung des Überarbeiters zu seinem Material sagen. Inwiefern läßt sich auch schon die Art seiner Beiträge kennzeichnen?

In c. 4 finden sich eine einfache Interpolierung (Fausts zweite Bedingungen) und auch eine Ergänzung (von Mephostos Bedingungen) unter Neuordnung der Vorlage. Die fiktiven Bedingungen bei L (c. 3) haben wenig mit dem geschichtlichen oder sagenhaften Faust zu tun, sondern sind der ganzen Historia — vor allem der Persönlichkeit Fausts — angepaßt, um damit zu einem organischen Teil einer Komposition zu werden. Der Überarbeiter verrät uns mit seiner interpolierten Version der Bedingungen Fausts (c. 4) keine solchen Interessen, sondern höchstens einen Hang zum Phantastischen: *Das Er auch möcht die geschickhlicheit Form | vnnd gestalt eines Gaistes an sich haben;* und eine neugierige Vorliebe für die Einzelheiten des okkulten Wesens: *Das er in seinem hauß soll vnsichtbar Regiern | vnnd sich von niemand sonst soll sehen lassen ... Das er jm so offt Er jn fordert erscheinen soll | jnn einer gestalt | wie es jme auferlegt werde.*

Bei seiner Ergänzung und Neuordnung gegen Ende des Kapitels können wir X noch besser kennenlernen. Dort erscheint der Sammler um die Vollständigkeit und Richtigkeit seines Berichts ganz ehrlich besorgt. Wenn er an eine Stelle stößt, wo er es bestimmt besser weiß, so ist er bereit einzugreifen, aber nicht — dafür sind wir ihm dankbar — etwas auszulassen. Was Faust mit dem eigenen Blut bezeugen muß, heißt nach des Überarbeiters Meinung nicht, wie in L stand (Punkt 4), dem Teufel *ettliche zeit vnnd zill* zu geben, um erst n a c h solchem Zeitraum des Teufels eigen zu werden. Geschichte, Sage und Faustbuch (c. 5) stimmen darin überein, daß Faust sich dem Teufel in dem Augenblick ergibt, wo er sich auf Verhandlungen mit ihm einläßt: so muß nach X denn auch der erste Punkt lauten. — Aber der erste Punkt bei L wird nicht weggelassen, sondern nur verschoben.

Wie Punkt L 1 nachträglich als Punkt W 4 wieder eingeschaltet wird, bringt uns auf einen interessanten Zug von X und offensichtlich auch von W: von der Überarbeitung hinterlassene Nähte lassen sich vielleicht noch an der rein äußerlichen Gliederung des Materials aufspüren. Punkt 1 — Beitrag des Überarbeiters — nimmt einen Abschnitt für sich ein. In einem neuen Abschnitt erscheint dann Punkt 2 und auch die eine Hälfte von Punkt 3. Mitten in Punkt 3 aber bricht der Abschnitt ab. Punkt L 1 wird als Punkt 4 nachgeholt — als habe sich der Bearbeiter plötzlich dessen erinnert und nichts unerwähnt lassen wollen. Auch bei der Interpolierung am Kapitelanfang fällt die Zeileneinrückung mit dem Einsatz des neuen Materials zusammen (sonst kommt es nur gelegentlich vor, daß direkte Rede so ausgezeichnet wird). Vgl. Anhang IV, wo der Einschub von Einträgen aus einem Wörterbuch ähnliche, aber auffallendere Narben hinterläßt.

II, Einschub eines ganzen Kapitels: c. 6 und 23

Der Gang der Erzählung, der sich bei L schnell vorwärts bewegt, wird vom Überarbeiter jäh unterbrochen, um das ganze 6. Kapitel[1]) einzuschieben. Darum muß, um wieder ins Fahrwasser zu kommen, schon Erzähltes am Ende wiederholt werden (Fausts Einwilligung in den Pakt, der letzte Abschnitt von c. 4 u n d von c. 6). Das ist hier besonders auffallend, eben weil der Ausgang von c. 5 so entschieden auf den Pakt drängt: *Doctor Faustus Last jm das Bluet herauß jnn ein Degell / setzt es auf ein warme kohlen / vnnd schreibt wie bald hernach volgt.* C. 6 trägt zwar noch die Überschrift nach L: Doctoris Faustj Instrument. *vnnd sein Teuffelische vnd Gotlose Verschreibung.* Sie ist wieder eine von der Überarbeitung hinterlassene Narbe, denn sie hat überhaupt nichts mehr mit dem Inhalt des Kapitels zu tun. Schon in dem ersten Satz, wo Fausts Famulus Wagner mit dem Geist Mephosto verwechselt wird, erkennen wir X, denn das sind ja zwei verschiedene Personen, welche die Historia sonst nirgends durcheinanderbringt. Das übrige Kapitel setzt sich aus der Aufzählung von phantastischen *verblendungen* zusammen. Auf solches *Mottern vnnd geplerr* kommen wir später zurück; hier genügt noch ein Hinweis auf L's eigene Auffassung von den Diensten des Teufels in c. 8, um c. 6 als eine der handgreiflichsten Interpolierungen hervorzuheben.

Schon H erkennt, daß auf *Das Dritte* Colloquium (c. 5) der Pakt (der bei L wohl als Kern des *Dritten* Colloquiums gedacht war) unmittelbar folgen muß (W 7 = H 6). Daher macht H aus dem eben zitierten Schlußsatz von c. 5 *(Doctor Faustus Last jm das Bluet herauß . . .)* eine recht merkwürdige neue Kapitel ü b e r s c h r i f t und läßt als c. H 6 seine emendierte Version des Pakts folgen. H hat selber einige Brant-Reime, die er gerne nach dem Pakt einfügen möchte (H 7). Erst dann (H 8) kommt er auf das in c. W 6 enthaltene Material zurück. Daß es dann ohne jede Überschrift gedruckt wird, bestätigt, wie die ersten Worte: *Jm dritten Gespräch*, daß H — obwohl seine Redaktion eine Annäherung an L vertritt — die in W bewahrte Kapitelfolge bei X vorfand. Mit c. W 8 = H 9 kommen wir wieder auf den Urbestand von L: statt einer phantastischen Schilderung von Geistertricks einen nüchternen Bericht über den Teufel als Diener; statt der Unterbrechung mitten in den Verhandlungen mit dem Geist eine Beschreibung der neuen äußeren Lebensverhältnisse Fausts, welche erst durch den Pakt ermöglicht werden. Hier erscheint übrigens nun der echte Famulus Wagner.

In c. 6 finden wir den Überarbeiter vielleicht schöpferisch tätig. Stilistisch gehört dieses Stück mit einigen anderen Kapiteln (23, 46, 48, 49, 50) eng zu-

---

[1]) PETSCH meint nur „das meiste auf Rechnung der Überarbeitung" setzen zu müssen: Einleitung zum Volksbuch S. XXIX f.

sammen — nicht bloß weil sie aus lauter Spukphantastik bestehen, sondern weil sie eine einheitliche, sich aber von der übrigen Historia abhebende Technik, gemeinsame Bilder und Gegenstände, ja sogar dieselben Wörter und Wendungen aufweisen. Hier möchte ich c. 6 nur mit dem Besuch der Teufel bei Faust (c. 23) vergleichen[2]). Diese grotesken Aufzeichnungen zeigen folgende Gemeinsamkeiten, welche zugleich Gegensätze zu der übrigen Historia darstellen:

1. Keine eigentliche Handlung, sondern ein Durcheinander von phantastischen Erscheinungen als Inhalt. C. 6: die *Wurckhung / Enderung / Verkerung vnnd weiß* des Geists - -c. 23: ausführliche, bunte und schablonenhafte Beschreibungen der einzelnen Teufel (vgl. den grausamen *Sathan* aus c. 9, dessen Äußeres gar nicht beschrieben wird, mit der Chimäre desselben Namens in c. 23).

2. Daher etwas unbeholfene Einbeziehung Fausts, der als passiver Zuschauer da ist. In c. 6 erscheint der Held nur, um die Vorführungen auszudehnen: *Er wolt* [Mephosto] *auch noch nicht jnn sein Losament fordern / biß er sehe was endtlichen darauß wolt werden / vnnd was es fur ein ausganng haben wurdt.* In c. 23 besteht Fausts Rolle lediglich aus wiederholten, den Stoff zusammenkittenden Bitten, daß die Teufel *jn ein Prob sehen lassen* oder *jn ein solchs werckh sehen lassen.* — Bei L dreht sich doch alles um Faust selber und sogar die Anekdoten im Dritten Teil sind dazu angetan, seine Persönlichkeit von verschiedenen Seiten her zu belichten.

3. Die Liste als Produktionsprinzip. In c. 6 sind es aneinandergereihte Spukerscheinungen. Die bei aller Buntheit immer gleichen Schilderungen der einzelnen Teufel bilden die erste Hälfte von c. 23. Es folgt eine Liste von Tieren, dann von verschiedenen Ungezieferarten, wobei der Überarbeiter sein Äußerstes tun muß, um für jede Art ein neues Zeitwort aufzubringen, damit Faust *vberal genueg mit Vnzyfer geplagt* wird. In beiden Kapiteln wird das Wörterbuch von Dasypodius herangezogen, um — im Allgemeinen alphabetisch — einmal Musikinstrumente, dann verschiedene Insekten zu verzeichnen[3]).

---

[2]) PETSCH dagegen zählt dieses Kapitel zu L: Einleitung zum Volksbuch S. XXXI f. Es teilt aber mit c. 6 so viele Gemeinsamkeiten, daß er dann auch dieses zu L hätte rechnen müssen, was er nicht tut.

[3]) Petrus Dasypodius, *Dictionarium Latinogermanicum et vice versa Germanicolatinum* (Straßburg, 1535—36). S. ADOLF BAUER, Zu den Quellen des ältesten Faustbuchs: vier verschiedene Anklänge — Dasypodius: Vjs. f. Ltgsch. 1 (Weimar, 1888) S. 190—195. Hier sei ein für allemal auf PETSCH'S 2. Anhang zum Volksbuch verwiesen: Die wichtigsten Quellen. Dort werden fast alle der im folgenden erwähnten Quellenmaterialien in bequemer, sehr übersichtlicher Form abgedruckt.

4. **Des Überarbeiters eigene Auffassung der Faustfigur.**
Auch bei der dürftigen Behandlung des Helden erblicken wir eine diesen
Kapiteln eigentümliche, abwertende Einstellung zu Faust. Der hartnäckige
Forscher aus dem 3. Kapitel oder aus den in c. 10—16 folgenden Disputationen
(*So will jchs wissen oder will nicht Leben / Du muest mirs sagen*) ist in c. 6
verschwunden. Es ist ausdrücklich *hie zusehen wie der Teuffel so ein Sueß
geplerr macht / Damit Doctor Faustus jnn seinem Vornemen nit möchte abgewendt werden.* — Hat doch aber Faust schon im vorigen Kapitel *Das Bluet
jnn ein Degell* hinausgelassen, um ohne jede Anspornung von Mephosto den
Blutpakt möglichst bald auszuführen. In c. 23 gibt Faust eine kleinliche, ja
lächerliche Figur ab. An die Stelle des verdammenswürdigen aber nie verächt-
lichen Helden bei L ist eben beim Überarbeiter der zaghafte Phantast aus c. 4
getreten, der sich die Geschwindigkeit und Geschicklichkeit eines Geistes aus-
bedingt, aber dann das *Mottern vnnd geplerr* des 6. Kapitels nötig hat, um
den Pakt zu vollziehen.

5. **Unsicherheit über die Mephostofigur.** Der Überarbeiter
scheint durch diese originelle Erfindung von L, die dem Geist eigene Züge
verleiht, etwas befremdet zu sein. Wo X neue Anekdoten im Dritten Teil
sammelt, braucht Mephosto überhaupt nicht aufzutreten. Hier erscheint er zwar
als Hausgeist, aber ohne jede Persönlichkeit. Im 6. Kapitel heißt er Fausts
Gaist oder Famulus. In c. 23 ist er mit keiner Rolle bedacht: *Doctor Faustj
herr vnnd Maister kam zu jm* und stellt sich als Belial vor. Der erste von
Belial vorgeführte Teufel ist aber der Lucifer. *Doctor Faustj Rechter Herr
dem Er sich verschriben.* Das ist nun ein zwiefacher Widerspruch, da Faust
sich ausdrücklich dem Mephosto verschrieben hat (nach L: c. 7).

6. **Enge Anlehnung an L.** Schon in c. 2 macht *der Teuffel* [Faust] *ein
solchs plerr fur die Augen* wie in c. 6. Dort ist auch zum erstenmal *vil Lieblicher
jnstrument / vnnd Music gesanng gehört worden.* Aber erst recht hat der Überarbeiter c. 24 ausgeschrieben. Dort sind dieselben Tiere: *Alter Aff, Lew,
Drachen, zorniger Stier,* wie in c. 6 und es gibt auch ähnliche Kämpfe unter
ihnen. Vgl. nun die folgenden Stellen:

c. 24	c. 6
Er hört ... allerlay jnstrument der klang ganntz Lieblich ward / vnnd konndte doch wie Hell das Fewer ward kein jnstrument sehen / oder wie es geschaffen.	*als wann die Mönich sungen / vnnd wust doch niemand wz fur ein gesanng ward ... Letzlichen da erhueb sich ein Lieblich jnstrument.*
Da dem Fausto ein grosser Fliegennder Hiersch mit grossen Hörnern vnnd Zinckhen begegnet ... darab Er	*sahe man ein zornigen Stier herein lauffen dem Doctor Fausto zue / der nicht ein wenig erschrackh ... Hier-*

144

erschrackh nicht wenig ... sahe Er einen grossen Fliegenden zornigen Stier ... herauß gehn / Der lief also ganntz brullend vnnd grimmig auf den Faustum zue ... Faustus fiel vom Stuel jnn die Kluft ... jn erwischt aber ... ein Alter runtzleter Aff / der erhielt vnnd errettet jn.

auff ward wider gesehen ein grosser Alter Aff der bott dem Fausto die handt sprang auff jn / Liebet jn.

Baldt vberzog die Hell ein Dickher vnd Finsterer Nebell das er ein weil gar nicht sehen kondt.

Bald geschicht das ein grosser Nebell jnn der Stuben wardt / Also das Doctor Faustus vor dem Nebell nichts sehen könndt.

Die Beschreibung des Drachen in c. 6 ist dagegen von c. 25 abhängig:

c. 25	c. 6
sah jch auch meine Ross vnnd Wagen Dise Wurm an flugeln waren Braun vnd Schwartz / weiss sprenckhendt / Der Ruckh auch also der Bauch / kopff / vnnd halß gruenlicht gelb vnnd weiß gesprengt.	Doctor Faustj famulus sagt Das [der Trach] einem Lindwurm gleich gesehñ hab am Bauch gelb weiss vnnd schegget / Die Flugell / vnnd ober theill schwartz / der schwanz halß wie ein Schneckhen hauß krumlicht.

Dieses Muster ergibt dann den Hauptteil von c. 23, wo dieselbe Technik auf einzelne Teufel übertragen und siebenmal in die Länge gezogen wird.

III. Die Verwendung der Quellen zu c. 10—16

Die Unausgeglichenheit des Faustbuchs ist in den Disputationen (c. 10—17) am auffallendsten. Eine albernere Mutmaßung als die in c. 17 begegnet uns kaum in den schalsten Predigten aus diesem Zeitalter. Wohl nur bei Luther werden wir eine so überzeugende Aussage über den Zustand des Sündigen finden, wie in dem Abschnitt: Doctor Faustus hett wol jmmerdar ein Rew jm hertzen / vnnd ain bedennckhen ... (c. 15). Gleich auf einen solchen Teil, wo uns die faustische Seele des 16. Jahrhunderts besonders eindringend und verständnisvoll vorgeführt wird, geraten wir in einen trockenen, aus Pedanterie und reiner Stoffreude von irgendeinem Sammelwerk abgeschriebenen Auszug, der in überhaupt keinem Verhältnis zu Faust steht. Kaum erblicken wir Spuren von Organisation und Form in den Disputationen — sogar von Charakterentwicklung in Faust selber — so stoßen wir auf einen plumpen Widerspruch oder (weniger auffallend, aber vielleicht noch bedeutender) eine retrograde Behandlung des Helden. Tief erschüttert am Ende von c. 13 legt [Faust] sich aufs bett / hebt an bitterlich zu waynnen vnnd Seunfftzgen vnnd jnn seinem hertzen zuschreyen. Ein paar Zeilen später sagt Mephosto: Dise Disputatio *vnnd Frag so jch dir erclären soll / wirdt Dich etwas mein herr Fauste zu Vnmueth vnd nachdennckhen treiben.*

Die Ursachen zu solcher Widersprüchlichkeit suchte schon die frühe Forschung in der Aufschwellung des Faustbuchs durch Auszüge aus allgemeingebräuchlichen Sammelwerken, wovon wenigstens fünf in c. 10—16 vertreten sind[1]. WILHELM MEYER hoffte sogar, mit der Feststellung aller von außen kommenden Stoffe das ursprüngliche Faustbuch dann herausschälen zu können[2]). Aber auch L war wohl kaum von Entlehnungen frei, und X hat sicher noch mehr hinzugetan als Exzerpte aus gedruckten, uns bekannten Sammelwerken. C. 17 z. B., die letzte von den Disputationen, möchten wir aus stilistischen und technischen Gründen als eine Zutat des Überarbeiters ansprechen, obwohl wir an eine besondere Quelle nicht denken; für c. 12 lag ihm gewiß irgendeine Quelle vor, aber wir kennen sie vielleicht nicht[3]). Andere Stellen dagegen, die von J a c o b u s[4]), D i o n y s i u s[5]) und E l u c i d a r i u s[6]) abhängig sind, vertreten folgerichtige, sogar notwendige Fortsetzungen der Historia, so daß wir keine Ursache hätten, sie dem Grundbestand von L abzusprechen. Ja, die Nachrichten aus J a c o b u s (c. 14) sind beispielsweise sehr geschickt eingefügt — Mephosto (Jacobus): [*Wir*] *besitzen auch die hertzen der Königen vnnd*

---

1) In c. 10: H a r t m a n n S c h e d e l s *Weltchronik* in G e o r g A l t s Übersetzung: *Register des buchs der Cronicken vnd geschichtens mit figurē vnd pildnussen von anbegiñ der welt bis auf dise vnsere Zeit* (Nürnberg, 1493). In c. 11 und c. 16: *M. Elucidarius, Von allerhand Geschöpffen Gottes, Engeln, Himeln, Gestirn, Planeten, vnnd wie alle Creaturen geschaffen seind auff Erden* (Frankfurt, 1572). In c. 12: der *Elucidarius* o d e r eine uns unbekannte Predigtsammlung — S. Anm. 3 unten. In c. 14: J a c o b u s d e T h e r a m o, *Belial zu teutsch. Ein gerichtz handel zwischen Belial . . . vnd Cristo* (Straßburg, 1508). In c. 16: P e t r u s D a s y p o d i u s, *Dictionarium Latinogermanicum et vice versa Germanicolatinum* (Straßburg, 1535—36); D i o n y s i u s v a n L e e u w e n, *Cordiale de quattuor novissimus et de particulari iudicio et de obitu singulorum* (Delft, 1497). Vgl. Anm. 3 im vorigen Anhang.

2) ,Nürnberger Faustgeschichten' (München, 1895).

3) SIEGFRIED SZAMATÓLSKI, Zu den Quellen des ältesten Faustbuchs — 1. Kosmographisches aus dem Elucidarius: Vjs. f. Ltgsch. 1 (Weimar, 1888) S. 161—183, glaubte in der *E l u c i d a r i u s* die Quelle gefunden zu haben. GUSTAV MILCHSACK, Faustbuch und Faustsage, in: Gesammelte Aufsätze (Wolfenbüttel, 1922) Sp. 136—138 machte dagegen auf A n s h e l m u s C a n t u a r i u s, *Imago mundi:* c. 21: *De inferno ubi sit* (Köln, 1573) aufmerksam, und zeigte damit, daß vielleicht weder A n s h e l m u s noch E l u c i d a r i u s als unmittelbare Quelle gedient hat (vgl. Anhang IV).

4) GUSTAV MILCHSACK, Einleitung zu der Historia S. LXXVII f.

5) GUSTAV MILCHSACK, Einleitung zu der Historia S. LXXXIII f.

6) SIEGFRIED SZAMATÓLSKI, Zu den Quellen — s. Anm. 3 oben

Fursten der Welt wider Jesus *Lehr* . . .; Faust (nicht von Jacobus, und der Anfang eines Dialogs, wo Faust Wesentliches über sein Verhältnis zu den Geistern erfährt): *So hast Du mich auch besessen / Lieber Sag mir die Warheit.*
Wie anders verfährt X etwa mit dem Wörterbuch von D a s y p o d i u s [7])! Wir betrachteten schon (Anh. II) die alphabetischen Listen von Musikinstrumenten (c. 6) und Insekten (c. 23). C. 15 bricht ab, nachdem Faust eine Frage gestellt, Mephosto aber — im Gegensatz zu den anderen Disputatio-Kapiteln — noch keine Antwort gegeben hat. Als Überschrift dann des neuen Kapitels (16 — nur in W) stehen die ersten vier Worte des ersten Satzes — auch einmalig im Faustbuch — welcher eine sehr lange Entlehnung aus Dasypodius einleitet. Damit kann Mephosto wieder (vgl. c. 12—X zeigt überhaupt großes Interesse für Nomenklatur) verschiedene Namen für die Hölle anführen und erläutern. In c. 46 gibt Dasypodius eine lange Liste von Gerichten, welche Faust dem Fürsten auftischt, und in c. 49 kommt der Überarbeiter zurück auf die schon c. 6 benutzte Liste von Musikinstrumenten, ohne sie zu ändern. In c. 51 wird Dasypodius noch ein letztes Mal herangezogen, um kurze, doch pedantische und unnötige biographische Angaben für die Helena zu liefern.
Wir finden keinen Anlaß, das Dasypodius-Material auf L zurückzuleiten. Ja, aus ganz anderen Erwägungen schon wollen wir die meisten Dasypodius-Exzerpte enthaltenden Kapitel (6, 23, 46, 49) ohnehin als Beiträge des Überarbeiters betrachten (vgl. Anh. II und VI). Diese Quelle wird immer so sklavisch und mechanisch ausgeschrieben — die alphabetische Anordnung wird gewöhnlich beibehalten — daß wir diese Arbeit weder mit dem allgemeinen Niveau des Faustbuchs noch mit der ziemlich geschickten, meistens freien und zweckbewußten Anlehnung an andere Quellen (etwa Jacobus) in Einklang bringen können. Wegen der hinterbliebenen Naht: Ende des einen Kapitels (15) nach einer Frage Fausts, dann ein neues ohne richtige Überschrift — gehört das lange Dasypodius-Exzerpt auf den ersten Blättern von c. 16 zu den auffallendsten Schreiberzutaten im Faustbuch. Weil es außerdem gar keine Antwort auf Fausts eben gestellte Fragen bietet, sind wir zu dem Schluß berechtigt, daß weder dieses noch anderes aus Dasypodius entlehntes Material zu L gehört.
Die umfangreichsten Entlehnungen im Faustbuch stammen aus H a r t m a n n S c h e d e l s *Weltchronik*[8]). In c. 10 stellt Faust die Frage: *wie ist aber dein herr Lucifer jnn fall kommen?* Mephosto zitiert Schedel dann über das fast völlig unverwandte Thema der himmlischen Hierarchien. In c. 21 gibt Mephosto-Schedel einen Schöpfungsbericht. In c. 26 und 27 bekommen wir nach Schedel eine Führung durch die angeblich von Faust besuchten Weltstädte und dann eine Beschreibung der Lage vom Paradies.

---

[7]) ADOLF BAUER, Zu den Quellen des ältesten Faustbuchs — 4. Verschiedene Anklänge. Dasypodius: Vjs. f. Ltgsch. 1 (Weimar, 1888) S. 190—195.
[8]) GUSTAV MILCHSACK, Einleitung zu der Historia S. LIX ff.

Man hat schon früh bemerkt, daß der Schöpfungsbericht in c. 21 dem darauffolgenden (c. 22) kraß widerspricht, und ihn auf Rechnung der Überarbeitung gesetzt[9]). Wichtiger ist aber der vorauszusetzende Widerspruch in den beiden die Veranlassung zu dem Bericht enthaltenden Einleitungen. In c. 21, wie in einem anderen Einschub von X, c. 17, erfindet Faust einen *glimpf*, Mephosto zu hintergehen und trotz des in c. 16 ausgesprochenen Verbots die Disputationen wieder aufzunehmen. In c. 22 nun geht die Anregung zu weiteren Disputationen von Mephosto selber aus; ein Vergleich der beiden Einleitungen zeigt, daß der Verfasser von c. 22 nichts von c. 21 weiß:

c. 21	c. 22
Doctor Faustus dorfft den Geyst von Göttlichen Hymlischen dingen nit mehr fragen / das thett jm Wee / vnnd gedacht jm Tag vnnd Nacht nach / vnnd damit Er von Göttlicher Creatur vnnd erschaffung besser gelegenheit hett dem ein farb anzustreichen ... nimpt jm derhalben fur den Geist zuefragen vnder einem glimpf / Als ob es zu der Astronomia *oder* Astrologia *den* phÿsicis *dienstlich sey / vnnd Nöttig zu wissñ.*	*Doctor Fausto ist durch sein Trawrigkeitt vnnd Schwermueth sein Geist erschinen / vnnd gefragt was fur beschwernus vnnd Anligen Er habe / Doctor Faustus gab jm kein Antwort / Also das der Geist hefftig an jn setzte vnnd begert jm sein anligen grundtlichen zuerzelen ... Faustus Antwurt ... so kan jch von dir nicht haben / Das du mir zuwillen werdest / Wie einem Dienner gezimbt / Der Gaist sprach ... ob jch wol offt dir furgehalten vnnd mein* Condition *gewest / Das jch dein Audiennts nimmer wölle annemen / Demnach vber Diss bin jch Dir zu willen worden / So sag nun mein herr Fauste was dein beger vnnd Anligen sey / Der Geist hat dem Doctor Fausto das hertz abgewonnen / Vnnd Fragt Doctor Faustus Den Gaist darauff ...*

Fausts *Trawrigkeitt vnnd Schwermueth*, wie Mephostos Einsprüche, erscheinen recht unsinnig nach Fausts gelungenem *glimpf*; und Mephosto bestätigt in c. 22 ausdrücklich, daß er Faust nicht mehr (= seit c. 16) habe anhören wollen. Es handelt sich nämlich um zwei ganz verschiedene Auffassungen von Fausts Verhältnis zu seinem Diener. Für unseren Versuch, X und L auseinanderzuhalten, ist dieser Unterschied vielleicht wichtiger als die Widersprüchlichkeit im Inhalt der beiden Schöpfungsberichte.

Der wesentliche Gegensatz zwischen c. 21 und c. 22 liegt in Fausts eigener Haltung, die dort aktiv, hier passiv eingestellt ist. Faust erscheint als eifriger

---

[9]) Wie etwa PETSCH in der Einleitung zum Volksbuch S. XI.

Spekulierer in den Disputationen von Hölle und Erlösung (c. 10—16). Sollte hier seine Rolle ähnlich sein? — wahrscheinlich nicht. Fausts Neugierde wird doch zuerst *geraytzt* durch das von Mephosto verschaffte *gross Buech von Allerlay Zauberey vnd Nigromantia* (c. 10). Erst in den folgenden Kapiteln wird Faust zu dem zudringlichen Fragesteller, der erklärt: *So will jchs wissen oder will nicht Leben.* Spätere Disputationen haben eben eine Richtung eingeschlagen, wogegen Mephosto, obwohl er sie veranlaßt hat, wiederholt und immer grimmiger Einspruch erhebt. Schließlich (c. 16) weigert er sich grundsätzlich, *sollichen fragen vnnd* Disputationibus Audienz zu geben: *vnnd solst wissen fragestu mich ein ander mahl mehr von sollichen Dingen / Soltu kein gehör von mir haben.* Mit c. 22 dagegen kommen Fausts Forschungen wieder in das von Mephosto geplante okkulte Gleis, und es wird auf die Astrologie und das verwandte Thema von den Geistern eingegangen — was ja dem Inhalt des *grossen Buechs* in c. 10 entspricht. Darum scheint Fausts Haltung in c. 22 die den früheren Disputationen ähnlichere zu sein.

Mephostos Rolle in c. 22 — die eines zudringlichen Beichtvaters (vgl. c. 9, 54 u. a. m.) und angeblich unwilligen Ermittlers eines verbotenen Wissens (vgl. c. 14), womit er doch Faust zu verführen sucht — entspricht auch der Auffassung von L, dem der leichtgläubige Gimpel aus c. 21 (wie auch das nach göttlichem Heil schmachtende arme Sünderlein aus c. 17) durchaus fremd ist. Vorzüglich wegen der Einleitungen zu c. 21 und c. 22 wollen wir also dieses, wo Mephosto, angeblich um Faust zu trösten, die Disputationen wieder vornimmt und Faust *ein Gottloß Vnchristlich vnnd kindisch erzehlen vnnd bericht* gibt, dem Grundbestand von L zuschreiben; c. 21 mit dem orthodoxen Schöpfungsbericht aus Schedels *Weltchronik* setzen wir auf Rechnung von X[10]).

Der Überarbeiter hat vielleicht nicht gemerkt, daß er schon in der Einleitung zu c. 21 seiner Vorlage L widerspricht. Ihm liegt es daran, den Schöpfungsbericht von c. 22 zu widerlegen. Er hätte ihn einfach weglassen können, aber das tut er — wie wir in Anh. I in bezug auf c. 4 bemerkten — nicht gern. Seine Aufgabe findet er in der Ergänzung der Vorlage — und Schedel besitzt für ihn eine wunderbare Autorität, was wir hier nicht nur an der sehr engen

---

10) Zwar auch c. 22 erinnert an S c h e d e l mit einem Satz: *Die Welt mein herr Fauste ist Vngeborn vnnd Vnersterblich / So ist das Menschlich Geschlecht von Ewigkeit her gewesen / Vnnd hat anfanngs kein Vrsprung gehabt.* S c h e d e l : *Etlich haben gemaint das die werlt vngeporn vnd vnzerstörlich: vnd das menschlich geschlecht von ewigkeit her gewesen sey. vnd anfang einichs vrsprungs nit gehabt hab.* Deshalb glaubte MILCHSACK in der *Weltchronik* die Quelle für c. 21 u n d c. 22 gefunden zu haben. S. SINGER hat schon in einer Rezension von Milchsacks Buch diese Ansicht widerlegt: „W 22 geht nicht ... auf Schedel zurück, da dieser auf Metamorph. I, 34—44 basiert, das Faustbuch hingegen auf einer ganz verschiedenen Quelle, etwa auf einer kommentierten Ausgabe von Augustin, De Civitate Dei." Archiv 100 (1898) S. 388—391.

Anlehnung erkennen, sondern auch an dem merkwürdigen Ausgang des Kapitels: obwohl der Schedelsche Schöpfungsbericht schon mitgeteilt ist, wird noch zuletzt ein Blick auf den bei Schedel darauffolgenden Abschnitt geworfen. Die letzte Ausschreibung von Schedel geschieht in dem riesenhaften c. 26 und dem darauffolgenden Bericht über das Paradies (c. 27), wo die Quelle genauso sklavisch wiedergegeben wird, wie bei den Exzerpten aus Dasypodius. Schon der Umfang von c. 26 — es umfaßt ca. zehnmal soviele Blätter, wie das Durchschnittskapitel im Faustbuch — ist ein Zeichen für die Aufschwellung bei X. Da Faust dabei auf weite Strecken völlig aus den Augen verloren wird, geben wir PETSCH gerne recht, daß c. 26 nicht zu L, sondern zu der Überarbeitung gehört. L mag aber trotzdem sehr wohl in c. 26 noch vertreten sein. Vielleicht wurde Fausts Weltreise als logische Fortsetzung seiner Fahrt *an das Gestirn hinauff* (c. 25) und als wünschenswerte Überleitung zu seinen Abenteuern im Dritten Teil gedacht. Die anekdotenhaften Abschnitte, welche sich mit Fausts Frechheiten in Rom und in Constantinopel befassen, belaufen sich je auf den durchschnittlichen Umfang eines Kapitels bei L, sind anscheinend originell, dem Ton und der Tendenz einiger anderer Kapitel gemäß (etwa 10, 53), und es wird noch dazu in c. 63 auf diese Abenteuer bezug genommen. Solche Reisen Fausts gaben dem Überarbeiter vielleicht die Anregung, Faust auch in die von Schedel behandelten Städte zu führen und anschließend in die Nähe des Schedelschen Paradieses zu bringen. Das *Register,* welches auch sonst Aufschlüsse über L geben mag, zählt die Schedel-Reise als ein Kapitel, die blasphemischen Abenteuer als zwei weitere.

Die schlechteste Arbeit von X steht in c. 12, wo ein Exzerpt so mechanisch eingeschoben wird, daß nicht nur eine die Höllennomenklatur betreffende direkte Frage von Faust, sondern überhaupt ein syntaktischer Zusammenhang für die einzelnen Angaben fehlt. Die hier aneinandergereihten lateinischen Namen für die Hölle werden dann in c. 16 (Bl. 26v) der Reihe nach verdeutscht. Daß es sich auch hier um einen Einschub handelt, scheint X und nach ihm W durch eine darüberstehende leere Zeile sogar zugeben zu wollen. Da der E l u c i d a r i u s einen sehr ähnlichen Abschnitt enthält, und weil Informationen aus diesem Kompendium öfters im Faustbuch vorkommen, führt SZAMATÓLSKI und nach ihm PETSCH das Werk auch als Quelle für c. 12 an[11]). MILCHSACK eröffnete eine andere Möglichkeit, indem er auf A n s h e l m u s , I m a g o M u n d i verwies, der sowohl mit einer ähnlichen Kapiteleinleitung wie auch in der Schreibung von *Barathrum* W und H näher steht. Er machte noch dazu auf das in W erhaltene, wohl für eine Predigtsammlung typische Pronomen *jr* aufmerksam und kam zu dem Schluß, daß weder Anshelmus noch Elucidarius die unmittelbare Quelle für c. 12 sein kann. Ein weiterer Nachweis für ein indirektes Verhältnis liegt in der Übersetzung

---

[11]) S. Anm. 3 oben.

von *lacus mortis* (in c. 16). Elucidarius gibt: *see des todts*. W mag seine Vorlage spiegeln mit dem Fehler: *Seel dess todts,* denn H versucht eine Berichtigung: *Helle des todts.* Andererseits liegt der Elucidarius doch mit der Reihenfolge der Namen näher. Was das Pronomen *jr* angeht, so ist es dem Überarbeiter nicht nur in c. 12 unterlaufen, sondern auch in dem sicherlich von ihm interpolierten Schedel-Reisekapitel (26), welches ja auch mit einer äußerst sklavischen Ausschreibung aus Elucidarius ansetzt. Die Feststellung, daß bei X Elucidarius-Exzerpte hinzugekommen seien, hilft uns aber wenig, denn dieses im 16. Jahrhundert viel benutzte Kompendium liefert nicht nur den fast wörtlichen Inhalt solcher offensichtlichen Zutaten. Auskünfte und Wendungen aus Elucidarius erscheinen auch an mehreren Stellen im *Andern* Teil.

C. 20, 28 und 33 scheinen alle mehr oder weniger vom Elucidarius abhängig zu sein. Sie vertreten zwar nicht die beste Arbeit im Faustbuch, aber sie weichen auch nicht — wie sonst für X typisch ist — vom jeweiligen Thema ab. C. 29—32: Gespräche Fausts mit einem gelehrten Doktor von Halberstadt, bilden sicherlich bei L einen wesentlichen Bestandteil des Faustbuchs. Es ist nicht schwer zu verstehen, daß sich L für solche naturwissenschaftlichen Exkurse an irgendeine Quelle wenden sollte, und daß L sehr gut mit dem Elucidarius vertraut ist, scheinen einige kurze, frei adaptierte Zitate aus dieser Quelle zu beweisen.

In c. 11 und 16 spiegelt sich das Elucidarius-Wort über die Hölle: *das stincket von bech vnd von schwebel.* Auf der Höllenfahrt (c. 24) kommt Faust *auf einen Berg einer grossen jnsell Hoch darob schwefell / Bech vnnd Fewrstralen schluegen.* Elucidarius sagt über die *ober Hell: vff den hohen bergen, vnd in den Jnseln bey dem Meer, da brennet schwebel vnd bech, da werden die Seelen in gepeinigt.* Auf der Fahrt *an das Gestirn hinauff* (c. 25a) merkt Faust, daß: *der Hymmel so schnell fuer vnnd Weltzet / Als wann Er jnn vil Tausent stuckhen springen wolt vnnd knarzet das gewilckh so sehr / Als wann es alles erschlagen wolt / oder die Welt erbrechen —* oder: *so bewegt sich das gewilckh am Hymmel so krefftig das es jmmer laufft von Osten biß gen Westen / Da dann das gestirn Sonn vnnd Mohn entgegen Laufft / Aber die krafft des gewilckhs fuert die Sonnen Mohn vnnd gestirn mit sich.* Elucidarius:

> *Der Himmel ist also geschaffen, daß er jmmer laufft, von Osten bis zu Westen, da entgegen laufft, die Sonn, vnd der Mon, vnd das gestirn...* *der Himmel ist so kräfftig, daß er die Sonn, Mon, vnd das gestirn jres gewalts hinfürt, wie doch jr recht wer, daß sie zu Osten vndergieng...* *Gott geschuff dises also ... das die Himmelischen geschöpff nit zerbrechen, dann strebt die Sonn, vnd Mon, vnd das gestirn nit wider den Himmel, so lieff er so baldt, daß ers alles zerbrech.*

Im selben Kapitel steht eine Metapher, die Fausts arroganter Weltanschauung trefflich entspricht: *jm herab fahrn sah jch auf die Welt / Die ward wie ein Dotter jm Ay / vnnd daucht mich die Welt ward nicht einer spannen lanng.*

Elucidarius benutzt dieses Bild aber nur als sachliche Veranschaulichung von dem die Welt umgebenden *wendelmeer*. Das sind nun fast alle eben die typischen Wendungen, welche nach der Lektüre eines Buchs nicht ganz vom Leser vergessen werden, sondern bei geeigneter Gelegenheit aus dem Gedächtnis gezogen werden können. Die Benutzung dieser Quelle verschärft sogar den Gegensatz zwischen X und L, denn die Verwendung des Elucidarius scheint an einigen Stellen frei und zweckbewußt, an anderen wieder sklavisch und den Zwecken der Historia zuwider zu sein.

Damit scheint zwar die Verwendung einer der Quellen zum Faustbuch die These von einer zweistufigen Entwicklung zu unterstützen; erleichtert uns dagegen nicht die Unterscheidung zwischen L und X. Wir glauben, c. 12 neben seiner Verdeutschung in c. 16, sowohl wie den Anfang von c. 26 mit einiger Sicherheit als Zutaten des Überarbeiters ansprechen zu können. Sehr zweideutig bleiben aber insbesondere die drei meteorologischen Kapitel 20, 28 und 33.

IV. Zur Rekonstruktion der Disputationen: c. 10—17

Wer die Existenz von L annehmen möchte, wird in Mephostos Disputationen über die Teufel, die Hölle und die Gnade Gottes den für seine These entscheidenden Teil des Faustbuchs finden. Denn hier wird nicht nur L sein in den ersten Verhandlungen angeschlagenes Grundmotiv, die Stellung Fausts im protestantischen Heilssystem, ausführen müssen[1]); auch wird X seiner schwersten Versuchung, seine Vorlage durch Ergänzungen aus Kompendien aufzuschwellen, begegnet und erlegen sein[2]).

Im folgenden wollen wir unter Voraussetzung von der Existenz des Originals L die Möglichkeit seiner Rekonstruktion erforschen, indem wir versuchen, den überaus wichtigsten und zugleich entstelltesten Teil der Historia wiederherzustellen. Wir wollen zeigen, daß L nicht acht, sondern nur drei große Disputationen enthält, und daß sie in der Organisation gewisse Gemeinsamkeiten besitzen, einschließlich einer einheitlichen Gliederung, welche folgende Bestandteile zur Darstellung bringt:

1. Anlaß der Disputatio
2. Kurze Frage(n) Fausts
3. Einstellung Mephostos zu der Disputatio
4. Mephostos Behandlung des Themas
5. Wirkung der Auskünfte auf Faust
6. Kommentar des Verfassers über Fausts Aussichten, welche durch seine Auffassung der eben gewonnenen Kenntnisse bestimmt sind.

---

[1]) Vgl. dagegen EUGEN WOLFF, Faust und Luther (Halle, 1912) für die Behauptung, das Faustbuch sei ursprünglich ein katholischer Schlüsselroman gewesen.

[2]) Vgl. Anhang III.

Eine Untersuchung der in den Disputationen vertretenen Quellen, wie sie auch in anderen Teilen des Faustbuchs verwendet werden (Anh. III), deutet auf Revision bei X an wenigstens zwei Stellen in c. 10—16. Die erste davon hat mit Fausts unbeantworteter Frage in c. 10 zu tun: *wie ist aber dein herr Lucifer jnn fall kommen?* Darauf folgt das erste der Exzerpte aus Schedels *Weltchronik.* Im vorigen Anhang sind wir zu dem Schluß gekommen, daß für alle Schedel-Exzerpte der Überarbeiter verantwortlich sei. Da auch inhaltsmäßig dieses Exzerpt unmöglich als eine Antwort auf Fausts eben gestellte Frage verstanden werden kann, müssen wir Mephostos Antwort nach L anderswo suchen.

Über den Abfall Luzifers gibt Mephosto in c. 13 ausführlichen Bericht. Gerade darin, daß er dieses von Faust nicht erwähnte Thema hier überhaupt berührt, liegt eine auffallende Inkonsequenz. Am Anfang von c. 13 verlangt Mephosto einen Aufschub von drei Tagen, bevor er auf Fausts doch recht harmlose Frage *(Er solt jm sagen jnn was gestalt sein herr jm Hymmel geziert / vnnd darJnnen gewohnt)* Antwort erstatten will. Die erschütternde Wirkung des Berichts auf Faust (Ende von c. 13) macht zwar Mephostos am Anfang gezeigtes Bedenken und Zögern verständlich — aber bringt uns wieder auf die Inkonsequenz in seinem Verhalten. Er erschreckt Faust durch die Erklärung, warum Luzifer aus dem Himmel verstoßen wurde, denn Luzifers Sünde versteht Faust als identisch mit dem eigenen Stolz und Hochmut. Diese Einsicht scheint Mephosto einerseits — mit der Verschiebung der Antwort — nicht zulassen zu wollen. Andrerseits hat er ja in c. 13 überhaupt keinen Anlaß, die dazu nötigen Informationen zu liefern, denn hier fragt Faust lediglich nach der himmlischen Zier und Wohnung Luzifers.

Solche Widersprüche in Mephostos Verhalten verschwinden, wenn seine Antwort in c. 13 auf eine Frage wie die in c. 10 gegeben wird. Dann bezieht sich Fausts Forschen, Mephostos Antwort und die dadurch verursachte große Angst Fausts auf ein und dasselbe Thema: *wie dein herr Lucifer jnn fall kommen ist.* Ja Mephostos erste Worte in c. 13 stellen auf diese Frage die einfachste Fortsetzung dar: *Mein herr Lucifer (.der Also genannt wirdet / Von wegen Das Er auss dem Hellen Liecht des Hymmels verstossen.) ward jm Hymmel ein Engel Gottes.*

Treffen wir damit das richtige Verhältnis zwischen Frage (in c. 10) und Antwort (in c. 13) nach L, so erhebt sich dann die Frage: warum schildert Mephosto Luzifers Herrlichkeit im Himmel — worauf Fausts Frage in c. 13 doch auch zielt — wenn sie nicht zum Gegenstand der in c. 13 enthaltenen Disputatio, Frage u n d Antwort, werden soll? D e r w e s e n t l i c h e G e h a l t d e r D i s p u t a t i o n e n l i e g t i n i h r e r W i r k u n g a u f F a u s t. Deshalb muß notwendig der Bericht über den abgefallenen Engel mit einer Beschreibung seiner himmlischen Herrlichkeit beginnen, denn Herrlichkeit u n d Sturz werden durch Fausts Klage am Ende von c. 13 vorausgesetzt:

> *Dann Er betracht auf diese erzellung dess Geists / wie der Teuffel vnnd*
> *verstossen Engell vor Gott so herrlich geziert ward / Vnd wann Er nicht*
> *wider Gott gewesen auss Trutz vnnd Hochmueth / wie Er hett ein Ewigs*
> *Hymlischs wesen vnnd wohnung gehabt / Da Er jetzt von Gott Ewig*
> *verstossen sey / vnnd sprach. O Wehe Mir jmmer wehe / Also wirt es Mir*
> *auch vnnd nichts ertreglicher ergehn. Dann jch bin auch ein Geschöpf Gottes.*

Die himmlische Herrlichkeit Luzifers leitet uns dann auch auf letzte textliche
Spuren von der Überarbeitung. Mephostos Antwort in c. 10, ehe er ins Schedel-
Material übergeht, beginnt: *herr /* **mein herr Lucifer** *ist* **ein** *schöner* **Engell**
gewest **von Gott** *erschaffen /* **Er ward** *ein* **geschöpff.** Die fett gedruckten
Worte entsprechen den ersten Worten seiner Antwort in c. 13: *Mein herr*
Lucifer ... Ward jm Hymmel ein Engel Gottes ... ein gleichnus vnd ge-
schöpf. Wahrscheinlich spiegelt sich e i n e Formulierung aus L an zwei Stellen
von X, wo eben einmal nach Schedel und einmal nach L geantwortet wird.
Dann müßte Fausts Frage in c. 13 natürlich eine Erfindung des Überarbeiters
darstellen. Wie für X typisch, ist sie keine direkte Frage, und sie ist auch nicht
reine Erfindung. Das Wesentliche aus der Frage: *Er solt jm sagen jnn was*
gestalt *sein herr jm Hymmel* **geziert** */ vnnd darJnnen* **gewohnt,** liegt ja in
Mephostos Antwort (nach L) vor: *Er ward jnn sollicher* **Zier** */ vnnd jnn einer*
sollichen **gestalt** */* Pompp. Authoriteth. *würde vnd* **Wohnung.** Da Mephosto,
den Zwecken von L gemäß, mit der Beschreibung der ehemaligen Herrlichkeit
Luzifers seinen Bericht über Luzifers Verstoßung beginnt, so findet der Überarbeiter dieses Thema auch für Fausts Frage geeignet.

Der zweite Ort (außer dem schon in Anh. III betrachteten c. 12), wo die Überarbeitung den Verlauf der Disputationen stört, liegt in den für die Darstellung
von Fausts seelischer Lage ebenso wichtigen Kapiteln 15—16, wo das Dasypo-
dius-Wörterbuch herangezogen wird. Fausts innerer Zwang, immer mehr über
die Hölle und ihre Pein zu hören, wird in c. 15 im lutherisch-protestantischen
Rahmen begründet:

> *jm Traumet wie man spricht von dem Teuffel oder von der Hell / Das*
> *ist Er dachte was Er gethon vnnd vermaint jmmer durch oft vnnd Viel*
> *Disputationes fragen vnnd gesprech mit Dem Geist wolt Er so weitt*
> *kommen / das Er einmahl mochte zuer besserung Rew vnnd Abstinentz*
> *gelanngen /*
>
> *Hierauff nimpt Doctor Faustus jm fur ain gesprech vnnd* Colloquium
> *mit dem Gaist ... zuhalten fragt Derwegen Erstlich den Gaist / was Die*
> *Hell / Zum Andern / wie die Hell erschaffen vnnd geschaffen were.*

C. 15 bricht aber ab, ehe eine Antwort auf diese Fragen gegeben wird (c. W
15—16 = c. H 16). Die ersten zwei Blätter des 16. Kapitels enthalten die
schon im Titel ansetzende Adaptierung einzelner Einträge aus dem Wörterbuch von Dasypodius, welches wir — nach Anh. III — für eine ausschließlich
vom Überarbeiter benutzte Quelle halten. Wie in c. 10, kommt hier noch dazu,

daß der Inhalt dieser Entlehnungen keine eigentliche Beziehung zu einer der eben gestellten Fragen aufweist. Wir glauben also nicht, daß das Dasypodius-Exzerpt bei L stand, und suchen daher nach einer anderen Fortsetzung der in c. 15 eingeführten Disputatio.

Auf das Dasypodius-Material folgt (Bl. 26r, Mitte) die Behauptung, daß es eigentlich unmöglich sei, die Hölle zu beschreiben:

> *Endtlich Das die Seel also ists / Das es vnmöglich mit was weiß sie* [die Hölle] *ausspeculiern / vnnd zubegreiffen ist / Wie Gott sein Zorn also gelegt hat jnn ein solchen Orth / Da Gottes zorn sein gebew vnd erschaffung ist.*

Ein Vergleich zwischen W und H läßt zwar vermuten, daß schon X diesen Satz mißverstanden hat; aber die Worte *speculiern* und *erschaffung*, und besonders die bildhafte Verwendung von *gebew* entsprechen unseren Schlüssen über L. Der Satz führt dann über zu einer Liste von Bezeichnungen für die Hölle, wobei die Erläuterungen im Gegensatz zu denen aus Dasypodius gar nicht pedantisch, sondern als eine energische Betonung von Fausts jämmerlichen Aussichten wirken:

> *ein Schandt Wohnung / ein Schlundt / Rachen / Tieffe / vnnd Vnderscheidt der Hell / Dann die Seelen der Verdampten muessen nicht allein jnn Wehe vnnd Clag dess Ewigen Fewers Sitzen / sonder auch schandt Hon vnnd spott tragen gegen Gott / vnnd seinen Seligen / Das Sie jnn wohnung des schlunds vnnd Rachen sein muessen / Dann die Hell ist ein solcher Schlundt vnnd Rachen / Der nit zu ersettigen ist / sundern günnet jmmer noch mehr nach der* [sic] *Seelen die nicht verdambt sein solñ / Das Sie auch verfuert vnnd verdampt werden möchten.*
>
> *Also muestu es Doctor Fauste verstehn.*

Darunter steht eine leere Zeile, dann die in der Quelle für c. 12 enthaltenen Übersetzungen der dort gebrauchten lateinischen Termini (s. Anh. III). Mephosto schließt mit den Worten: *Vnnd Diss sey mein Erster vnnd Anderer bericht.* Damit behauptet er, schon erklärt zu haben *was Die Hell* und *wie die Hell erschaffen vnnd geschaffen were.* Nach der Ausschaltung des Dasypodius-Materials und der deutschen Wiederholung von c. 12 aber bleiben doch keine z w e i Antworten Mephostos übrig. Enthält das Faustbuch noch mehr von Mephostos Rede, dann haben wir triftige Gründe, in diesem Zusammenhang c. 11 zu untersuchen, wo auch am Schluß behauptet wird, daß die Hölle nicht zu begreifen sei:

> *Aber wir Teuffel können nicht wissen was gestalt vnnd weiß die Hell erschaffen / noch wie es von Gott gegrundet vnnd erbawt sey.*

Daß tatsächlich das ganze c. 11 aus einem aus c. 15—16 entrückten Abschnitt besteht, beweist sehr überzeugend der Anfang von c. 11, denn er deckt sich fast lückenlos mit dem früher zitierten Wortlaut von c. 15 (die an beiden Stellen vorkommenden Worte sind fett gedruckt):

Dem Doctor Fausto ward *eben* **wie man** *sonst* **zusagen pflegt / Es traumbt jm von der Hell / darumb fragt Er seinen Geist** *auch* **von der** *Substanz Orth vnnd* **erschaffung Der Hell / wie es geschaffen** *sey.*

Wo auch immer bei L diese Erklärung und die damit verbundenen Fragen stehen sollen, so können wir wenigstens versichert sein, daß sie dort nur einmal verwendet werden (d. h. nicht in c. 11 u n d in c. 15). Wir dürfen auch annehmen, daß die Fragen doch in Zusammenhang mit ihrer ausführlichen Begründung stehen werden, welche fast das ganze c. 15 bildet. Wir kommen also zu dem Schluß, daß die nicht mehr in c. 15—16 aufzufindende Antwort auf die Frage nach der Beschaffung der Hölle vom Überarbeiter aus dem ursprünglichen Zusammenhang entnommen und zu einem selbständigen Kapitel (11) gemacht wurde.

Wo nach X die falsche Kapitelüberschrift in das Dasypodius-Material (c. 16) einführt, wird nach L von der Feststellung (Bl. 26r) ausgegangen, daß alles menschliche Spekulieren einem solchen Begriff nicht gewachsen sei: *Das die Seel* [H: *Helle*] *also ists / Das es vnmöglich mit was weiß sie ausspeculiern.* Wo nach X eine Lücke im Text steht (Bl. 26v), greift nach L Mephosto (c. 11) auf das Thema der vorigen Disputatio zurück, um den Ursprung der Hölle festzustellen und zu dem Schluß zu kommen: *Aber wir Teuffel können* [H: *können auch*] *nicht wissen was gestalt vnnd weiß die Hell erschaffen / noch wie es von Gott gegrundet vnnd erbawt sey / Dann sie hat weder Endt noch grundt.* Damit bestehen Mephostos *Erster vnnd Anderer bericht* aus der wiederholten Betonung von der Unmöglichkeit eines richtigen Begriffs von der Hölle, die über alle Menschen- wie Teufelsvernunft geht.

Dann wird nach L die Disputatio-Reihe die folgenden Abschnitte enthalten haben:

EINE DISPUTATIO ÜBER MEPHOSTO

A n l a ß : *Nach sollichem wie jetzt gemelt . . . wolt er ein Gesprech halten* (c. 10, Bl. 18r)

F r a g e : *sagt zum Gayst . . . was Geistes bistu?* (c. 10, Bl. 18r)

A n t w o r t : *jm Antwurt der Geyst . . . vnder dem Hymmel Regierenndt* (c. 10, Bl. 18r)

EINE DISPUTATIO ÜBER LUZIFERS FALL

F r a g e : *wie ist . . . Lucifer jnn fall kommen* (c. 10, Bl. 18r)

E i n s t e l l u n g M e p h o s t o s : *Sein Gaist hatt . . . gab jm der Gayst Dise Antwurt* (c. 13, Bl. 19v)

A n t w o r t : *Mein herr Lucifer . . . vervrthailt vnnd judiciert* (c. 13, Bl. 19v bis 20v)

W i r k u n g   a u f   F a u s t : *Doctor Faustus als Er dem Gaist . . . O. Das jch nie geborn wer worden &* (c. 13, Bl. 20v—21r)

K o m m e n t a r : *Dise Clag . . . Clainer hoffnung* (c. 13, Bl. 21r—21v)

EINE DISPUTATIO ÜBER DIE GEISTER

K e i n e   d i r e k t e   F r a g e

E i n s t e l l u n g   M e p h o s t o s : *Darauff jm der Gayst . . . jch nit hinuber kan* (c. 14, Bl. 21v)

A n t w o r t : *Also soltu wissen . . . bey Dir herr Fauste selbs abnemen* (c. 14, Bl. 21v—23r)

W i r k u n g   a u f   F a u s t : *Es ist war . . . trawrig von jm* (c. 14, Bl. 23r)

EINE DISPUTATIO ÜBER DIE HÖLLE

A n l a ß : *Doctor Faustus hett wol . . . Abstinentz gelanngen* (c. 15, Bl. 23v)

F r a g e n : *Hierauff nimpt . . . von der Hell* (c. 15, Bl. 23v—24r)

E i n s t e l l u n g   M e p h o s t o s : *Der Gaist gab jm . . . Du fragst Was die Hell sey* (c. 15, Bl. 24r—24v)

A n t w o r t e n : *Das die Seel also ists . . . muestu es Doctor Fauste verstehn* (c. 16, Bl. 26r—26v) — *so bald mein Herr jn fall kam . . . weder Endt noch grundt* (c. 11, Bl. 18v—19r) — *Vnnd Diss sey mein Erster vnnd Anderer bericht . . . den Vierdtñ vnnd Letsten bericht* (c. 16, Bl. 26v—29v)

V e r b o t   a u f   w e i t e r e   F r a g e n : *vnnd solst wissen . . . zu friden* (c. 16, Bl. 29v)

W i r k u n g   a u f   F a u s t : *Doctor Faustus gieng abermahlen . . . tag vnnd nacht nach* (c. 16, Bl. 29v—30r)

K o m m e n t a r : *es hett aber . . . jnn Windt schlueg* (c. 16, Bl. 30r)

Wir besitzen natürlich keinerlei Gewähr für die ursprüngliche Anordnung solcher Bestandteile. Ehe wir auf diese Frage eingehen, müssen wir uns das Grundthema der Disputationen vergegenwärtigen. Faust selber legt es am anschaulichsten dar, nachdem er erfährt, wie Luzifer als Strafe für seinen Stolz und Hochmut aus dem Himmel verstoßen wurde:

Also wirt es Mir auch vnnd nichts ertreglicher ergehn / Dann jch bin auch ein Geschöpf Gottes / vnnd mein Vbermueth fleisch vnnd Bluet hat mich gesetzt jn ein verdamlicheit an Leib vnnd Seel / vnnd jch mit meiner vernunfft vnnd Synn mich geraytzt / Das jch als ein Geschöpff Gottes von jme gewichen bin / vnnd mich den Teuffell verfueren lassen / das jch mich mit Leib vnnd Seel an jn verknipfft habe / Darumb kan jch kein genad mehr hoffen / sonndern wirdt Ewig wie Lucifer jnn die Ewige verdamnus vnnd wehe verstossen werden muessen / Ach wee jmmer wehe was zeich jch mich selbs / vnnd was mach jch auß mir selbs.

Die wesentliche Frage in allen Disputationen ist die von Faust in jedem wichtigen Kapitel wiederholte: *was mach jch auß mir selbs.* Sie ist protestantisch-religiöser, nicht logischer Art, d. h. er stellt nicht Gott, sondern die eigenen Heilsaussichten in Frage: damit bleibt im Brennpunkt der Disputationen Fausts Seelenzustand.

In c. 9 schon wird die wichtige Frage zuerst aufgeworfen. Faust will sich verheiraten, aber Mephosto befiehlt ihm, sich doch zu bedenken:

> *Was Er auß jme selbs machen wolte | jtem ob Er nicht seiner* promissiō *gedennckh | Vnnd ob Er sein versprechen nicht halten wölle | Da Er verhieß Gott vnnd allen Menschen feindt zu sein.*

Als Faust in c. 15 im Disputieren beharrt, weil er hofft, dadurch zur Reue und Besserung zu gelangen, muß Mephosto dieselbe Frage wiederholen:

> *mein was machstu auss Dir selbs | vnnd wañ Du gleich jnn Hymmel steygen könndtest | So wolt jch dich jnn die Hell herab stossen | Dann Du bist mein | vnnd kerest auch jnn den Weg | Darumb Das du vil von der Hell wilst fragen.*

Mit dieser Frage will Mephosto natürlich an Fausts einmal gefaßten Vorsatz erinnern, wie er in c. 54 ausdrücklich sagt:

> [Mephosto] *warf jm fur | was jn dahin bewegt | Das er sich dem Teuffel ergeben | nemlich zu dem hab Er sich versprochen | Gott vnnd allen Mentschen feind zu sein.*

Denn beim Bekehrungsversuch (c. 54) handelt es sich um dieselbe Gefahr wie beim Verlangen nach Menschenliebe (c. 9) oder Gottesgnade (c. 15).

Fausts Grübelei beginnt in c. 13: *was zeich jch mich selbs | vnnd was mach jch auß mir selbs.* In c. 14 klagt er: *jch hab mich selbs gefanngen ... Ey was hab jch gethon.* Zuletzt geht der Verfasser selber (c. 15) auf Fausts *bedennckhen was Er sich doch gezigen hett an seiner Seligkeitt* ein. Dieses Grundthema des Faustbuchs taucht dann in c. 54 wieder auf, da der *Alt Mann* auf Faust eindrängt:

> *Mein herr jr wist wie jr ein Furnemen habt | Da jr Gott vnnd allen Heyligen abgesagt | vnnd Euch dem Teuffel ergeben ... Ach mein herr was zeucht jr Euch | Es ist vmb den Leib nicht zuthuen | sunder vmb die Liebe Seel.* (vgl. c. 13.)

Faust ist von der Predigt nicht unberührt: *dacht Er der Lehr lanng nach | vnnd betrachtet was Er doch sich vnnd sein Seel Zyhe.* Die Klagen im Vierten Teil befassen sich mit derselben Frage. Wenn Faust schließlich den Studenten sagt *Was jch für ein Mann ward*, ist ihr erstes Wort das jetzt dem Leser wohlvertraute: *Ach Lieber herr Fauste | was habt jr Euch gezygen* (c. 71).

Der Zweck der Disputationen im Faustbuch ist die Feststellung, warum und inwiefern Faust von seinem Schöpfer abgefallen ist; worin seine Sünde eigentlich besteht; und was für ein Ende er zu erwarten hat, wenn er sich nicht von seinem bösen Weg abwendet. Die Disputationen sollen zeigen, wie Fausts Stolz und Hochmut ihn nicht nur zum Abfall von Gott brachten, sondern auch seine Bekehrung verhindern, denn der alte Stolz liegt seiner verzweifelten Einbildung noch zugrunde, seine Sünden wären größer als die erlösende Gnade Gottes:

> *sein Rew ward* Cains *vnnd* Judas *Rew vnnd Bueß Da wol ein Rew jm hertzen ward / Aber Er verzaget an Den Genaden Gottes / vnnd ward jm ein Vnmuglichs Das Er zur Huldt Gottes könndt kommen / gleich wie* Cain *der also verzweyffelt / Das Er sagte seine Sündt weren grösser / dañ jm verzigen möcht werden / desgleichen Mit* Judas & *Dem Doctor Fausto wardt auch also / Er sahe wol gehn Hymmel / Aber Er könndt nichts ersehen.* (c. 15)

Hier wird jener Seelenzustand vorgelegt, den das orthodoxe Luthertum für den gefährlichsten hielt. Das Allerletzte, was wir von Faust hören, lautet:

> *Er wolt betten / Es wolt jm aber nicht eingeen / wie dem* Cain. *sagt seine sünd weren grösser Dann jme mocht verzygen werden / Also mit Fausto auch / der gedacht jmmer Er hab es mit seiner Verschreibung zu grob gemacht.* (c. 71)

Mit den Disputationen will Faust die eigene Erlösung frech erzwingen, will *jmmer durch offt vnnd Viel* Diputationes *fragen vnnd gesprech mit Dem Geist ... so weitt kommen / das Er einmahl mochte zuer besserung Rew vnnd Abstinentz gelanngen* (c. 15). Denn er hofft, aus dem Bericht über die Hölle, die höllische Pein, und die Unmöglichkeit einer Erlösung aus der ewigen Strafe hinreichende Angst vor den Folgen der Sünde zu schöpfen, daß er davon abstehen kann: *Dann nimmer thuen ist ein grosse Bueß* (c. 13 und 54). Die frühe Faustbuchforschung zeigte, wie das orthodoxe Luthertum des 16. Jahrhunderts einen solchen Erlösungsbegriff für eine schlimme katholische Lehre hielt[3]). Aber Faust will sich in seiner Verzweiflung einer noch ernsteren Kühnheit vermessen: nicht nur versucht er, sein Heil auf eigene Faust zu ermitteln; sein geringes Vertrauen zu der Wirksamkeit der göttlichen Gnade verleitet ihn dazu, die Erlösung mit Hilfe eines Gottesfeindes, des *laidigen Teuffels,* zu suchen.

In den Disputationen wird Faust seine verzweifelte Lage immer eindringlicher vor Augen gestellt. Indem er umsonst nach einer Wandlung des Herzens durch die Drohungen seines Teufels strebt, wird ihm das Herz nur immer verstock-

---

3) ERICH SCHMIDT, Faust und Luther: Sitzungsberichte der K. preuss. Akad. d. Wiss., philos.-hist. Kl. (Berlin, 1896). MILCHSACK, Historia S. CCLX ff. verzeichnet nicht nur viele aus Luthers Schriften übernommene Wörter und Wendungen, sondern bringt für mehrere Abschnitte aus den Disputationen Paralleltexte von Luther.

ter, so daß er schließlich der demütigen Zuversicht des rechten lutherischen Glaubens nicht mehr fähig ist. Die progressive Unterrichtung Fausts über die eigene Lage und die damit verbundene Rückwirkung auf diese Lage ist das wesentliche Formprinzip in den Disputationen. Daraus aber ergeben sich auch andere Prinzipien:

Eine Disputatio führt meistens zu einem abschließenden, die jeweilige Einwirkung auf Faust berücksichtigenden Abschnitt.

Spätere Disputationen sind ernster; somit erweitern sich der Schlußabschnitt und die darin enthaltenen Klagen Fausts.

Mephosto wird immer unwilliger, weil Fausts auf das göttliche Heil zielender Zweck offensichtlich wird; schließlich schlägt er weitere diesbezügliche Disputationen kategorisch ab.

Indem drängt Faust immer ernstlicher auf Mephosto ein und ist schließlich bereit, eine Antwort oder den eigenen Tod zu verlangen.

Mit jeder neuen Erkenntnis wird Faust ängstlicher, dem frohen lutherischen Glauben entfremdeter, damit immer verzweifelter und im Herzen verstockter. An zwei Stellen bietet der Verfasser eine Lösung:

a) wie Faust zur Erlösung gelangen könnte:

> *wann Er gedacht hette ... Syhe so will jch widerumb kehren / vnd Gott vmb gnad vnnd verzeyhung Anrueffen ... vnnd also dem Teuffel ein widerstandt gethon / Vnnd ob wol Er dem Teuffel hie schon den Leyb hat lassen muessen / So wer dannocht die Seel erhalten worden* (c. 13);

b) warum er gewiß verdammt werden muß:

> *jetzt Dacht er dahin / jetzt Dorthin / Vnnd tracht dem tag vnnd nacht nach / es hett aber bey jm kein bestanndt / Dieweil jm wie obgemelt Der Teuffel das hertz verstockht vnd Verblendt ... Also das er dess Göttlichen Worts bald vergaß vnnd jnn Windt schlueg* (c. 16).

Ein Rahmen scheint die Disputatio-Reihe umschlossen zu haben: Fausts Geilheit mit Succubi (c. 9), woran am Anfang von c. 10 und dann wieder am Schluß von c. 16 erinnert wird, gibt uns zu verstehen, daß Fausts verbotene Forschungen ebenso unanständig sind wie seine fleischlichen Lüste, und daß die Ermittlung des verbotenen Wissens durch Verkehr mit einem Teufel ebenso unmenschlich ist wie die Erkennung der Succubi. Beiderlei Unzüchte kommen vom Teufel: gleich nach der Erwähnung der das Fleisch reizenden Teufelsbuhlen in c. 10 wird das die Neugierde reizende *gross Buech* vor Faust hingeworfen. Mit den Disputationen weiß Mephosto Faust das Herz zu verstocken und zu verblenden, und in c. 16 heißt es:

> *zue dem wann Er schon allein ward vnnd dem Göttlichen wort nachtrachtet / Da schmuckht sich dann der Teuffel jnn gestalt einer schönen frawen zue jm / halset jn / vnnd trib mit jm alle Vnzucht / Also das er dess Göttlichen Worts bald vergaß vnnd jnn Windt schlueg.*

Nun entspricht solchen Formprinzipien die Anordnung des oben verzeichneten Disputatio-Materials an einigen Stellen nicht, so daß wir die Verschiebung wenigstens einer Disputatio vermuten müssen. Die Disputatio über Luzifers Fall (Fausts Frage in c. 10 — Mephostos Bericht in c. 13) ist bedeutend ernstlicher als die darauffolgende Disputatio über die Geister (c. 14). Mephosto versteht dies Verhältnis durchaus, denn in c. 13 will er vorerst keine Antwort geben und erst nach drei Tagen — vermutlich nach der Einwilligung irgendeiner oberen Gewalt, wie im anderen sehr kritischen Fall, betr. die Annahme von Fausts Bedingungen in c. 3 — läßt er sich darauf ein. In c. 14 zögert Mephosto zwar, aber nicht lange und sein Bedenken wird durch Rücksicht auf Faust begründet: *Dise Disputatio vnnd Frag so jch dir erclären soll / wirdt Dich etwas mein herr Fauste zu Vnmueth vnd nachdennckhen treiben.* Er hat recht, denn damit ist die Wirkung seiner Auskünfte genau beschrieben. Mephostos Worte erregen aber, eben weil er recht hat, Verdacht, denn gleich zuvor (Ende von c. 13) *legt sich* [Faust] *aufs bett / hebt an bitterlich zu waynnen vnnd Seunfflzgen vnnd jnn seinem hertzen zuschreyen.* Am Ende von c. 14 wird Faust durch die Einsicht, daß er nun in Wirklichkeit die Teufel nicht überlistet hat, *etwas zu Vnmueth vnd nachdennckhen* bewegt; durch die Erkenntnis, daß seine Lage mit Luzifers Lage identisch ist, wird Faust in c. 13 zur V e r z w e i f l u n g gebracht. Der Zusammenhang von Mephostos einleitender Bemerkung in c. 14 läßt sie darum recht albern klingen.

Außerdem setzt Fausts lange und bittere Klage am Ende von c. 13 Informationen und — vielleicht noch entscheidender — damit eine Haltung Fausts voraus, welche erst durch c. 14 gegeben werden können. In c. 13 wird Faust zu der Klage bewegt: *Das jch als ein Geschöpff Gottes von jme gewichen bin / vnnd mich den Teuffel verfueren lassen* usw. — aber Faust ist doch bisher der leichtfertigen und stolzen Meinung, er hätte sich einen Geist untertänig gemacht (wie in den Beschwörungsszenen und in den Verträgen ausdrücklich steht). Daß er der Verführte sein könnte, fällt ihm gar nicht ein, bis er in c. 14 zu seinem größten Erstaunen entdecken muß, daß die Dinge in Wirklichkeit ganz anders aussehen, als er sie sich vorgestellt hat: *So hast Du mich auch bessesen / Lieber Sag mir die Warheit … Ey was hab jch gethon.* Ja eben darum wird diese Disputatio eingeführt, weil Faust jetzt erfahren muß, daß mit dem Pakt nicht der Teufel, sondern er überlistet und verstrickt wurde.

Wenn c. 14 in L vor c. 13 fällt, so steht es gleich nach dem ersten Disputatio-Fragment über Mephosto (denn die letzte, aus dem Schedel-Exzerpt bestehende Hälfte von c. 10, das aus c. 15—16 entlehnte c. 11, und das in Anhang III als Einschub des Überarbeiters verwertete c. 12 zählen wir nicht mehr zu dem Bestand von L). Dann sollte dieses Fragment nicht abgetrennt sein, sondern zusammen mit c. 14 die erste der Disputationen umfassen. In c. 14 handelt es sich um die Geister; das Fragment in c. 10 handelt von dem einen Geist, den

Faust am besten kennt und nach dem er am ehesten fragt. Mephostos erste Worte in c. 14: *Dise* Disputatio *vnnd Frag so jch dir erclären soll,* wie auch sein Geständnis, daß, obwohl solche Disputationen die *Hayligkeit* bzw. *Heimlichkeit* (H) der Geister verletzen, er *nit hinuber kan* (laut des Pakts) sind für den Beginn der Disputatio-Reihe geeignet.

Die Formulierung von Fausts Frage in c. 14 ist anderen solchen Erfindungen des Überarbeiters ähnlich (c. 12, 13): eine indirekte, teilweise aus Worten in der Antwort zusammengesetzte. Der Überarbeiter besitzt aber genügend Liebe zur bloßen Stoffmenge, um die dadurch in L ersetzte Frage doch an der ursprünglichen Stelle (c. 10) stehen zu lassen, obwohl er Mephostos Antwort darauf mit einer neuen Frage ausstattet und anderswo (c. 14) unterbringt.

Diese erste Frage Fausts, *was Geistes bistu,* faßt der Überarbeiter ganz anders auf, als in L gemeint war, denn X deutet sie im beschränktesten Sinne und läßt Mephosto sagen, er sei genau so ein Geist, wie Beelzebub (Vgl. c. 24). Mit der Frage *was Geistes bistu* forscht aber Faust vermutlich nach dem geistigen Bereich seines eigenen spiritus familiaris. Mephosto gehört zu den Geistern, welche sich um die menschlichen Herzen bemühen, sie Gott abzugewinnen: er ist ein Geist des Bösen. Darum ist die Disputatio in c. 14 die vollständige und geeignete Antwort auf die Frage *was Geistes bistu.* „Vollständig und geeignet" bezieht sich bei L nicht in erster Linie auf die okkulten Informationen, sondern auf Fausts seelische Lage. Bei L muß Faust verstehen, daß sein Hausgeist Luzifers Reich angehört, daß es viele seinesgleichen gibt, deren Geschäft die Verführung der Menschheit ist, und daß Mephosto Faust nicht untertan ist. Während der Wortlaut der vom Überarbeiter erfundenen Frage in c. 14 seine Vorliebe für den okkulten Sachverhalt verrät, interessiert sich L in erster Linie für Faust selber, und die erste Disputatio bei L führt — wenn unsere Berechnungen stimmen — zu einer Entwicklung in dem Helden: zu der Zerstörung seiner eitlen Einbildung, daß ihm ein Geist untertan sei. Wir dürfen also mit der folgenden hypothetischen Reihenfolge der Disputationen schließen:

DISPUTATIO ÜBER MEPHOSTO UND DIE GEISTER

A n l a ß : Das *gross Buech von der Zauberey* (c. 10, Bl. 18r)

F r a g e : *was Geistes bistu?* (c. 10, Bl. 18r)

E i n s t e l l u n g M e p h o s t o s : Eine solche Disputatio werde Faust betrüben, sei zudem eigentlich unerlaubt, aber Mephosto sei dazu verpflichtet (c. 14, Bl. 21v)

A n t w o r t : Seit Adams Fall haben Mephosto und seinesgleichen die Menschen verführt (c. 14, Bl. 21v—23r)

W i r k u n g a u f F a u s t : Einsicht, daß die Geister ihn überlistet haben (c. 14, Bl. 23r)

DISPUTATIO ÜBER LUZIFERS FALL

F r a g e : *wie ist aber dein herr* Lucifer *jnn fall kommen?* (c. 10, Bl. 18r)

E i n s t e l l u n g M e p h o s t o s : Aufschub von drei Tagen (c. 13, Bl. 19v)

A n t w o r t : Aus der bevorzugten Stellung im Himmel sei Luzifer durch seinen Stolz gestürzt (c. 13, Bl. 19v—20v)

W i r k u n g a u f F a u s t : Bittere Klage wegen der Parallele der eigenen Lage zu der Lage Luzifers (c. 13, Bl. 20v—21r)

K o m m e n t a r : Die Folgen einer eventuellen Bekehrung Fausts (c. 13, Bl. 21r—21v)

DISPUTATIO ÜBER DIE HÖLLE

A n l a ß : Versuch Fausts, durchs Disputieren zur Bekehrung zu gelangen (c. 15, Bl. 23v)

F r a g e n : Nach der Beschaffung und dem Ursprung der Hölle, nach der Höllenpein und der Möglichkeit einer Erlösung aus der Hölle (c. 15, Bl. 23v—24r)

E i n s t e l l u n g M e p h o s t o s : Durchs Disputieren werde Faust sich nur weiter verstricken (c. 15, Bl. 24r—24v)

A n t w o r t e n : Die Hölle sei nicht zu begreifen (c. 16, Bl. 26r—26v und c. 11, Bl. 18v—19r); Namen für die Hölle, eingehende Beschreibung der Höllenpein, Feststellung, daß an eine Erlösung nicht zu glauben sei (c. 16, Bl. 26v—29v)

V e r b o t a u f w e i t e r e F r a g e n : (c. 16, Bl. 29v)

W i r k u n g a u f F a u s t : Wird *Melancholisch verwirrt vnnd zweifflheftig,* spekuliert aber immer noch (c. 16, Bl. 29v)

K o m m e n t a r : Gewißheit von Fausts Verdammung (c. 16, Bl. 30r)

Von Faust dem Frager aus — und so muß der doch begabte Schriftsteller L die Dinge betrachten — weist diese Anordnung eine Kontinuität auf, welche nicht bei X, viel weniger bei X ohne die erst dort zukommenden Exzerpte und anderen Zutaten (s. Anhang III) zu finden ist.

Mephosto muß in c. 9 mit der Gefahr rechnen, Faust durch die Ehe zu verlieren, aber der *Mönch* weiß Faust vorläufig mit Succubi zu zerstreuen. In c. 10 bringt er Faust eine verwandte Verlockung mit dem *grossen Buech von Zauberey vnd* Nigromantia. *Darjnn Er sich auch neben seiner Teufflischen Ee erlustigte.* Diese Anweisungen (vermutlich über die Verwandtschaft verschiedener Geister zu den einzelnen Elementen und damit zu besonderen Aufgaben) reizen Fausts Neugier über den eigenen spiritus familiaris und er beruft sich auf eine Klausel des Pakts, um die erste der Disputationen einzuleiten. In diesem Sinne ergibt sich die erste Frage *was Geistes bistu* ohne weiteres aus

Fausts im Pakt und auch früher erklärten Vorsatz, *die* Elementa *zu speculiern.*
Die Antwort fällt aber aus diesem objektiven Rahmen und trifft Faust persönlich, denn die wesentliche Aufgabe der Geister ist schon seit Adam nicht der
Dienst, sondern die Verstrickung des Menschen. Faust zieht selber den sub-
jektiven Schluß, indem er Mephosto unterbricht: *So hast Du mich auch besessen?* Mephosto versichert gerne, daß er und seinesgleichen sich vorzüglich
um die Menschen kümmern; daß Fausts gegenwärtige Lage ja direkt von ihrer
Initiative ausgehe; daß Faust dagegen in Wirklichkeit nur eine passive Rolle
gespielt habe. Solche Offenbarungen erschüttern den stolzen Spekulierer, dem
zum erstenmal über seine Zukunft bange wird: *Ey was hab jch gethon.*

Damit werden die Rollen des Herrn und des Dieners auf den Kopf gestellt,
denn Mephosto dient dem Reich des Bösen, wobei er im normalen Verlauf
eines uralten Geschäfts Faust in seine Gewalt bekommen hat. Darum betrifft
Fausts Frage in der zweiten Disputatio den eigentlichen Herrn dieses teuf-
lischen Dieners, den Fürsten des Bösen. Der Ernst des Themas wird durch
denselben Kunstgriff betont, der bei dem Pakt verwendet wird: Aufschub
der Besprechungen bis auf die vermutliche Einwilligung einer höheren Gewalt.
Die Geschichte von Luzifers Sturz überzeugt Faust nun, daß er auf jeden Fall
— ob er einen Teufel gefangen oder dieser Teufel ihn — zur Strafe Luzifers
verdammt werden muß, denn er ist mit genau derselben Schuld beladen, wie
der Erzengel. Jetzt erscheint Fausts längste und heftigste Klage. Ihr folgt des
Verfassers eindeutiges Wort über Fausts eventuellen Weg zur Erlösung und
die wahrscheinlichen Folgen: den Leib müßte er dem Teufel lassen, die Seele
könnte noch errettet werden: *Aber Er ward jnn allen seinen* opinionibus *vnnd
mainungen zweifelhafftig / vnglaubig vnnd Clainer hoffnung.*

Am Anfang der letzten Disputatio wird dieser Kommentar dann durch die
Darstellung von Fausts irrigen Hoffnungen fortgesetzt: daß er zur Reue und
Buße durch bloße Angst vor den Folgen der Sünde gelangen könnte. Dieser
im Schluß des letzten Kapitels (13) vorgebildete Abschnitt leitet die lange
Disputatio ein über den Ursprung und die Beschaffenheit von Luzifers Gefäng-
nisort, die Pein darin, und die Aussichten auf eine Erlösung daraus. Auch
hier sorgt Mephosto für eine vollständige Antwort. Sie erläutert dann auch
seine Behauptung: *Dann Du bist mein / vnnd kerest auch jnn den Weg /
Darumb Das du vil von der Hell wilst fragen.* Denn denselben Glauben,
wonach Faust mit den Disputationen strebt, haben schon alle Verdammten in
der Hölle, die auch wohl wissen, daß ihre Sünden größer sind, als die erlösende
Gnade Gottes.

Seinen letzten Bericht schließt Mephosto mit dem etwas grimmig ausgedrückten
Verbot von weiteren Disputationen dieser Art. Er braucht sich freilich nicht
zu fürchten, daß Faust den rechten Weg gefunden habe, aber er findet das Er-
lösungsthema — worauf ja die Disputationen hinausgelaufen sind — an sich
etwas unbequem. Jetzt kann der Verfasser den Schluß ziehen, daß Faust das

am Ende der zweiten Disputatio (c. 13) dargelegte Heilschema nicht befolgen wird:

> *Dieweil jm wie obgemelt Der Teuffel das hertz verstockht vnd Verblendt /*
> *zue dem wann Er schon allein ward vnnd dem Göttlichen wort nach-*
> *trachtet / Da schmuckht sich dann der Teuffel jnn gestalt einer schönen*
> *frawen zue jm / halset jn / vnnd trib mit jm alle Vnzucht / Also das er*
> *dess Göttlichen Worts bald vergaß vnnd jnn Windt schlueg /*

Wir sollen durch das Zurückgreifen auf das in c. 9—10 angeschlagene Un-zuchtsmotiv nun versichert sein, daß der Zweck der Disputationen erfüllt ist. Die Einleitung zu c. 17, welche den Fortgang der eben kategorisch verbotenen Disputationen recht unbeholfen rechtfertigen will, die alberne Frage Fausts, und Mephostos Antwort, welche seinen Aussagen im vorigen Kapitel doch widerspricht (c. 16: *Wir Geyster werden gefreyet werden / Dann wir auch hoffen Selig zuwerden* — c. 17: *Woltestu aber ... Das Du ein Mensch an meiner statt werest / ja seufftzgendt sprach der Geist*) sind für die nachlässige Pedan-terie des Ausschreibers von Schedel und Dasypodius typisch. In Anhang III sahen wir schon, wie dieser Überarbeiter noch ein anderes Kapitel (21) ein-schiebt, wo Faust den Teufel ein zweites Mal hintergeht, um einen orthodoxen Schöpfungsbericht anzuhören. Wir sahen auch wie bei L — auf Mephostos Initiative, dem Inhalt von c. 14 entsprechend — die Disputationen ja wirklich weitergeführt werden, um mit dem heidnischen Schöpfungsbericht auf ein dem Teufel herzlichst angenehmes Thema zu kommen und Faust in den okkulten Wissenschaften Unterricht zu erteilen.. Der Titel von c. 17, *Ein andere Frag*, ist für den doch im Grunde ehrlichen Ergänzer X kennzeichnend, denn damit meint er nicht, wie L (etwa c. 4: *Die Ander Disputation*) „eine zweite Frage" son-dern eben wie c. 46 (*Ain Andere Abentheur / so Faustus auch auff obstehende getriben* — vgl. Anh. V), „eine zusätzliche Frage".

Wir glaubten nun schon öfters einen Blick in des Überarbeiters Werkstatt werfen zu können; und wir sollten doch auch für seine Arbeitsweise Verständ-nis suchen. Die Art des eingeschobenen Materials verrät sein fast ausschließ-liches Interesse für die paratheologischen Angaben, welche Mephosto (et al.) bieten kann, denn in seinen Augen werden die Disputationen zu einer Reihe von höchst interessanten Abhandlungen über die Teufel und die Hölle. Daß er sie hoch schätzt, beweist die Mühe, die er sich um ihre geeignete Ergänzung gibt. Seine Nachschlagewerke kennen wir.

Schedels *Weltchronik* wurde für seine Analyse der himmlischen Hierarchien zuerst herangezogen, denn Fausts erste, auf die Geisterwelt bezogene Frage verdiente eine ausführliche, womöglich schon vor Luzifers Verstoßung zurück-greifende Antwort. Dem Überarbeiter stand auch (c. 12) eine kurze Höllen-nomenklatur zur Verfügung. Seine Vorlage selber enthielt die Nachricht, daß gleich nach dem Sturz der Engel aus den himmlischen Hierarchien die Hölle für Luzifer bereit stand (c. 11). Damit stellte L die logische Verbindung zwischen den beiden von außen kommenden Exzerpten (c. 10 und 12) her.

Eine solche Verbindung kam dem Überarbeiter logisch vor, weil sie eben chronologisch ist — und wer sich mit einem reinen Tatsachenbericht beschäftigt, zieht die chronologische Folge vor: die himmlischen Hierarchien (c. 10), der Sturz der Engel aus dem Himmel und die gleichzeitige Erschaffung der Hölle (c. 11), Namen für die Hölle (c. 12). Von den drei schon in L enthaltenen Disputationen war c. 14 nun in des Überarbeiters Augen eine Behandlung der Teufel und ihrer Taten seit Adams Tagen bis auf die Gegenwart und durfte wohl kaum vor c. 13 mit dem Bericht von Luzifers doch früher geschehenem Fall stehen. Darum wurde c. 13 zuerst eingetragen, dann erst auf c. 14 zurückgekommen.

Die Reihenfolge der Fragen wurde dagegen nicht gestört, denn die Arbeitsweise ist die eines Sammlergeists, der nichts fallen ließ und alles zu verwerten wußte. Die erste Frage Fausts wurde nicht mit der übrigen Disputatio (c. 14) verschoben, sondern blieb an dem ursprünglichen Ort mit einer aus der Vorlage entlehnten Antwort (c. 24) versehen. Dann folgte gleich die zweite Frage mit ihrer der *Weltchronik* entnommenen, durch Zeilen aus L zusammengenähten Antwort. Von der (in c. 13 enthaltenen) Disputatio wurde einfach der Anfang: Fausts Frage u n d Mephostos erste Worte, weggeschnitten. Da L selber von der Darstellung der ehemaligen Herrlichkeit Luzifers ausgegangen war, konnte X seine Vorlage als Überleitung zu dem dasselbe Thema berührenden Schedel-Material verwenden.

Als dann wieder nach L fortgefahren wurde (c. 13), wiederholte der Überarbeiter die einmal benutzte Frage nicht, sondern machte sich aus Worten in Mephostos Bericht eine neue. Da Mephosto mit der Schilderung von Luzifers himmlischer Zierde beginnt, so fragt Faust bei X ausschließlich nach diesem Thema. Ebenso wurde in c. 14 verfahren. Die Frage *was Geistes bistu* war schon benutzt, darum mußte der Wortlaut der Antwort für die — wieder indirekte — Frage die Worte hergeben. In beiden Fällen (c. 13 und c. 14) zielte die so erhaltene Frage nur auf die ersten von Mephosto gelieferten Informationen und entsprach dem eigentlichen Thema der Disputatio nicht.

In c. 15—16 stand der Überarbeiter vor einem ähnlichen Problem, denn hier hatte er L auch schon (für c. 11) ausgeschrieben. Um diesmal aber bequem eine neue Frage herzustellen, hätte er einen recht langen Paragraphen entweder verlieren oder gründlich neu bearbeiten müssen. Darum gab er c. 15 wohl getreu nach der Vorlage wieder. Vielleicht betrachtete er seine Einleitung zu c. 11 nur als Adaptierung der Stelle; vielleicht hielt er die Schätze aus Dasypodius für ausreichend zu einer zweiten, ausführlicheren Antwort auf die schon beantwortete Frage. Eine Art Rechtfertigungsversuch scheint in dem Satz zu liegen: *dann jm wider von der Hell getraumet hett.* Damit aber erlebt Faust den höllischen Traum im ganzen dreimal: nach L in c. 15, Bl. 23v;

nach X bei der Ausschreibung dieser Stelle für c. 11; und wieder nach X als Entschuldigung für die Wiederholung in c. 15 (Bl. 24r). Dieselbe Wendung kehrt übrigens in c. 24 wieder.

Unsere Untersuchungen über die Disputationen gingen von den Materialien aus, welche ohne jeden Zweifel spätere Zutaten zu einem ursprünglichen Faustbuch vertreten müssen (Anh. III). Solche Stellen wurden ausgeschaltet, und wir versuchten dann, die echten Bestandteile des Originals wieder in der richtigen Anordnung zusammenzufügen. Damit traten wir aus dem zuverlässigen Bereich der Gewißheiten in bloße Wahrscheinlichkeiten hinüber. Mit dem weiteren Versuch, auch die Erwägungen zu bestimmen, welche zu solchen Entstellungen der Disputationen führten, tappen wir am äußeren Rande des Möglichen herum und werden selber zu hochmütigen Spekulierern. Wenn sogar auch solche Mutmaßungen triftiger erscheinen, als die Disputatio-Reihe nach X, so haben wir natürlich auch dann nicht die Existenz von L bewiesen. Hier, wie in den anderen Anhängen, wollen wir lediglich unsere Hypothese mit einer durch sie ermöglichten gedanklich und ästhetisch befriedigenden Deutung des Faustbuchs verteidigen und rechtfertigen.

V. Die Sammlung von Anekdoten bei der Überarbeitung des Dritten Teils: c. 36—37, 40—44

In L fängt der Dritte Teil (Fausts Abenteuer) mit einer alten, wohl zuerst von Luther über Trithemius und Maximilian erzählten[1]), nun auf Faust und Kaiser Karl übertragenen, auch pikant pointierten Totenbeschwörung an (c. 34). Anschließend wird ein kleiner Schwank verarbeitet, der auch auf Luther zurückzugehen scheint (c. 35: einem Ritter wird ein Hirschgeweih auf den Kopf gezaubert)[2]). Gegen Ende der Historia (c. 58) taucht der verspottete Ritter wieder auf. Er versucht sich an Faust zu rächen, wird aber durch ein verzaubertes Heer gefangengenommen. L flicht hier ein altes Motiv von den aus Strohwischen gezauberten, in fließendem Wasser wieder verschwindenden Tieren ein[3]): Faust nimmt den Reitern die Pferde und gibt ihnen neue, wobei er wieder zu Geld kommt, die Reiter aber bei der ersten Tränke beinahe

---

1) Die Geschichte war sehr berühmt. ERICH SCHMIDT, Faust und Luther (Berlin, 1896) S. 585 ff., verweist auf die Erzählung in den T i s c h r e d e n (Aurifaber, Nr. 301). PETSCH, Volksbuch S. 186—193, druckt weitere Fassungen ab. Mit der Einführung von Helena steht wohl am nächsten H a n s S a c h s : *Ein wunderbarlich gesicht keyser Maximiliani.*

2) Aurifaber, Nr. 308.

3) JOHANNES BOLTE hat bei seiner Ausgabe des *Wegkürtzers* von M a r - t i n M o n t a n u s in: Stuttgarter Bibliothek 217 (1899) S. 566, ausführliche Belege für das Motiv angeführt, da es von Montanus (c. 8) verwendet wird, und zwar in einer sehr ähnlichen Form, wie im Faustbuch c. 40.

umkommen. Zusammen mit weiteren Anspielungen an frühe Episoden in Fausts Lebenslauf (c. 57, 60) bereitet c. 58 einen schönen Ausklang zu dem Dritten Teil.

Denn L zeigt sich auch in der Sammlung und Verarbeitung solcher Anekdoten um Organisation und Form besorgt. Den beiden Abenteuern am kaiserlichen Hof (c. 34 und 35) folgen zwei in Studentenkreisen (die Luftreise nach München und die Shylockgeschichte: c. 38 und 39). Faust kommt wieder einmal an einen Hof (c. 45), ehe er unter den Studenten Fastnacht zelebriert (c. 47 und 51). Es folgen dann zwei Kapitel auf dem Lande, wo Faust einem Bauern (c. 52) und einem Zauberer (c. 53) Streiche spielt.

Die Verspottung eines Bauern ist vielerorts — nicht nur in Faustanekdoten — zu belegen; aber sowohl die Art der Verzauberung in c. 52 (die Wagenräder fliegen hinweg, der nächsten Stadt zu), wie auch die moralische Wendung ist kennzeichnend für L: *Dieweil du solliche Vntrew an mir bewisen hast / Das du gewiß andern auch thun wirst / oder Alberaith wirdest gethon haben / soll Dir die Muehe belohnet werden.* Wir spüren sogar eine ironische Anspielung auf Fausts eigenen Charakter, wenn er spricht: *es sey kein schandtlicher ding Dann die Vntrew / Vndanckhbarkeit vnnd stoltz so mit Vnderlaufft.* So wird ein volkstümliches Motiv bewußt geformt und Faust angepaßt. Das stimmt auch für die Geschichte von den vier Zauberern[4]), wo der hier ausdrücklich für Faust selber gültige Schluß leider bei H verlorengeht:

Also bezalt der Teuffel seine Diener mit sollichem Ablaß. Wie jn aber Doctor Faustus bezaubert / also ist Er gleicherweiß bezalt / vnnd hat auch schandtlich sein Absolution *empfanngen.*

Nach diesen beiden Streichen, welche Fausts innerliche Laufbahn indirekt und ironisch belichten, neigt der Dritte Teil mit den Kapiteln vom *Alten Mann* und seinem verfehlten Bekehrungsversuch (54—55) dem Ende zu. Für eine solche Form hat X kein Verständnis; immer wieder schiebt er kleine Kapitelchen ein, und zwar meistens gruppenweise (36—37 und 40—44). Er hat sie anscheinend aus denselben volkstümlichen Quellen wie L — ja L erinnert den Überarbeiter wiederholt an die im 16. Jahrhundert am besten bekannten Anekdoten. Wo L ein Motiv ziemlich geschickt auszuarbeiten weiß, dort leitet uns der Überarbeiter — vielleicht unter Entlehnung einiger Worte aus L — auf die ihm wohlvertraute Rohform zurück. Für ihn ist die Historia eine wichtige Sammlung von Material, welche, um möglichst vollständig zu werden, wenigstens die allgemein bekannten Geschichten über diese bedeutende Person zu bieten hat.

So kommen im Dritten Teil noch sieben ganz kurze X-Kapitel vor, deren unmittelbare Anregung die Historia (d. h. L) oft selber gegeben hat. Im ersten

---

4) Vgl. L e r c h h e i m e r in: Scheibles Kloster V (Stuttgart, 1847) S. 283 f.

Fall handelt es sich sogar um direkte Entlehnung des Überarbeiters aus der eigenen Vorlage, denn c. 36 erzählt bis auf die ausgeteilte Strafe genau denselben Stoff, welchen L in c. 58 verwendet. Ein paarmal kommen sogar dieselben Worte vor: *Siben pferdt ... Renten Sie auf jn ... auf jn straiffen.* Die beiden Kapitel können übrigens unmöglich beide in L stehen, da das spätere gar nichts von dem früheren weiß: *den herren kennet Er / dann es ward der von Hardeckh Dem Er an dess Kaysers hof ein Hierschhorn auf die Stirn bezaubert hett wie Hieuornen gemelt.* Daß bei X die Erzählung einen anderen Ausgang nimmt, ist in mehreren Hinsichten verständlich. Einmal stimmt die Strafe in c. 36 mit dem vorher berichteten Streich überein (c. 35: der Ritter bekommt ein Hirschgeweih — c. 36: die Reiter mitsamt ihren Pferden bekommen Hörner). Andererseits kennen wir leider das Motiv vom Kriegsheer lediglich aus dem Faustbuch, während es doch wahrscheinlich ist, daß auch dieses Motiv von L nicht erfunden, sondern nur übernommen[5]) oder auf Faust übertragen und den Zwecken der Historia zurechtgeschnitten wurde. Ist dies der Fall, so mag L für c. 58 sehr wohl eine c. 36 ähnliche Anekdote mit dem Motiv von den aus Strohwischen hergestellten Tieren verbunden haben. Dann wird X, der das letzte Motiv in noch zwei Fassungen kannte und deshalb natürlich auch interpolierte (c. 40 und 44), auch in c. 36 eine echte volkstümliche Geschichte wiedergeben. Denn L pflegt auch sonst ein wohlbekanntes Motiv durch Kombinierung mit anderen (c. 45) oder durch eigenartige Pointierung (c. 35 oder 38) seiner Historia anzueignen, während X solche Bestandteile durch Ergänzungskapitelchen auf die Rohform zurückleitet.

Auch für die sehr bekannte Geschichte vom Betrug eines Viehhändlers durch verzauberte, im Wasser wieder zu Strohwischen werdende Pferde oder Schweine bietet uns X den einfachsten Beleg (c. 44). Schon die dritte Nürnberger Geschichte hat dieses Motiv auf Faust übertragen[6]). In einer Geschichte aus H o n d o r f f s *Promptuarium* (1574) kommt der betrogene Händler auf des Zauberers Zimmer, zieht den Schlafenden am Bein, und entdeckt zu seinem Schrecken, daß es aus dem Leib gerenkt wird[7]). Auch L wird die beiden Motive in irgendeiner Form gekannt haben. Wie wir gesehen haben, benutzt er das eine in c. 58, wo Faust seinen Verfolgern verzauberte Rosse gibt; das andere weiß er geschickt mit dem Shylock-Motiv zu verflechten. Hier (c. 39) wird das Bein nicht unversehens aus dem Leib gezogen, sondern vom Juden

[5]) S. z. B. das in der zweiten Ausgabe von H (1587) hinzukommende Kapitel: *Doctor Faustus ein guter Schütz.*

[6]) WILHELM MEYER, Nürnberger Faustgeschichten (München, 1895) S. 73 bis 75.

[7]) ERICH SCHMIDT, Faust und Luther (Berlin, 1896) S. 589 Anm. Dieses letztere Motiv wird in der 2. Nürnberger Geschichte — wie schon bei Montanus, s. Anm. 3 oben — mit einem dadurch beschwindelten Geldwechsler in Zusammenhang gebracht: WILHELM MEYER, S. 70—72.

aus Geschäftsüberlegungen abgesägt und als Pfand weggetragen. Damit wird der von Faust Betrogene — eine für L typische moralische Wendung — selber schuldig und verdient den erlittenen Geldverlust.

Das Abenteuer in c. 39 erinnert den Überarbeiter nun an jene vielerorts belegte Geschichte vom beschwindelten Roßtäuscher. Nicht nur fügt er sie anschließend (c. 40) ein. Dasselbe Motiv, nur von Schweinen statt Rossen erzählt, gibt er uns auch nochmals (c. 44) als die letzte in einer Reihe ganz kurzer Anekdoten (c. 41—44), welche neben dem Roßtäuscherschwindel eingeschoben werden. Zwei davon waren ihm nicht sehr vertraut. Es sind die Geschichten vom Studentenhader (c. 42) und von den vollen Bauern (c. 43), welche wir viel klarer und ausführlicher in der Erfurter[8]) und Nürnberger[9]) Überlieferung lesen können. Daß X solche Fragmente überhaupt bieten will, gilt als Beweis für seinen guten Willen, auch das nur vag Erhaltene zu bezeugen. Das Motiv vom verspotteten Bauern hat der Überarbeiter (c. 37 und 41) bei L (c. 52) vielleicht gar nicht wiedererkannt, denn die Adaptierung ist sehr frei, und der Überarbeiter weiß, daß der Zauberer das Getreide (c. 41) bzw. Heu, Wagen und Pferde (c. 37) gefressen habe[10]).

In solchen knapp mitgeteilten Anekdoten haben wir uns den Überarbeiter natürlich nicht als schöpferisch, sondern höchstens als kompilatorisch tätig zu denken. Deshalb weisen sie nur wenige Charakteristiken auf, welche ihn in Anhang II kennzeichnen ließen. Wie aber dort Faust und Mephosto in den Hintergrund versetzt werden, so verschwindet dieser hier ganz, und Faust selber erscheint nur als Name, woran einige Streiche geknüpft werden können. Dieser Name dürfte ebensowohl Schrammhans oder Wildfeuer heißen, und von einem dahinterstehenden Charakter kann gar nicht die Rede sein. Dagegen finden wir den Überarbeiter auch hier bestrebt, den Taten dieses Tausendkünstlers das eigene rationalisierende Gepräge zu verleihen. In c. 37, 40, 41 und 42 handelt es sich ausdrücklich um *verblendungen* — ein vom Überarbeiter besonders beliebtes Wort. Überall kennzeichnend für L ist der Verzicht darauf, eine solche Erklärung für die Taten seines Fausts zu bieten. X dagegen

---

[8]) *Eine ander Historia, Wie D. Faustus vnversehens in eine Gasterey kömpt,* c. 53 bei: JOSEF FRITZ, Das Volksbuch vom Doctor Faust nach der um die Erfurter Geschichten vermehrten Fassung (Halle, 1914). Nach SIEGFRIED SZAMATÓLSKI, Faust in Erfurt: Euphorion 2 (1895) S. 39—57, gehen die Erfurter Kapitel auf W o l f W a m b a c h s verlorene Erfurter Chronik zurück, welche M. Z a c h a r i a s H o g e l , *Cronica von Thüringen und der Stadt Erffurth* etwas genauer widergibt. Die Faust betreffenden Abschnitte aus H o g e l werden bei Szamatólski abgedruckt.

[9]) WILHELM MEYER (Anm. 6, oben) S. 76—80: Gesch. Nr. 4.

[10]) Wie in den T i s c h g e s p r ä c h e n (Aurifaber, Nr. 307) und auch in W. B ü t n e r s *Epitome historiarum* (1576) — abgedruckt bei PETSCH, Volksbuch S. 194 f.

führt am Ende von c. 37 den Bürgermeister ein, um die Art der Verblendung zu bestätigen: *Als Sie aber fur das Thor kamen / funden Sie alles wie vor.* Ähnliches erfahren wir bei fast jedem der anderen Kapitelausgänge. C. 41: *Als Er aber an seinen Orth kam / hat er das Omath wie zuuor auch.* C. 42: *jnn heusern aber kamen jnen jre gesichter wider.* C. 43: *welcher Baur fur die stuben hinauß kam / Der hett gewonnen / kam jm sein sprach wider* (wir werden an das Ende von c. 23 — auch von X — erinnert: *alsbald Er aber auß der Stuben gieng / Da hett Er kein plag oder Vnzyfer meher an jm*).

Bei der anekdotenhaften Knappheit dieser Kapitel verliert Faust nicht nur eigentümliche Züge sondern auch seine typische Umgebung. Er erscheint *mit ettlichen seinen Bekandten … wolbezecht,* oder *jnn einem Wirtshauß jnn einer zech.* L berichtet interessanterweise nichts von dieser im Volk wohlbekannten Schwäche Fausts und schildert ihn nie unter seinen Zechkumpanen (vgl. die Fastnachtsgeschichten von L, c. 47 und 51, mit denen von X, c. 48—50). Fast überall scheint sich L Mühe zu geben, Fausts Tätigkeit in Adligen- und Studentenkreise zu verlegen. Beim Bauernstreich in c. 52, der auf dem Land stattfinden muß, wird eine Erklärung vorausgeschickt: *Doctor Faustus ward gen Braunschweig jnn die Statt erfordert zu ainem Marschalckh der die Schwindsucht hett jm zuehelffen.* Sofort wird noch eine weitere Erläuterung der besonderen Umstände hinzugefügt, welche auch als Detailschilderung von Fausts Charakter einen Gegensatz zu X bildet: *Nun hett aber Doctor Faustus den brauch wa Er hingebetten wardt / es sey gleich zu Gastung oder Artzney / Da Ritt oder Fuer Er nicht / sondern zuegehn ward er gericht.* — Faust befindet sich in c. 53 auf einer Reise nach Frankfurt und damit wieder einmal nicht in dem für L typischen gesellschaftlichen Milieu. Auch hier wird die Reise begründet, und Mephosto ist zugegen. Er fehlt in den vom Überarbeiter gesammelten Anekdoten, eben weil er eine Schöpfung von L ist. Des Überarbeiters Unsicherheit über Mephostos Figur wurde schon bemerkt. Nur noch einmal wird Faust von L aus den gewohnten Kreisen versetzt — c. 39: er besucht einen Geldwucherer — und auch hier taucht Mephosto wieder auf, denn durch seine längere Rede am Anfang des Kapitels wird Faust auf die Möglichkeit, Geld durch einen Schwindel aufzutreiben, aufmerksam gemacht.

Eine solche Behandlung der Abenteuer bei L ergibt eindeutige Gegensätze zu den vom Überarbeiter gesammelten Anekdoten in c. 37—38 und c. 40—44, wo Faust als lustiger Zecher und wandernder Tausendkünstler einfach auf irgendeiner Gasse oder Landstraße auftaucht, um dem Volk dieselben Streiche zu spielen, welche ihm ähnliche Figuren schon seit Menschenaltern verübt haben sollten. Der Überarbeiter kennt eben den geschichtlichen und sagenhaften Faust, den er von dem fiktiven Helden der Historia nicht unterscheiden mag. Er merkt zum Beispiel kaum, daß dieser eng mit Wittenberg verbunden ist, während jener vornehmlich in Süddeutschland — der wahrscheinlichen Heimat des Überarbeiters — bekannt war. Wo L die Abenteuer nicht ausdrücklich in Wittenberg lokalisiert (sowohl in den frühen und abschließenden Kapiteln wie auch in c. 38, 56, 57, 61, 62), so haben wir anzunehmen, daß den Schauplatz Fausts Haus in Wittenberg bildet (c. 39, 47, 51, 54, 55, 59). Spielen andere Personen eine Hauptrolle, so wird ihre Verbindung mit Wittenberg betont (c. 25, 60). Sonst wird Fausts Aufenthaltsort erklärt und begründet, häufig durch eine ausdrückliche Einladung, und meistens bleibt er in der Nähe Wittenbergs (c. 28—33, 34—35, 45, 52, 53, 58). Während L den Schauplatz nie aus den Augen verliert und immer gewissenhaft berichtet, mißt ihm X keine Bedeutung bei. Darum bezeichnen besonders erwähnte Ortsnamen entfernter Gegenden, wie Zwickau (c. 41), Gotha (c. 37), Pffeffering (c. 40), die vielleicht echte unmittelbare Herkunft der jeweiligen von X eingeflickten Anekdoten.

VI. Die Erfindung von zusätzlichen Abenteuern im Dritten Teil: c. 46, 48, 49, 50

Das Motiv von Doctor Faustus als Wirt bildet einen wesentlichen Teil der Erfurter[1]) wie auch der Nürnberger[2]) Überlieferung: Faust weiß seinen Gästen köstliche Speisen und Tränke aus weit entlegenen Fürstenhöfen vorzusetzen. Daß auch L mit dieser Tradition vertraut ist, beweist schon die Art, wie Faust in c. 8 von seinem Geist mit Lebensmitteln versorgt wird. In den Zusammenhang mit diesem Motiv tritt auch leicht die Luftreise an den Hof, wo die Speisen herstammen[3]). L aber verbindet die beiden Motive wohl nicht, sondern gestaltet jedes zu einer einzelnen Faustnovelle.

Die Luftreise geschieht in c. 38, wo *drey Grafen Sun auff die Furstlich Hochzeit zu Munchen jn eyl gebracht* werden. Hier tritt Faust zum erstenmal als guter Freund der Studenten auf. Die kennen ihn wohl und wissen, daß er einer *Schenckh halben / vnnd dann jrer Banckhet so jm Rathlich bewisen* sie von Wittenberg nach München und zurück zaubern will. In der Nürnberger Überlieferung werden solche ungeladenen Gäste alle ins Gefängnis geworfen. Bei L wird eine passendere Wendung ausgedacht. Einer der Studenten paßt bei dem Abflug aus München nicht gut auf und wird gefangengenommen, verrät beim Verhör seinen Freund aber nicht. Faust zeigt sich solches Vertrauens würdig, indem er zurückkehrt und den jungen Mann befreit.

---

[1]) *Wie D. Faustus selbst eine Gasterey anrichtet,* c. 54 bei JOSEPH FRITZ (s. Anh. V, Anm. 8).

[2]) Geschichte Nr. 1 bei WILHELM MEYER, S. 60—68.

[3]) So in der ersten Nürnberger Geschichte bei MEYER. A u g u s t i n L e r c h - e i m e r , *Christliche Bedenken und Erinnerung von Zauberei* (Speyer, 1586) kennt eine Luftreise *auß Sachsen gen Parijß mehr als hundert meile zur hochzeit vngeladen ... auff eim mantel,* wie auch die in W c. 47 ausführlich beschriebene Fastnachtsreise *gen Saltzburg ins Bischoffs Keller* (Scheibles Kloster V [Stuttgart, 1847] S. 304 f.).

Auf eigenartige Weise verwendet L auch das Motiv von Doctor Faustus als Wirt. In c. 45 genießt Faust die Gastfreundschaft des Fürsten von Anhalt, weiß aber seine Gastgeberin auf eine besonders rücksichtsvolle Art zu bewirten. Nach L bilden Adlige neben den Studenten die beiden Kreise, wo Faust vornehmlich aus- und eingeht, und in solcher Umgebung darf der Geist natürlich keine Gerichte von anderen Fürstenhöfen stehlen. Stattdessen wird er von seinem aus den Disputationen über des Himmels Lauf ja gründlich unterrichteten Herrn nach dem südlichen Erdteil geschickt, um für die schwangere Fürstin frisches Obst im Winter zu holen. Ein redseliger Faust verbreitet sich dann über die Beschaffenheit der Erde und der Jahreszeiten, und gibt ganz offen zu, daß ihm sein *fliegennder geschwinder Geist* geholfen habe[4]).

L geht dann gleich darauf zu den Fastnachtsgeschichten über. X dagegen schiebt noch eine Anhalter Geschichte ein, wobei die Anregung von L selber ausgeht. L beginnt die erste Fastnachtsgeschichte (c. 47) nämlich mit den Worten:

Doctor Faustj gröste Muehe / geschickhlicheit vnnd Kunst / so Er zuewegen bracht ward Diss / Das er gehörtter massen dem Fursten von Anhalt erzeigte / Da Er dann durch seinen Geist nicht allein zuewegen bracht Dises / sonndern auch alle Thier von Vierfuessigen / gefligels vnnd gefurderts[5]).

Davon ausgehend läßt X (c. 46) Faust ein Schloß für den Fürsten auf eine Höhe verzaubern, um dann die Anlagen mit alphabetischen Tierlisten aus Dasypodius zu bevölkern und demselben Wörterbuch zahlreiche Gerichte und Getränke für ein festliches Essen zu entnehmen. Es ist aber alles leere Ver-

---

[4]) MILCHSACK, Historia S. CXVIII ff. bringt aus mehreren Schriften Belege für Fausts hier vorgetragene Wissenschaft. PETSCH gibt, Volksbuch S. 209 f. den ihm wahrscheinlichsten wieder: aus J a k. v. L i c h t e n b e r g s *Theatrum de Veneficis* (1586). Ebenso nahe aber stehen etwa L u d w i g M i l i c h s *Zauberteufel* (Frankfurt, 1563) und der *E l u c i d a r i u s* — und diese beiden Quellen spiegeln sich auch an anderen Stellen des Faustbuchs. C. 45 braucht auch von keiner Quelle direkt abhängig zu sein, da — in Milchsacks Worten — „die auffassung von der wissenschaft jener zeit gebilligt, das kunststück selbst gern gesehen und gewaltig angestaunt wurde". Überhaupt typisch für L ist die — im Gegensatz zu X — recht freie Verfügung über die Quellen, die sich seinen Zwecken anpassen lassen.

[5]) Dieser Satz läßt sich allerdings verschieden auffassen. Stand er beispielsweise doch nicht in L, so hatte X guten Grund, ihn dem 47. Kapitel voranzusetzen, um den Einschub von c. 46 zu rechtfertigen. Gerade darin belichtet die Stelle auf sehr interessante Weise die Geschichte des Faustbuchs, weil die einzige unmögliche Annahme wäre, daß ein Verfasser c. 46 u n d den Anfang von c. 47 konzipiert hätte: daß c. 46 den ersten Satz von c. 47 vorwegnimmt und völlig unnötig macht, kann m. E. nur durch die Annahme einer früheren Fassung vor X erklärt werden.

blendung, denn das Schloß verschwindet und die Gäste fühlen nicht *das Sie etwas geessen oder gedruncken haben sollen / so Öed waren Sie.*

Zwei von den Fastnachtsgeschichten stammen aus L: c. 47 (mit der Überleitung von der Anhalter Episode in c. 45), worin Faust nach Wittenberg zurückkehrt, um dort den Bacchus zu spielen, nach einer wohl weitverbreiteten Anekdote dann[6]) seine Gäste in des Bischofs von Salzburg Weinkeller zu führen und dem Kellner einen argen Streich zu spielen; auch c. 51 mit der Helena-Episode, einer schönen Variation von dem in c. 34 ähnlich verwendeten Motiv der Totenbeschwörung[7]). Zwischen diesen beiden Fastnachtsgeschichten in seiner Vorlage führt der Überarbeiter in c. 48—50 Doctor Faustus als Wirt noch dreimal vor[8]). Daß dabei nicht gemerkt wird, wie L das Motiv (c. 45 und 47) schon erschöpft hat, ist durchaus typisch für X.

H — wohl wieder in dem Versuch (vgl. Anh. I und III), das bei X Aufgeschwellte und Entstellte doch ein bißchen zu glätten — entfernt sich noch weiter von L. Fünf Fastnachtskapitel scheinen auch für H zuviel gewesen zu sein, so daß c. 47 (= H 45) einen neuen, dem Inhalt genauer entsprechenden Titel bekommt. Dabei fällt der uns sehr nützlich gewordene erste Satz aus, den H mit Recht als überflüssige Wiederholung des (von X eingeschobenen) c. 46 (= H 44a) betrachtet.

Die drei knappen, von X interpolierten Fastnachtskapitel 48—50 sind untereinander so ähnlich, daß wir sie als einen einheitlichen Einschub behandeln können. Hier und in dem zweiten Anhalt-Kapitel (46) erscheinen wieder die meisten Charakteristiken, die wir schon in Anhang II besprachen. Sie sind, in der dortigen Reihenfolge:

1. K e i n e e i g e n t l i c h e H a n d l u n g. Wie c. 6, 23, bringt nun c. 46 eine Reihe von phantastischen Erscheinungen. An ihre Stelle treten in c. 48—50 lustige Studentenpossen.

2. E t w a s u n b e h o l f e n e E i n b e z i e h u n g F a u s t s. So der Beginn von c. 46: *Doctor Faustus Ehe Er vom Fursten von Anhalt Vrlaub nam / Batt Er den Fursten . . .*; oder der erbärmliche erste Satz von c. 48, wo in Klammern brav versucht wird, eine Bezugnahme auf das vorige Kapitel zu bieten (der Fastnachtsbesuch im Salzburger Weinkeller — c. 47 — sei eigentlich schon am Sonntag Estomihi geschehen); und der ebenso rührende Versuch

---

[6]) L e r c h e i m e r z. B. kennt die Geschichte in allen Hauptzügen (s. Anm. 3 oben).

[7]) H a n s S a c h s, *Ein wunderbarlich gesicht keyser Maximiliani* kann dazu die Anregung gegeben haben. Hier handelt es sich aber wieder um ein weit verbreitetes, mit früheren Figuren einmal verbundenes (Trithemius und Maximilian), und schon vor L auf Faust übertragenes (s. die Erfurter Geschichten) Motiv.

[8]) Vgl. PETSCH, Volksbuch S. XL f.

am Anfang von c. 49 und c. 50 beim immer wiederholten Studentenbesuch wenigstens in der Veranlassung eine kleine Abwechslung zu schaffen. Wie wir für c. 38 (Luftreise nach München) und c. 45 (die Anhalter Geschichte) feststellten, bleibt es auch für den Dritten Teil typisch, daß Faust im Brennpunkt steht. Übernommene Motive werden dort zweckbewußt abgeändert, um wichtige Züge von Fausts Charakter und von seinem Verhältnis zu seinen Freunden und Bekannten zu beleuchten. In den bei X eingeschobenen Kapiteln hat der Held die einzige Funktion, sensationelle Vorgänge auszulösen.

3. D i e L i s t e a l s P r o d u k t i o n s p r i n z i p. Auch diese Kapitel bestehen aus der bloßen Aufzählung von Erscheinungen und Gegenständen. In c. 46 sind es Tiere, Getränke und Gerichte; in c. 48—50 (teilweise dieselben) Getränke und Gerichte und (teilweise auch schon benutzte) Possen. Das Wörterbuch von Dasypodius wird reichlich exzerpiert, um den größten Teil von c. 46 herzustellen, und scheint sich auch in c. 48 zu spiegeln. Das *lieblich Saydten spil* in c. 49 ergänzt sich sogar durch dieselbe Dasypodius-Liste, welche für das *Lieblich jnstrument* in c. 6 herangezogen wurde[9]).

4. D e s Ü b e r a r b e i t e r s e i g e n e A u f f a s s u n g d e r F a u s t f i g u r. Früher bemerkten wir eine eigentümliche Einstellung zu Faust selber; im Dritten Teil befremdet uns die Deutung seiner Taten. In c. 46 verschwindet die von Faust gezauberte Herrlichkeit. Sogar die Gäste bleiben nach all den Gerichten hungrig. Darum muß Faust in c. 48 den Studenten versichern: *Das es kein verblendung ist / Das jr maint jr Esst / vnnd sey doch nicht natturlich.* Soll der Leser Fausts Kunstgriffe durchschauen, wie etwa wenn Faust und die Studenten bei Nacht mit weißen Hemden umgehen und sich damit den Anschein geben, als hätten sie keinen Kopf (c. 49), so wird der Streich eher für Eulenspiegel als für Faust typisch. X zeigt einfach nicht denselben Glauben an Magie wie L, der — wahrscheinlich wegen ironischer Distanz — Fausts Zauberei weder beschränken noch erläutern will. Teufel gibt es natürlich für X schon, aber ihre Speisen sättigen nicht. An natürlichen Gegenständen üben sie keine wirkliche Macht, aber sie können die Menschen verblenden[10]). Die Studenten in c. 50 sind wahrscheinlich auf festem Boden geblieben *vnnd Dunckht doch die Studenten Sie weren jnn Dem Lufft gewandelt.*

---

[9]) C. 49 heißt es: *Orgell, Positif, Lautten, Geigen, Citter, Harpffen, Krumbhörner, Posaunen, schwegel, zwerchpfeiffen* — c. 6: *Orgell, Positiff, Harpffen, Lautten, Geigen, Pusaunen, Schwegel, Krumbhörner* (und H bringt auch *zwerchpfeiffen*).

[10]) Damit rückt Mephosto eben in den Rahmen des volkstümlichen Teufelsglaubens. MILCHSACK, der an X als Überarbeiter nicht glaubte, zog (Historia S. CLXII ff.) mehrere Parallelen zwischen dem Faustbuch und dem für die Dämonologie der Zeit repräsentativen *Zauberteufel* von L u d w i g   M i l i c h (Frankfurt, 1563).

5. Unsicherheit über die Mephostofigur. Zwar hören wir wenig im ganzen Dritten Teil von Mephosto, aber X erwähnt ihn gar nicht. Vgl. in dieser Hinsicht z. B. (L) c. 45 mit (X) c. 46.

6. Enge Anlehnung an L. C. 46 stellt sich als Ergänzung eines einzigen Satzes bei L heraus: des ersten in c. 47 (Ähnliches stellten wir etwa für die lange Dasypodius-Stelle in c. 16 fest — Anh. IV). Die drei neuen Fastnachtsgeschichten (c. 48—50) sind als weitere Behandlung des schon durch L gebotenen Themas zu betrachten. Früher (vgl. Anh. II) entlehnte Mittel werden hier noch ein paarmal verwendet. In c. 49 hören die Gäste *jnn der Stuben allerlay lieblicher Saydten spil / vnnd wusten doch nit wo es herkeme* — eine Wiederholung von c. 6: *da erhueb sich ein Lieblich jnstrument*, wie auch von c. 24: *allerlay jnstrument der klang ganntz Lieblich ward / vnnd konndte doch... kein jnstrument sehen*. Auch kehrt in c. 49 der *Alte Aff* aus c. 6 und 24 zurück. In c. 50 begegnen dreizehn Affen und auch wieder ein Drache. Der tanzende Göckler aus c. 49, der schreiende Kalbskopf aus c. 50, u. a. m. gehören zu denselben grotesken Erscheinungen, die wir auch früher beim Überarbeiter angetroffen haben[11]).

VII. Interpolierungen im Vierten Teil: c. 68 und 70

Das mit Recht berühmte kleine Meisterstück, *Doctor Faustj Grewlich End vnnd SPectackell* (c. 71), wirkt besonders überzeugend als Nachweis für die Fassung L. Hier finden wir nicht nur einen für das 16. Jahrhundert außerordentlich begabten Schriftsteller am Werk, der ja unmöglich identisch sein kann mit dem Interpolierer etwa der Exzerptsammlungen im Ersten Teil, der Schwänke in c. 40—44 oder der Possen in c. 48—50; wir stoßen auch überall auf Belege dafür, daß mehrere andere Faustbuch-Kapitel diesen Schriftsteller zum Verfasser haben. Gleich mit den ersten Worten wird an den Pakt (c. 7) erinnert: Es *erscheint jm der Geyst vberantwurt jm sein Brieff oder verschrei-*

---

11) Auch gegen Ende des Dritten Teils werden wir vielleicht den Überarbeiter auf ähnliche Weise wieder tätig finden. Nach L wird wohl c. 58 — die weitere Verspottung des armen Hardecks — mit zwei Kapiteln eingerahmt, wo Faust dem Adel besondere Dienste leistet, im letzten Fall (c. 62) auf recht intime Art. Was zwischen c. 58 und c. 62 liegt — ein kurzer Bericht von Fausts Buhlschaften (c. 59), eine Wiederholung der Helena-Episode (c. 60), und eine wunderliche Schatzgrabung (c. 61) — weicht bedeutend von den übrigen L-Kapiteln ab. Hier fehlt es aber auch an eindeutigen Merkmalen von X. PETSCH versichert, daß H die Anordnung dieser Kapitel geändert habe (W 59—60—61 = H 57, 59, 58), was sehr wahrscheinlich ist, denn seine Redaktion hat hier zu weiteren Eingriffen geführt. Nicht nur wurde das etwas bedenkliche c. 62 einfach weggelassen, sondern auch die Rückkehr Helenas hat H mit Recht weitgehend gekürzt, indem er die ausführliche Beschreibung ihrer Schönheit nicht wiederholen will (vgl. c. 51).

176

bung. Den Studenten eröffnet Faust, er habe sich *dem Teuffel versprochen / vnnd Verschreiben muessen / Nemlich jm 24ᵗʰ jahren mein Leib vnnd Seel zuuerpfenden.* Er sagt ihnen auch die dritte Bedingung des Pakts: Gott, das himmlische Heer und die Menschen zu verleugnen. In diesem Schlußkapitel wird vor allem auf die Disputationen (c. 10—16) und den Bekehrungsversuch des *Alten Manns* bezuggenommen. Faust erzählt den Studenten sogar den ganzen Inhalt von c. 54—55.

In c. 71 tröstet Mephosto: *ob Du schon dein Leib verleurst / so ist noch lanng Dahin biß dein Gericht wirdt.* Faust *waiss Das der Teuffel den Leib will haben / vnnd jch will jm jn gern lassen / er lass mich nun zufriden mit meiner Seel.* Die Studenten raten ihm, zu Gott mit folgenden Worten zu beten: *Wiewol jch dem Teuffel den Leib mueß lassen / So wöllest Du doch die Seel erhalten.* Das ist seit den Disputationen ein wichtiges Problem, womit sich Faust lange herumgeschlagen hat. L berichtet schon c. 13, daß, hätte Faust nur versucht, sich zu bekehren *vnnd also dem Teuffel ein widerstandt gethon / Vnnd ob wol Er dem Teuffel hie schon den Leyb hat lassen muessen / So wer dannocht die Seel erhalten worden.* Der *Alte Mann* von c. 54 mahnt Faust dann wieder: *Ach mein herr was zeucht jr Euch / Es ist vmb den Leib nicht zuthuen / sunder vmb die Liebe Seel.* — In c. 71 erklärt Faust, er sei durch sein *nichts wirdiges fleisch vnnd Bluett* verleitet. In c. 13 schon lautet seine Klage: *mein Vbermueth fleisch vnnd Bluet hat mich gesetzt jn ein verdamlicheit an Leib vnnd Seel.* — Sehr schön wurde c. 15 der seelische Zustand des Sündigen beschrieben:

Doctor Faustus hett wol jmmerdar ein Rew jm hertzen / vnnd ain bedennckhen was Er sich doch gezigen hett an seiner Seligkeitt ... Aber sein Rew ward Cains *vnnd* Judas *Rew vnnd Bueß Da wol ein Rew jm hertzen ward / Aber Er verzaget an Den Genaden Gottes / vnnd ward jm ein Vnmuglichs Das Er zur Huldt Gottes könndt kommen / gleich wie* Cain *der also verzweyffelt / Das Er sagte seine Sündt weren grösser / dañ jm verzigen möcht werden.*

Daraus wird Fausts Behauptung in c. 71 verständlich:

Ich stirb als ein boeser vnnd guetter Christ / Darum das jch ein hertzliche Rew hab / vnnd jm hertzen jmmer vmb gnad bitt / Damit mein Seel errettet mocht werden.

Die Studenten drängen ihn zu beten:

Er wolt betten / Es wolt jm aber nicht eingeen / wie dem Cain. *sagt seine sünd weren grösser Dann jme mocht verzygen werden / Also mit* Fausto *auch / der gedacht jmmer Er hab es mit seiner Verschreibung zu grob gemacht.*

Zusammen mit dem Pakt (c. 7), den Disputationen (c. 10—16), und den beiden Kapiteln vom *Alten Mann* (54—55) bildet c. 71 also den gedanklichen Kern des Faustbuchs.

Daß diese paar Kapitel eng zusammengehören, gilt aber nicht etwa nur als Beweis, daß solche umlaufenden Schriften durch einen bloßen Sammler in Zusammenhang mit anderswo aufgefundenen Faustgeschichten zu unserem Faustbuch zusammengefügt wurden; denn den Verfasser von c. 71 können wir in noch mehreren anderen Teilen der Historia nachweisen. In c. 1 schon ist Faust *zu der boesten gesellschafft gerathen*. In c. 71 behauptet er selber, daß ihn *zu disem Teuffelischen Lust niemand gebracht Dann boese Gesellschaft*. Er wendet sich hier an die Studenten, denn sie *Hatten jn Lieb*. Daß die Studenten seine besten Freunde seien, erfahren wir schon in dem Dritten Teil, etwa wo (c. 47) ein Student ihm besondere Treue erweist. In c. 71 hören wir, wie auch in c. 5, 8, 24, 63 und 64, von dem F a m u l u s ; von der schon aufgeschriebenen und in c. 64 dem Famulus anvertrauten H i s t o r i a ; von der in c. 51 beschworenen H e l e n a und von dem in c. 60 eingeführten J u s t u s F a u s t u s ; und zuletzt von dem G e s p e n s t , der, wie in c. 63 vorausgeschickt wird, nach Fausts Tod in seinem Haus umgeht.

Man denkt aber vielleicht trotzdem noch an einen Sammler von Faustanekdoten, der unter ihnen eine äußerliche Einheitlichkeit erstrebt, und noch dazu c. 71 mit den vielen Anspielungen an frühere Episoden verfaßt hätte. L haben wir uns allerdings als einen schöpferischen Sammler gedacht. Ist es ihm in so vielen Fällen gelungen, auch die eben skizzierten Einzelheiten in Einklang zu bringen, wie wollen wir uns dann sein völliges Versagen in den Kapiteln erklären, die zum Gegenstand unserer Anhänge wurden? Da der begabte Erzähler von c. 71 einen Sinn für Form und Organisation hat, der dem an anderen Teilen des Faustbuchs tätigen reinen Sammlergeist auffallend abgeht, wird c. 71, wo viele Motive aus früheren Teilen wiederaufgenommen werden, zu einem kaum wegzuerklärenden Nachweis für die beiden Vorstufen L und X.

Dieses Schlußkapitel ergibt auch die letzte eindeutige Spur eines Einschubs bei X. L hat einen schönen Sinn für die Einzelheit (Faust begleicht seine Rechnung, schon ehe er zu Bett geht — denn er weiß, daß er keine weitere Gelegenheit dazu hat). Der Überarbeiter dagegen achtet gar nicht auf Einzelheiten, und am Anfang des Kapitels schreibt er (und nach ihm W) mechanisch ab: *jnn sollichem wachen erscheint jm der Geyst*. Schon L wird *jnn sollichem wachen* (wie auch am Anfang von c. 60) enthalten, aber nicht in dem gegenwärtigen Zusammenhang: im vorigen Kapitel (70) befindet sich Faust in Rom, um ziemlich getreu nach A n d r e a s O s i a n d e r , *Eyn wunderliche Weyssagung von dem Babsttumb* (Nürnberg, 1527)[1], 9 tendenziöse Prophezeiungen zu geben. Daß H das Wort *wachen* nicht enthält, bedeutet nur, daß er es nicht verstanden und geändert hat, denn *in solcher Wochen* kann natürlich auch nicht richtig sein: Mephosto ist erst am Vorabend vor Fausts Tod erschienen — in den letzten S t u n d e n .

---

[1] WILHELM DIRKS, Über Widmans Volksbuch von Doktor Faust (Greifswalder Diss., 1919) S. 36 f.

Der Vierte Teil beginnt mit den beiden Berichten über den Famulus und Fausts letzte, wegen Haus und Hinterlassenschaft getroffene Anstalten (c. 63 und 64). Es folgen dann Fausts Klagen (c. 65—67 und 69?), die den Absichten von L entsprechen, wenn auch die eine oder andere einen Einschub bei X vertritt. In der Einleitung zu diesen Klagen (c. 65) hören wir, daß Faust *Achtzget vnnd Seunfltzget nam vom Leib ab* ... *Er liess sich nicht sehen* / *So wolt Er auch den Geyst nicht mehr haben oder Leyden.* Darum bleibt Mephosto bis in die letzten Stunden vor Fausts Tod aus und kommt erst, um die Paktfrist zu kündigen (c. 71). *jnn sollichem wachen* kann sich nur auf das Klagen Fausts beziehen. Dementsprechend bringt Mephosto passende Trostworte: *trost vnnd zuespruch gab er jm.* Das heißt, in L muß c. 71 unmittelbar auf die Klagen folgen.

Die einzigen Unterbrechungen zwischen den Klagen und der Rückkehr Mephostos (c. 71) bestehen aus Exzerpten, deren Anwendung X wieder kennzeichnet. Für den ersten dieser Einschübe, wo *der Geist dem Fausto mit seltzamen Sprichwörttern Zuesetzt* (c. 68), kann L die Anregung gegeben haben, denn die ersten Zeilen von c. 71 bestehen aus *des Geistes zuespruch* (vgl. etwa den ersten Satz von c. 47, den X durch das ganze c. 46 erweitert). Die lange Liste von Sprichwörtern in c. 68 stimmt sehr gut mit anderen Proverbsammlungen aus dem 16. Jahrhundert überein[2]).

In c. 70 stoßen wir wieder auf bekannte Spuren der Überarbeitung. Die Klagen fangen in c. 65 an: *als Er noch ein Monat vor jm hett das seine .24. jar ausgeen solten* ... *Da wardt Doctor Faustus Erst klainmuetig.* Nach den Klagen erfahren wir (c. 70): *Jnn .24. seinem verlauffnem jar* / *Wardt Er berueffen zu dem Bischoff vnd Cardinal gen Saltzburg.* Wer jenen Satz schrieb, hat nicht fünf Kapitel später mit diesem das Osiander-Exzerpt[3]) eingeführt. Wie PETSCH schon ausführte[4]), liegt dem ganzen Faustbuch ein gewisses Ordnungsprinzip zugrunde. I. Teil: Fausts Jugend, Teufelsbeschwörungen, Diputationen; II. Teil: wissenschaftliche Spekulationen; III. Teil: Abenteuer; IV. Teil: letzte Anstalten und Ende. Hätte nun L den Stoff für c. 70 verwenden wollen, so dürften die Prophezeiungen vielleicht im III. Teil, aber überhaupt nicht im IV. und ganz gewiß nicht als Unterbrechung zwischen den Klagen und Fausts doch unmittelbar darauffolgendem Ende einen Platz gefunden haben.

Zwischen den beiden vom Überarbeiter eingeschalteten Kapiteln (68 und 70) liegt die schwächste der Klagen, die wir auch gerne als Arbeit von X an-

---

2) LUDWIG FRÄNKEL, Entlehnungen im ältesten Faustbuch: Vjs. f. Ltgsch. 4 (1891) S. 361—381.

3) S. Anm. 1 oben.

4) Einleitung zum Volksbuch S. XXV ff.

sprechen möchten[5]). Sie besteht aus der Wiederholung von Mephostos Beschreibung der Höllenpein (c. 16) — ja Faust selber macht uns darauf aufmerksam: *jch waiss mich noch zuerJnnern vom Geyst den jch eins mahls von der Verdamnus gefragt hab.* Gerade darin wird diese Klage aber typisch für die Gestaltung sowohl des Vierten Teils, wie der letzten Kapitel überhaupt (etwa 54 ff.), wo nicht selten an frühere Begebenheiten erinnert wird. Ob bei L bereits an zwei Stellen (c. 16 und 69) eine indirekte Anlehnung an Dionysius van Leeuwen steht[6]); ob X dagegen an beiden Stellen Material einschiebt; oder ob L in c. 16 fremden Stoff adaptiert und X dann aus c. 16 ein zusätzliches Kapitel zusammensetzt (c. 69) — darüber lassen sich nur Vermutungen aufstellen.

Folgender Schluß aber scheint für den Vierten Teil berechtigt zu sein: L enthält einen abschließenden Bericht über Fausts Famulus und Hinterlassenschaft, eine Reihe von Klagen, die an die Disputationen des Ersten Teils erinnern, und das die wichtigen Themen des ganzen Faustbuchs zusammenfassende *Grewlich End vnnd SPectackell.* Der Überarbeiter schöpft aus Osiander und aus einer der Egenolff'schen Proverbsammlung ähnlichen Quelle, um im Vierten Teil wenigstens zwei Kapitel (68 und 70) hinzuzufügen. C. 69 gehört zu den Kapiteln (20, 28, 33, 59, 60, 61), welche sich weder eindeutig zu L noch zu X rechnen lassen.

---

[5]) Wie PETSCH, Einleitung zum Volksbuch S. XXXVII.
[6]) Vgl. Anh. III, Anm. 1 und 5.